O ACERTO DE CONTAS DE UMA MÃE

Sue Klebold

O ACERTO DE CONTAS DE UMA MÃE

A vida após a tragédia de Columbine

Tradução
Ana Paula Doherty

4ª edição
Rio de Janeiro-RJ / São Paulo-SP, 2024

Editora
Raïssa Castro

Coordenadora editorial
Ana Paula Gomes

Copidesque
Lígia Alves

Revisão
Cleide Salme

Capa
Adaptação da original (Christopher Brand)

Fotos da capa
George Baier IV (porta-retratos)
Cortesia da autora (fotografia no porta-retratos)

Projeto gráfico e diagramação
André S. Tavares da Silva

Título original
A Mother's Reckoning
Living in the Aftermath of Tragedy

ISBN: 978-85-7686-456-1

Copyright © Vention Resources Inc., PBC, 2016
Introdução © Andrew Solomon, 2016
Todos os direitos reservados.
Edição publicada mediante acordo com Crown Publishers, selo do Crown Publishing Group — divisão da Random House LLC.

Edna St. Vincent Millay, excerpt from "And must I then, indeed, Pain, live with you" from *Collected Poems*. Copyright 1954 © 1982 by Norma Millay Ellis. Reprinted with the permission of The Permissions Company, Inc., on behalf of Holly Peppe, Literary Executor, The Edna St. Vincent Millay Society, www.millay.org

Tradução © Verus Editora, 2016
Direitos reservados em língua portuguesa, no Brasil, por Verus Editora. Nenhuma parte desta obra pode ser reproduzida ou transmitida por qualquer forma e/ou quaisquer meios (eletrônico ou mecânico, incluindo fotocópia e gravação) ou arquivada em qualquer sistema ou banco de dados sem permissão escrita da editora.

Verus Editora Ltda.
Rua Argentina, 171, São Cristóvão, Rio de Janeiro/RJ, 20921-380
www.veruseditora.com.br

CIP-BRASIL. CATALOGAÇÃO NA FONTE
SINDICATO NACIONAL DOS EDITORES DE LIVROS, RJ

K71a

Klebold, Sue, 1948-
O acerto de contas de uma mãe : a vida após a tragédia de Columbine / Sue Klebold ; tradução Ana Paula Doherty. - 4. ed. - Rio de Janeiro, RJ : Verus, 2024.
23 cm.

Tradução de: A Mother's Reckoning : Living in the Aftermath of Tragedy
ISBN 978-85-7686-456-1

1. Massacre de Columbine de 20 de abril de 1999. 2. Columbine High School - Estados Unidos. 3. Atentado suicida. I. Doherty, Ana Paula. II. Título.

16-31942

CDD: 920.0091747
CDU: 929:94(73)'1999/...'

Revisado conforme o novo acordo ortográfico

A todos os que se sentem sozinhos, abandonados e desesperados
— mesmo nos braços daqueles que os amam

Família Klebold, Natal de 1991
(da esquerda para a direita: eu, Byron, Dylan e Tom)
Foto: Pekari

SUMÁRIO

Introdução (Andrew Solomon) 11

Prefácio 19

PARTE I: As últimas pessoas no mundo

1. "Houve um tiroteio na Escola de Ensino Médio de Columbine" 25
2. Cacos de vidro 39
3. A vida de outra pessoa 52
4. Um lugar de descanso 67
5. Premonição 69
6. Infância 73
7. De mãe para mãe 95
8. Um lugar de sofrimento 117
9. A vida com o luto 119
10. O fim da negação 134

PARTE II: Rumo ao entendimento

11. Nas profundezas do desespero 157
12. Dinâmica fatal 170
13. Rota para o suicídio: o segundo ano de Dylan 177
14. Rota para a violência: o terceiro ano de Dylan 209
15. Dano colateral 238
16. Uma nova consciência 240
17. Julgamento 252
18. A pergunta errada 264

Conclusão: Dobras familiares 275

Agradecimentos 277

Notas 281

Recursos 287

Índice remissivo 291

INTRODUÇÃO

E devo, Dor, realmente viver contigo
Pela vida inteira? — compartilhar meu fogo, minha cama,
Compartilhar — ah, a pior de todas as coisas! — o mesmo pensamento?
E, ao alimentar-me, alimentar-te também?

— EDNA ST. VINCENT MILLAY

Temos culpado os pais, sistematicamente, pelos supostos defeitos de seus filhos. A teoria do imaginário do século XVIII afirmava que as crianças tinham deformidades em virtude dos desejos libidinosos não expressados das mães. No século XX, acreditava-se que a homossexualidade era causada por mães dominadoras e pais passivos; a esquizofrenia refletiria o desejo inconsciente dos pais de que o filho não existisse; e o autismo seria o resultado de "mães-geladeiras", cuja frieza condenava os filhos a uma fortaleza de silêncio. Hoje em dia sabemos que condições tão complexas e multifatoriais como essas não são resultado do comportamento ou da atitude dos pais. Ainda assim, continuamos a presumir que, se entrássemos em casas de famílias em que assassinos foram criados, seria possível ver os erros dos pais em letras garrafais. A percepção das crianças como tratáveis é um marco da justiça social; levou-nos a procurar a reabilitação para os jovens, em vez de simplesmente buscar a punição. De acordo com essa lógica, um adulto perverso pode ser irrecuperável, mas um adolescente perverso é apenas o reflexo de influências negativas, o produto de uma criação maleável, em vez de uma natureza imutável. Pode até haver verdade nesse agradável otimismo, mas daí a presumir a culpabilidade dos pais é uma enorme injustiça.

Nós nos apegamos à noção de que a criminalidade ocorre por culpa dos pais por duas razões primárias. Primeiro, é evidente que o abuso severo e a negligência podem gerar um comportamento anormal em pessoas vulneráveis. Uma criação relapsa pode levar os jovens em direção às drogas, à participação em gangues, à violência doméstica e ao roubo. Os transtornos de apego são frequentes em pessoas que foram vítimas de crueldade na infância, assim como também o é a compulsão repetitiva que as leva a recapitular a agressão que conheceram. Alguns pais podem causar danos aos filhos, mas isso não significa que todos os jovens problemáticos têm pais incompetentes. Particularmente os crimes extremos e irracionais não costumam ser gerados por nada que os pais tenham feito; eles vêm de uma irracionalidade profunda demais para ser instigada por um trauma.

Em segundo lugar, e com muito mais força, queremos acreditar que os pais criam criminosos porque, ao fazer essa suposição, nós nos asseguramos de que em nossa própria casa, onde não fazemos tais coisas erradas, não corremos o risco de enfrentar essa calamidade. Tenho consciência dessa ilusão porque eu também a nutria. Quando conheci Tom e Sue Klebold, em 19 de fevereiro de 2005, imaginei que logo identificaria as falhas. Eu estava trabalhando no livro *Longe da árvore*, sobre pais e seus filhos desafiadores, e pensei que aqueles pais seriam o símbolo de uma criação errada. Nunca imaginei que tivessem estimulado seus filhos a praticar atos hediondos, mas achei que a história deles lançaria luz a erros evidentes e inumeráveis. Eu não queria gostar dos Klebold, porque o custo de apreciá-los seria o reconhecimento de que o que aconteceu não foi culpa deles e, nesse caso, nenhum de nós está a salvo. Acontece que eu gostei muito deles. E então fui embora pensando que a psicopatia por trás do massacre de Columbine poderia vir à tona na casa de qualquer um. Seria impossível prever ou reconhecer; assim como um tsunami, ela desdenharia de nossa preparação.

Nas palavras de Sue Klebold, ela era uma mãe comum e suburbana antes de Columbine. Eu não a conhecia na época, mas, diante da tragédia, ela encontrou forças para tirar sabedoria de sua ruína. Manter seu amor em circunstâncias como aquela é um ato de coragem. Sua generosidade na amizade, seu talento vigoroso para a afeição e sua capacidade de atenção, os quais eu tive o privilégio de conhecer, trazem ainda mais perplexidade à tragédia. Comecei achando que os Klebold deveriam ter repudiado o filho, mas acabei entendendo que foi necessário muito mais força para lamentar o que ele fizera e, ainda assim, ser perseverantes em seu amor. A paixão de Sue pelo filho é evidente em cada uma destas páginas tomadas de sofrimento, e seu livro é um tributo à complexidade. Ela argumenta que pessoas boas fazem coisas ruins, que todos nós somos moralmente confusos e que fazer algo terrível não apaga outros atos e intenções. A principal mensagem deste livro é aterrorizante: talvez você não conheça seus próprios filhos, e, pior ainda, seus filhos podem ser incognoscíveis para você. O estranho que você teme pode ser seu próprio filho ou filha.

"Nós lemos contos de fadas para nossos filhos e ensinamos a eles que há pessoas boas e pessoas más", Sue me disse enquanto eu estava escrevendo *Longe da árvore*. "Eu nunca faria isso hoje. Eu diria que cada um de nós tem a capacidade de ser bom e a capacidade de fazer escolhas ruins. Se você ama alguém, tem que amar tanto o bem quanto o mal que há nele." Na época de Columbine, Sue trabalhava em um prédio em que havia uma repartição que cuidava de indivíduos em liberdade condicional e se sentia incomodada e amedrontada quando entrava no elevador com ex-presidiários. Depois da tragédia, passou a enxergá-los com outros olhos. "Eu sentia que eram como o meu filho. Apenas pessoas que, por alguma razão, tinham feito uma péssima escolha e foram jogadas em uma situação terrível e desesperadora. Quando ouço falar de terroristas nos noticiários, penso: *É o filho de alguém*. Columbine me fez sentir mais conectada à humanidade do que qualquer outra coisa jamais conseguiria ter feito." O luto é capaz de gerar enorme compaixão.

Dois tipos de crime nos afetam mais que qualquer outro: aqueles nos quais as vítimas são crianças e aqueles nos quais as crianças são os agressores. No primeiro caso, choramos os inocentes; no segundo, o equívoco de que crianças são inocentes. Tiroteios em escolas são os crimes mais chocantes de todos porque envolvem ambos os problemas, e, entre todos os tiroteios escolares, o de Columbine permanece como a principal referência, o modelo com o qual todos os outros estão em débito. A extrema arrogância tingida de sadismo, a aleatoriedade do ataque e o nível de planejamento fizeram de Eric Harris e Dylan Klebold heróis para uma grande comunidade de jovens rebeldes sem causa, ao mesmo tempo em que são considerados psicologicamente perturbados pela maioria das pessoas e ícones do satanismo por algumas comunidades religiosas. Os motivos e os objetivos dos garotos têm sido repetidamente analisados por pessoas que desejam proteger seus filhos desse tipo de ataque. Pais mais destemidos também se perguntam como ter certeza de que seus filhos são incapazes de cometer crimes desse tipo. Melhor o inimigo conhecido que o desconhecido, diz o provérbio, e Columbine foi, acima de tudo, uma armadilha do incognoscível, do horror escondido em plena luz do dia.

Foi impossível enxergar claramente os assassinos. Vivemos na sociedade da culpa, e algumas das famílias das vítimas foram incansáveis na busca por "respostas" impossíveis, que estariam sendo mantidas "em segredo". A melhor prova de que os pais não sabiam de nada é a certeza de que, se soubessem, teriam feito alguma coisa. O juiz do condado de Jefferson, John DeVita, declarou sobre os garotos: "O que impressiona é a quantidade de dissimulação. A facilidade da dissimulação. A frieza da dissimulação deles". A maioria dos pais acha que conhece os filhos melhor do que realmente conhece; adolescentes que não querem ser conhecidos conseguem manter sua vida interior muito reservada. Os processos judiciais das famílias das vítimas de Columbine foram baseados nos princípios dúbios de que a natureza humana é cognoscível, de que a lógica interior pode ser monitorada, de que tragédias seguem padrões previsíveis. Esses processos buscavam informações faltantes, que pudessem mudar o que aconteceu. Jean-Paul Sartre escreveu: "O mal não é uma aparência", acrescentando que "conhecer suas causas não o dissipa". Sartre parece não ter sido muito lido nos subúrbios de Denver.

Eric Harris parece ter sido um psicopata homicida, e Dylan Klebold, um depressivo suicida; a loucura contrastante deles era a condição necessária um do outro. O estado depressivo de Dylan não o teria tornado um assassino sem a liderança de Harris, mas algo em Eric poderia ter perdido a motivação sem o estímulo de arrastar Dylan consigo. A maldade de Eric é chocante, assim como é, igualmente, a aquiescência de Dylan. Este escreveu: "Pensar em suicídio me dá a esperança de que estarei em meu lugar, para onde quer que eu vá depois desta vida... que finalmente não estarei em conflito comigo mesmo, o mundo, o universo... minha mente, corpo, todos os lugares, tudo está em PAZ... eu... minha alma (existência)". Ele descreveu seu próprio "sofrimento eterno em direções infinitas, por infinitas realidades". A palavra mais comum em seus diários é *amor*. Eric escreveu: "como ousa pensar que eu e você somos parte da mesma espécie quando somos tãããããããão diferentes. você não é humano, você é um robô... e se me deixou puto no passado, vai morrer se eu te encontrar". O diário dele descreve como, em alguma faculdade imaginária do futuro, ele convenceria garotas a irem até o seu quarto e as estupraria. Em seguida: "Quero rasgar uma garganta com meus próprios dentes, como uma latinha de refrigerante. Quero pegar um calouro fracote e rasgá-lo ao meio feito a porra de um lobo, estrangulá-lo, esmagar sua cabeça, arrancar a mandíbula, quebrar os braços ao meio, mostrar a ele quem é deus". Eric era um Hitler frustrado; Dylan era um Holden Caulfield frustrado.

Sue Klebold enfatiza o elemento suicida na morte do filho. Karl Menninger, que já escreveu muito sobre suicídio, afirma que este requer a convergência "do desejo de matar, do desejo de ser morto e do desejo de morrer". O desejo de matar nem sempre é direcionado externamente, mas é uma peça essencial do quebra-cabeça. Eric Harris queria matar, e Dylan Klebold queria morrer. Ambos achavam que suas experiências tinham origens divinas; ambos escreveram que o massacre os transformaria em deuses. A combinação de grandiosidade e inépcia contém ecos de uma adolescência comum. Na Escola de Ensino Médio de Columbine, quase no fim do massacre, uma testemunha escondida no refeitório ouviu um dos assassinos dizer: "Hoje o mundo vai chegar ao fim. Hoje é o dia em que nós vamos morrer". Essa é uma combinação infantil do self com o outro. G. K. Chesterton escreveu: "O homem que mata um homem, mata um homem. O homem que se mata, mata todos os homens. Até onde sabe, ele dizima o mundo".

Os defensores dos mentalmente enfermos apontam que a maioria dos crimes não é cometida por pessoas com doenças mentais, e que a maioria das pessoas com doenças mentais não comete crimes. O que significa considerar Columbine o produto de mentes que não eram doentes? Há muitos crimes aos quais as pessoas resistem ou porque sabem que enfrentarão problemas, ou porque aprenderam padrões morais. A maioria das pessoas já se deparou com coisas que gostaria de roubar. A maioria das pessoas já passou por um surto ocasional de ódio assassino por alguém de suas relações íntimas. Mas o motivo para não matar colegas que mal se conhece na escola nem fazer reféns no lugar não é o medo da punição ou o conflito com a moralidade que lhe foi ensinada; é que essa ideia nem sequer passa por mentes sadias. Embora estivesse deprimido, Dylan não sofria de esquizofrenia, transtorno de estresse pós-traumático, transtorno bipolar ou qualquer outra condição que se encaixe nos parâmetros específicos do diagnóstico psiquiátrico. A existência de um pensamento desordenado não minimiza a malevolência de seus atos. Parte da nobreza deste livro é o fato de que ele não tenta dar sentido ao que Dylan fez. A recusa de Sue Klebold em culpar aqueles que praticavam bullying, a escola ou a bioquímica do filho reflete sua absoluta determinação de que se deve simplesmente aceitar o que nunca pode ser explicado. Ela não tenta elucidar a fronteira permanentemente confusa entre a maldade e a doença.

Imediatamente após o massacre, um carpinteiro de Chicago foi a Littleton e ergueu quinze cruzes — uma para cada vítima, incluindo Dylan e Eric. Muitas pessoas colocaram flores na cruz dos dois, assim como fizeram na dos outros. Brian Rohrbough, pai de uma das vítimas, removeu as marcações de Harris e Klebold. "Não se despreza o que Cristo fez por nós honrando assassinos com cruzes", ele disse. "Não há nenhuma passagem na Bíblia que diga para perdoar um assassino que não se arrepende. Se não se arrependerem, não os perdoe; é isso o que diz a Bíblia." Obviamente, há margem para revisar essa interpretação da doutrina cristã, mas a afirmação de Rohrbough vem da noção errônea de que lamentar a morte de assassinos é equivalente a perdoar, e que o perdão esconde o horror do que foi feito. Sue Klebold não busca perdão, nem mesmo imagina que seu filho possa ser perdoado. Ela explica que não sabia o que estava acontecendo, mas não se exime; apresenta sua falta de conhecimento como uma traição a seu filho e ao mundo. A morte de alguém que cometeu um grande crime pode ser o melhor, mas qualquer filho morto é a esperança perdida de um pai e uma mãe. Este livro pesaroso é o ato de penitência indireta de Sue. O ódio não destrói o amor. Na verdade, ambos estão em constante companhia.

Em nosso primeiro encontro, Sue me contou sobre o momento, em 20 de abril de 1999, quando soube o que estava acontecendo na Escola de Ensino Médio de Columbine. "Enquanto cada mãe em Littleton estava rezando para que seu filho estivesse a salvo, eu tinha de rezar para que o meu morresse antes de machucar mais alguém", ela disse. "Eu pensei que, se aquilo estivesse realmente acontecendo e Dylan sobrevivesse, ele iria parar no sistema de justiça criminal e seria executado, e eu não aguentaria perdê-lo duas vezes. Fiz a oração mais difícil da minha vida, para que ele se matasse, porque então pelo menos eu saberia que ele queria morrer e não ficaria com todas as perguntas que teria se ele fosse abatido por uma bala da polícia. Talvez eu estivesse certa, mas passei muitas horas me arrependendo dessa oração: eu pedi que meu filho se matasse, e ele se matou."

Ao final daquela semana, indaguei ao casal o que gostariam de perguntar se Dylan estivesse na sala conosco, e Tom disse: "Eu perguntaria em que porcaria ele estava pensando e que porcaria achou que estava fazendo!" Sue olhou para o chão por um minuto antes de dizer baixinho: "Eu pediria a ele que me perdoasse por ser sua mãe e nunca ter percebido o que estava acontecendo dentro de sua cabeça, por não ter conseguido ajudá-lo, por não ter sido a pessoa em quem ele poderia confiar". Quando a lembrei dessa conversa, cinco anos depois, ela disse: "Assim que tudo aconteceu, eu desejei nunca ter tido filhos, nunca ter me casado. Se Tom e eu nunca tivéssemos nos cruzado na Universidade Estadual de Ohio, Dylan nunca teria existido, e essa coisa terrível nunca teria acontecido. Mas com o tempo passei a sentir que, de minha parte, estou feliz por ter tido filhos e feliz por ter tido os filhos que tive, porque o amor por eles — mesmo ao custo dessa dor — tem sido a única grande alegria da minha vida. Quando digo isso, estou falando de minha própria dor, não da dor de outras pessoas. Mas eu aceito minha própria dor; a vida é cheia de sofrimento, e esse é o meu. Eu sei que teria sido melhor para o mundo se Dylan nunca tivesse nascido. Mas acredito que não teria sido melhor para mim".

Geralmente perdemos alguém de uma só vez, mas, para Sue, a perda veio em ondas: a perda do próprio filho; a perda da imagem dele; a perda de suas defesas contra o reconhecimento do lado mais obscuro do filho; a perda de sua identidade como alguém além da mãe de um assassino;

e a perda da crença fundamental de que a vida está sujeita a uma lógica, de que, quando se faz as coisas direito, é possível se prevenir de certos acontecimentos ruins. Comparar níveis de tristeza nunca é proveitoso, e seria errado dizer que Sue Klebold teve a perda mais devastadora de Littleton. No entanto, ela está atada à impossibilidade de desvencilhar a dor de descobrir que nunca conheceu o filho da dor de ter a consciência da devastação que ele causou aos outros. Ela luta contra a tristeza de ter um filho morto, a tristeza de saber que outros tiveram seus filhos mortos e a tristeza de ter fracassado ao tentar criar uma criança feliz, que faria do mundo um lugar melhor.

É uma experiência emocionante ter filhos pequenos e ser capaz de resolver os pequenos problemas que eles trazem; é uma perda terrível quando começam a ter problemas acima de sua capacidade de resolução. Essa decepção universal é apresentada aqui em uma escala vastamente ampliada. Sue Klebold descreve seu impulso natural de agradar às pessoas e deixa claro que escrever exigiu uma negação dessa característica. Seu livro é um tributo a Dylan sem ser uma justificativa, e um apelo comovente à ação pela defesa da saúde mental e a pesquisa nesse campo. Íntegra, determinada e digna, Sue Klebold chegou a uma solidão impenetrável. Ninguém mais teve essa experiência. De certa forma, isso a tornou incognoscível, assim como Dylan era. Ao escrever sobre sua experiência, ela escolheu uma espécie de irreconhecimento público.

Ovídio disse uma famosa frase: "Dê boas-vindas à dor, pois você aprenderá com ela". Mas há pouca escolha sobre uma dor desse tipo; não há a opção de não lhe dar boas-vindas. Pode-se expressar desprazer diante de sua chegada, mas não se pode pedir que ela se retire. Sue Klebold nunca reclamou por ser uma vítima, mas sua narrativa faz eco à de Jó, que perguntou: "Devemos receber o bem de Deus e não receber o mal?" E: "Pois aquilo que eu mais temia recaiu sobre mim, aquilo que eu receava me aconteceu. Eu não estava seguro, nem descansado, nem em silêncio; e já me veio perturbação". E finalmente: "Embora eu fale, minha dor não cessa". O livro de Sue Klebold narra sua queda, ao estilo de Jó, em um inferno incompreensível, seu divórcio da segurança. Talvez o mais impressionante seja o fato de seu livro reconhecer que o discurso não pode aliviar uma dor como essa. Ela nem chega a tentar. Este livro não é um documento catártico com a intenção de fazê-la se sentir melhor. É apenas uma narrativa de aceitação e de luta, de tomar as rédeas de seus tormentos na esperança de poupar aos outros uma dor como a dela, como a de seu filho e como a das vítimas dele.

— ANDREW SOLOMON

PREFÁCIO

No dia 20 de abril de 1999, Eric Harris e Dylan Klebold se armaram com pistolas e explosivos e entraram na Escola de Ensino Médio de Columbine. Eles mataram doze alunos e um professor e feriram outros vinte e quatro, antes de tirar a própria vida. Foi o pior tiroteio em uma escola de que se teve notícia até então.

Dylan Klebold era meu filho.

Eu daria minha vida para reverter o que aconteceu naquele dia. De fato, eu daria de bom grado minha própria vida em troca de apenas uma das vidas que foram perdidas. Mas sei que tal troca é impossível. Nada que eu venha a fazer ou dizer poderá algum dia reparar o massacre.

Dezesseis anos se passaram desde aquele dia terrível, e eu dediquei todos eles a entender o que ainda é incompreensível para mim: como a vida de um garoto promissor pôde ter chegado a esse desastre — e sob a minha guarda. Interroguei especialistas, assim como nossa família, os amigos de Dylan e, sobretudo, a mim mesma. As coisas que eu não vi, e como pude não ter visto? Vasculhei meus diários. Analisei nossa vida familiar com a ferocidade de um cientista forense, revirando eventos e interações mundanos em busca das pistas que não enxerguei. O que eu deveria ter visto? O que poderia ter feito diferente?

Minha busca por respostas começou como uma missão puramente pessoal, uma necessidade primal de saber, tão forte quanto a vergonha, o horror e a tristeza que tomavam conta de mim. No entanto, passei a enxergar que os fragmentos que possuo oferecem pistas para um quebra-cabeça que muitos estão desesperados para resolver. A esperança de que aquilo que eu descobri possa ajudar me levou ao passo difícil, porém necessário, de tornar pública a minha história.

Há um mundo inteiro entre o lugar onde estou agora e a visão que eu tinha antes de Columbine, quando nossa vida parecia ser a de uma típica família suburbana americana. Em mais de uma década de pesquisa pelos escombros, meus olhos se abriram — não apenas para as coisas um dia escondidas de mim sobre Dylan e os eventos que levaram àquele dia, mas também para a percepção de que esses insights têm implicações que vão muito além de Columbine.

Nunca saberei se poderia ter evitado o papel terrível de meu filho na carnificina que aconteceu naquele dia, mas passei a ver de forma diferente as coisas que gostaria de ter feito. Pequenas coisas, fios na grande tapeçaria de uma vida familiar normal. Porque, se alguém tivesse espiado nossa vida antes de Columbine, creio que teria visto, mesmo com as lentes mais potentes, algo absolutamente comum, nada diferente das vidas que acontecem em inúmeras casas pelo país.

Tom e eu éramos pais amorosos, atenciosos e participativos, e Dylan era um adolescente animado e carinhoso. Não era um filho com o qual nos preocupássemos e por quem rezássemos esperando que um dia encontrasse seu caminho e tivesse uma vida produtiva. Nós o chamávamos de "Garoto Ensolarado" — não só por causa de sua auréola de cabelo loiro, mas porque tudo parecia vir facilmente para ele. Eu era grata por ser a mãe de Dylan e o amava com toda a minha alma e o meu coração.

A normalidade de nossa vida antes de Columbine talvez seja a parte mais difícil de entender da minha história. Para mim, é também a mais importante. Nossa vida em casa não era difícil nem pesada. Nosso filho mais novo nunca deu trabalho, e nós (nem ninguém que o conhecia) nunca o teríamos imaginado como um risco para si ou para outra pessoa. Eu gostaria que muitas coisas tivessem sido diferentes, e, mais que tudo, gostaria de ter sabido que era possível as coisas parecerem estar bem com meu filho quando não estavam.

No que se refere a questões de saúde cerebral, muitas de nossas crianças são tão vulneráveis hoje quanto as crianças de cem anos atrás eram às doenças infecciosas. Não é raro, como aconteceu no nosso caso, a suscetibilidade delas passar despercebida. Quer uma criança entre em colapso em um cenário horrível, quer o potencial dessa criança para a felicidade e a produtividade não se cumpra, essa situação pode ser tão desconcertante quanto dolorosa. Se não acordarmos para essas vulnerabilidades, o terrível preço a pagar continuará aumentando. E o preço será pago não só em tragédias como a de Columbine, Virginia Tech, Sandy Hook ou UCSB, mas em inúmeras tragédias menores e em ebulição que se apresentam todos os dias na vida familiar de nossos colegas de trabalho, amigos e entes queridos.

Não há, talvez, verdade mais dura para um pai ou mãe aceitar, mas nenhum pai ou mãe neste mundo sabe melhor do que eu: o amor não é suficiente. Meu amor por Dylan, embora infinito, não o manteve em segurança nem salvou as treze pessoas mortas na Escola de Ensino Médio de Columbine, ou os muitos outros feridos e traumatizados. Eu não vi os sinais sutis de deterioração. Se os tivesse notado, isso poderia ter feito diferença para Dylan e suas vítimas — toda a diferença do mundo.

PREFÁCIO

Ao contar minha história da maneira mais fiel possível, mesmo quando desfavorável a mim, espero trazer uma luz que permita a outros pais enxergar além do rosto que seus filhos mostram, para que esses pais lhes ofereçam ajuda, se necessário.

Muitos de meus amigos e colegas mudaram o estilo de criar os filhos depois de conhecer nossa história. Em alguns momentos, as intervenções dessas pessoas tiveram resultados dramáticos. Uma ex-colega de trabalho, por exemplo, notou que a filha de treze anos parecia deprimida. Com o caso de Dylan em mente, a mãe pressionou a garota (e pressionou, e pressionou). No fim, a menina acabou confessando que fora estuprada quando saiu escondida para se encontrar com um amigo. Ela estava profundamente deprimida, envergonhada e amedrontada, e considerando seriamente tirar a própria vida.

Minha colega conseguiu ajudar a filha porque percebeu as mudanças sutis e continuou a fazer perguntas. Eu me alegro em saber que ela conseguiu um final mais feliz para a história de sua filha por conhecer a nossa história, e acredito que ampliar o círculo de pessoas que a conhecem trará somente benefícios.

Não é fácil contar minha história, mas, se a compreensão e os insights que obtive na terrível provação de Columbine puderem ajudar alguém, então eu tenho a obrigação moral de compartilhá-los. Falar abertamente sobre isso é assustador, mas é a coisa certa a fazer. É extensa a lista de coisas que eu teria feito diferente se soubesse. São meus fracassos. Mas o que aprendi implica a necessidade de um chamado a uma ação mais ampla, uma visão geral abrangente do que deveria ser feito para evitar não apenas tragédias como a cometida pelo meu filho, mas o sofrimento íntimo de qualquer adolescente.

NOTAS AO LEITOR

Os trechos em itálico que iniciam muitos dos capítulos foram retirados dos meus diários.

Nos dias após Columbine eu preenchi vários cadernos com palavras, em uma tentativa de processar minha confusão, culpa e tristeza. Assim como a maioria dos diários, os meus são impublicáveis, mas representaram uma fonte inestimável de material para este livro. As pessoas se referem ao nevoeiro da guerra, e eu tenho certeza de que algo similar se aplica à minha situação. Se eu não tivesse mantido um arquivo corrente dos dias, semanas e anos, o nevoeiro teria engolido coisas demais para que eu fosse capaz de oferecer um relato confiável. Meus diários servem como lembranças úteis não apenas dos eventos e fatos, mas também das fases de minha evolução.

Estou em um lugar bem diferente de onde estava nos dias que sucederam Columbine; não é exagero dizer que não sou mais a mesma pessoa. Os trechos de meus diários abrem uma janela para dentro dos pensamentos e sentimentos imediatos que tive quando os eventos ocorreram, enquanto os capítulos incorporam a perspectiva que surgiu com a passagem do tempo e a enorme quantidade de pesquisa e autorreflexão.

. . .

Alguns dos nomes e detalhes de identidade foram alterados neste livro, para proteger a privacidade das pessoas.

. . .

No processo de escrita, entrevistei inúmeros especialistas em áreas tão diversas quanto aplicação da lei, abordagem a ameaças, ética jornalística, sociologia, psicologia, psiquiatria e neurobiologia. Este livro não teria sido possível sem a generosidade dessas pessoas e sua dedicação ao espírito inquisitivo.

PARTE I
AS ÚLTIMAS PESSOAS NO MUNDO

Com Dylan em seu aniversário de cinco anos
Família Klebold

1

"HOUVE UM TIROTEIO NA ESCOLA DE ENSINO MÉDIO DE COLUMBINE"

20 de abril de 1999, 12h05

Eu estava em meu escritório, no centro de Denver, me preparando para sair para uma reunião sobre bolsas de estudos para universitários portadores de deficiência, quando notei que a luz vermelha do telefone da minha mesa estava piscando.

Chequei, pela possibilidade de minha reunião ter sido cancelada, mas o recado era de meu marido, Tom, a voz ríspida, áspera, urgente:

— Susan, é uma emergência! Me ligue de volta imediatamente!

Ele não disse mais nada. Não precisava: eu sabia, pelo tom de sua voz, que algo tinha acontecido com um de nossos meninos.

Tive a sensação de que meus dedos trêmulos levaram horas para digitar o número de casa. O pânico se abateu sobre mim como uma onda; meu coração batia nos ouvidos. Nosso filho mais novo, Dylan, estava na escola; seu irmão mais velho, Byron, estava no trabalho. Será que tinha acontecido um acidente?

Tom atendeu e berrou imediatamente:

— Ouça a televisão! — Mas eu não conseguia distinguir as palavras. Fiquei em pânico por imaginar que seja lá o que tivesse acontecido era grande o bastante para estar na TV. Meu medo, segundos antes, de um acidente de carro subitamente pareceu tolo. Estávamos em guerra? O país estava sendo atacado?

— O que está acontecendo? — gritei no fone. Havia somente estática e barulho de televisão indecifrável do outro lado da linha. Tom voltou a falar, finalmente, mas meu marido, normalmente controlado, parecia um lunático. As palavras truncadas que saíam dele em rajadas curtas não faziam sentido: "pistoleiro... atirador... escola".

Tive dificuldade para entender o que Tom estava dizendo: Nate, o melhor amigo de Dylan, tinha ligado minutos antes para o escritório de Tom, que ficava em nossa casa, para perguntar: "O Dylan está?" Uma ligação como essa no meio do horário escolar já seria suficientemente alarmante, mas o motivo da ligação de Nate era o pior pesadelo de qualquer pai se tornando realidade: atiradores estavam disparando contra as pessoas na Escola de Ensino Médio de Columbine, na qual Dylan era aluno do último ano.

Havia mais: Nate dissera que os atiradores estavam usando sobretudo preto, como o que tínhamos comprado para Dylan.

"Não quero alarmá-lo", ele disse a Tom. "Mas conheço todos os alunos que usam sobretudo preto, e os únicos que não consigo encontrar são Dylan e Eric. Eles também não foram ao boliche hoje de manhã."

A voz de Tom estava rouca de medo quando ele me contou que desligou a chamada de Nate e revirou a casa procurando o sobretudo de Dylan, irracionalmente convencido de que, se o encontrasse, nosso filho estaria bem. Mas o casaco tinha sumido, e Tom estava apavorado.

— Estou indo para casa — eu disse, o pânico anestesiando minha coluna. Desligamos sem nos despedir.

Tentando desesperadamente manter a compostura, pedi a uma colega que cancelasse a reunião. Saindo do escritório, percebi minhas mãos tremendo tão incontrolavelmente que tive de estabilizar a mão direita com a esquerda para conseguir apertar o botão do elevador. Meus companheiros conversavam alegremente a caminho do almoço. Expliquei meu comportamento estranho dizendo: "Houve um tiroteio na Escola de Ensino Médio de Columbine. Preciso ir para casa para ter certeza de que o meu filho está bem". Uma colega se ofereceu para me levar. Incapaz de dizer qualquer outra coisa, balancei negativamente a cabeça.

Quando entrei no carro, minha cabeça estava a mil por hora. Não me ocorreu ligar o rádio; do jeito que estava, eu mal conseguia manter o carro em segurança na estrada. Meu pensamento constante, enquanto dirigia os quarenta e dois quilômetros até nossa casa, era: *Dylan está em perigo*.

Espasmos de medo apertavam meu peito à medida que eu repassava, repetidamente, os mesmos fragmentos irregulares de informação. O sobretudo poderia estar em qualquer lugar, eu dizia a mim mesma: no armário ou no carro de Dylan. Com certeza um casaco perdido de um adolescente não significava nada. No entanto meu marido, sempre firme e confiante, soara quase histérico; eu nunca o ouvira daquele jeito antes.

O caminho pareceu levar uma eternidade, como se eu estivesse viajando em câmera lenta, embora minha mente girasse à velocidade da luz e meu coração batesse nos ouvidos. Fiquei tentando juntar as peças do quebra-cabeça, mas não havia muito conforto a ser encontrado nos poucos fatos que eu conhecia, e eu sabia que nunca me recuperaria se alguma coisa acontecesse com Dylan.

Enquanto dirigia, eu falava em voz alta comigo mesma, e comecei a chorar incontrolavelmente. Analítica por natureza, tentei me acalmar: eu ainda não tinha informação suficiente. A Escola de Ensino Médio de Columbine era enorme, com mais de dois mil alunos. O fato de Nate não ter conseguido encontrar Dylan no meio do caos não queria dizer necessariamente que nosso filho estava morto ou ferido. Eu precisava parar de deixar o pânico de Tom me contaminar. Mesmo com o terror ainda me engolfando em ondas, falei para mim mesma que provavelmente estávamos nos desesperando sem necessidade, e o pai ou mãe de qualquer aluno desaparecido estaria na mesma situação. Talvez ninguém estivesse machucado. Eu iria entrar na cozinha e encontrar Dylan assaltando a geladeira, pronto para rir de minha reação exagerada.

De qualquer forma, eu não conseguia evitar que minha mente pulasse de uma situação terrível para outra. Tom dissera que havia atiradores na escola. Mãos suadas no volante, balancei a cabeça, como se Tom estivesse lá para ver. Atiradores! Talvez ninguém soubesse onde Dylan estava porque ele levara um tiro. Talvez ele estivesse deitado, ferido ou morto no prédio da escola — encurralado, incapaz de nos avisar. Talvez tivesse sido feito refém. A ideia era tão terrível que eu mal conseguia respirar.

Mas havia também uma fisgada incessante em meu estômago. Congelei de medo quando ouvi Tom mencionar Eric Harris. A única vez em que Dylan tivera problemas sérios fora com Eric. Balancei a cabeça de novo. Dylan sempre fora uma criança divertida e amável e se tornara um adolescente de temperamento tranquilo e sensível. Ele tinha aprendido a lição, eu me tranquilizei. Não se deixaria levar a fazer algo estúpido pela segunda vez.

Ao lado das dezenas de outras situações aterrorizantes que giravam em meu cérebro efervescente, eu me perguntei se o horror que estava acontecendo na escola podia ser uma "pegadinha" inocentemente planejada pelos alunos mais velhos que saíra terrivelmente de controle.

Uma coisa era certa: era impossível que Dylan tivesse uma arma. Tom e eu éramos tão absolutamente contra armas que estávamos considerando deixar o Colorado porque as leis estavam mudando, tornando mais fácil o acesso a elas. Fosse ou não uma pegadinha que dera errado, era impossível Dylan ter se envolvido com uma arma de verdade, mesmo que de brincadeira.

E assim foi durante longos quarenta e dois quilômetros. Em um minuto eu era tomada por imagens de Dylan machucado, ferido, gritando por ajuda, depois era inundada por passagens mais felizes: Dylan quando garoto, soprando as velinhas de aniversário; gritando de alegria enquanto descia com seu irmão pelo escorregador de plástico para dentro da piscina rasa no quintal. Dizem que a vida passa diante de nossos olhos quando morremos, mas, naquela viagem de carro até em casa, era a vida do meu filho passando diante de mim, como um rolo de filme — cada momento precioso dilacerando meu coração e ao mesmo tempo me enchendo de uma fé desesperada.

Aquela viagem infernal foi o primeiro passo do que se tornaria o trabalho de uma vida inteira para aceitar o impossível.

. . .

Ao chegar em casa, meu pânico se elevou a um nível ainda maior. Tom me disse o que sabia em espasmos entrecortados: atiradores na escola, Dylan e Eric ainda desaparecidos. Seja lá o que estivesse acontecendo, era sério. Ele tinha ligado para nosso filho mais velho, Byron, que avisou que sairia do trabalho e se juntaria a nós imediatamente.

Tom e eu andávamos de um lado para outro da casa como brinquedos de corda dementes, inundados de adrenalina, incapazes de parar ou de terminar alguma tarefa. Nossos bichos de estimação ficaram de olhos arregalados, encolhidos nos cantos, alarmados.

Tom estava obcecado pelo sobretudo desaparecido, mas eu estava mais confusa pelo fato de Nate ter dito que Dylan faltara ao boliche. Ele saíra de casa naquela manhã com tempo mais que suficiente para chegar lá; dissera "tchau" ao sair. Pensando naquilo, me peguei assombrada pela natureza peculiar daquela despedida.

Naquela manhã, a manhã de 20 de abril, meu despertador tinha tocado antes da primeira luz do dia. Enquanto me vestia para trabalhar, eu observava o relógio. Sabendo quanto Dylan detestava acordar cedo, Tom e eu tentamos convencê-lo a não se matricular em uma aula de boliche às seis e quinze da manhã. Mas a vontade dele prevaleceu. Seria divertido, ele disse: ele adorava boliche, e alguns de seus amigos estariam na aula. Durante o semestre, ele tinha conseguido ser pontual para essa aula — não era um recorde perfeito, mas ficou bem próximo disso. Ainda assim, eu precisava manter os olhos no relógio. Mesmo que Dylan programasse zelosamente o despertador, nas manhãs de boliche ele quase sempre precisava de uma chamada extra minha, ao pé da escada, para sair da cama.

No entanto, na manhã do dia 20 de abril, eu ainda estava me vestindo quando ouvi Dylan descer pesadamente as escadas, passando diante da porta fechada de nosso quarto no andar de baixo. Surpreendeu-me que ele estivesse em pé e vestido tão cedo, sem que eu precisasse chamá-lo. Ele ia de um lado para o outro rapidamente e parecia estar com pressa de sair, apesar de ainda ter tempo para dormir mais um pouco.

"HOUVE UM TIROTEIO NA ESCOLA DE ENSINO MÉDIO DE COLUMBINE" 29

Nós sempre coordenávamos nossos planos para o dia, então abri a porta do quarto e me inclinei para fora. "Dyl!", chamei. O restante da casa estava escuro demais para que eu conseguisse ver qualquer coisa, mas ouvi a porta da frente abrir. De dentro da escuridão, com a voz firme e decidida, ouvi meu filho gritar "Tchau", e então a porta da frente se fechou atrás dele. Ele saiu antes mesmo de eu poder acender a luz do corredor.

Incomodada com aquilo, eu me virei de volta para a cama e acordei Tom. Houve uma vibração cortante na voz de Dylan, naquela única palavra, que eu nunca ouvira antes — quase um escárnio, como se tivesse sido pego no meio de uma briga com alguém.

Não foi o primeiro sinal que tivéramos naquela semana a indicar que Dylan estava estressado. Dois dias antes, no domingo, Tom me perguntara: "Você notou a voz do Dylan ultimamente? O timbre está mais firme e mais alto que o normal". Ele fez um gesto em direção às próprias cordas vocais com o dedão e o dedo do meio. "A voz dele sobe assim quando ele está tenso. Acho que tem algo o incomodando." Os instintos de Tom em relação aos meninos sempre foram excelentes, e concordamos em nos sentar com Dylan para ver se algo o estava perturbando. Com certeza fazia sentido que ele estivesse um pouco ansioso, considerando que a formatura do ensino médio estava próxima. Três semanas antes, tínhamos ido visitar sua primeira opção de faculdade, a Universidade do Arizona. Embora Dylan fosse muito independente, estudar em outro estado seria uma grande mudança para um garoto que nunca tinha saído de casa.

Fiquei abalada com a firmeza da voz de Dylan ao se despedir, e também com o fato de ele não ter parado para compartilhar seus planos para o dia. Ainda não havíamos tido a oportunidade de nos sentar e conversar, já que nosso filho tinha passado a maioria dos últimos fins de semana com os amigos.

—Acho que você estava certo no domingo passado. Alguma coisa *está* incomodando o Dylan — eu disse a meu marido sonolento.

Da cama, Tom me tranquilizou:

—Vou falar com ele assim que ele chegar em casa.

Como Tom trabalhava em casa, os dois geralmente dividiam a seção de esportes do jornal e faziam um lanche juntos quando Dylan chegava da escola. Eu relaxei e continuei a me arrumar para o trabalho, aliviada por saber que, quando eu voltasse, Tom já saberia se havia algo incomodando nosso filho.

No entanto, diante da ligação de Nate, fiquei parada em nossa cozinha, tentando juntar os pedaços de informação que tínhamos, e senti um calafrio com a lembrança da indiferença dura e desagradável na voz de Dylan ao dizer "Tchau" naquela manhã, e com o fato de que ele saíra cedo mas não tinha chegado à aula. Imaginei que tivesse ido se encontrar com alguém bem cedo para tomar café — talvez até para conversar sobre o que o estava incomodando. Mas, se não chegara ao boliche, onde é que ele estava?

O chão não foi arrancado de sob meus pés até o telefone tocar e Tom correr para a cozinha a fim de atender. Era um advogado. Meus medos, até agora, tinham sido dominados pela possibilidade de Dylan estar em perigo — de que ele tivesse sido ferido ou feito alguma besteira, algo que pudesse colocá-lo em apuros. Agora eu entendia que os medos de Tom incluíam algo que faria nosso filho precisar de um advogado.

Dylan tinha se metido em encrenca com Eric no segundo ano do ensino médio. O episódio nos dera o maior choque de todos: nosso filho bem-educado e organizado, o garoto com quem nunca tivemos de nos preocupar, arrombara uma van estacionada e roubara equipamentos eletrônicos. Como consequência, Dylan foi colocado em observação. Ele completou o programa Diversion,* o que o livrou de acusações criminais. Na verdade, foi liberado mais cedo do programa — um acontecimento incomum, conforme nos disseram —, com direito a elogios efusivos do orientador.

Todos nos disseram para não fazer muito alarde pelo incidente: Dylan era um bom menino, e até mesmo os melhores garotos podiam cometer erros colossalmente idiotas. Mas também tínhamos sido avisados de que um simples escorregão, até mesmo passar creme de barbear num corrimão, seria encarado como crime e resultaria em cadeia. Assim, diante da primeira indicação de que Dylan poderia estar envolvido em problemas, Tom contatou um advogado de defesa muito bem recomendado. Enquanto parte de mim não podia acreditar que meu marido imaginara Dylan envolvido em seja lá o que estivesse acontecendo na escola, outra parte ficou agradecida. Apesar da preocupação de Tom, ele teve uma postura proativa.

Eu ainda estava a quilômetros de distância da ideia de que pessoas pudessem, de fato, estar feridas, ou que tivessem sido feridas pelas mãos do meu filho. Estava simplesmente preocupada que Dylan, a serviço de alguma pegadinha, pudesse ter colocado em risco seu futuro, desperdiçando, sem o menor cuidado, a segunda chance que lhe fora dada ao completar com sucesso o programa Diversion.

---

* Programa de pena alternativa, muito usado com infratores juvenis, que evita que a pessoa seja acusada criminalmente. (N. do E.)

"HOUVE UM TIROTEIO NA ESCOLA DE ENSINO MÉDIO DE COLUMBINE"

A ligação, obviamente, trouxe notícias muito, muito piores. O advogado a quem Tom recorrera, Gary Lozow, entrara em contato com o gabinete do xerife. Ele estava ligando de volta para nos dizer que o impensável agora estava confirmado. Embora os relatórios fossem loucamente contraditórios, não havia dúvida de que algo terrível envolvendo atiradores estava acontecendo na Escola de Ensino Médio de Columbine. O gabinete do promotor público confirmara a Gary Lozow que havia a suspeita de que Dylan fosse um dos atiradores. A polícia estava a caminho de nossa casa.

Quando Tom desligou o telefone, olhamos um para o outro com horror e descrença congelantes. O que eu estava ouvindo não podia, em hipótese alguma, ser verdade. Mas era. Mesmo sendo impossível. Nos piores cenários dos piores pesadelos que tinham passado por minha cabeça durante o trajeto de carro até em casa, nada se comparava à realidade que veio à tona naquele momento. Eu me preocupara com que Dylan estivesse em perigo ou tivesse feito algo infantil, se metendo em encrenca; agora, aparentemente pessoas tinham sido feridas por causa do que ele estava fazendo, seja lá o que fosse. Isso era real; estava acontecendo. Mesmo assim, eu não conseguia fazer meu cérebro entender o que estava ouvindo.

E então Tom me disse que tentaria entrar na escola.

Eu gritei:

— Não! Está louco? Você pode ser morto!

Ele olhou para mim com firmeza:

— E daí?

Toda a confusão barulhenta que girava ao nosso redor foi subitamente interrompida quando nos encaramos. Depois de um momento, engoli meus protestos e me afastei. Tom estava certo. Mesmo se ele morresse, pelo menos teríamos a certeza de que fizera tudo o que podia para parar seja lá o que estivesse acontecendo.

Pouco depois de uma hora da tarde, liguei para minha irmã, os dedos tremendo enquanto digitava. Meus pais já haviam morrido, mas minha irmã mais velha e meu irmão mais novo moravam perto um do outro, em outro estado. Minha irmã é e sempre foi a pessoa que busco quando as coisas vão bem e quando vão mal. Ela sempre cuidou de mim.

No minuto em que ouvi a voz dela, toda a compostura que eu estava tentando manter foi por água abaixo, e eu caí no choro.

— Algo terrível está acontecendo na escola. Não sei se Dylan está ferindo as pessoas ou se está ferido. Estão dizendo que ele está envolvido.

Não havia nada que Diane pudesse dizer que secasse minhas lágrimas, mas ela prometeu ligar para meu irmão e o restante da família.

— Estamos aqui para ajudar — ela disse vigorosamente quando nos despedimos, para que eu pudesse deixar a linha desocupada. Naquele momento eu não fazia ideia de como precisaria de minha irmã ao longo dos anos seguintes.

Quando meu filho mais velho, Byron, chegou, minhas tentativas frenéticas de fazer algo — qualquer coisa — foram paralisadas. Fiquei sentada na bancada da cozinha, soluçando em um pano de prato. Assim que Byron pôs os braços ao meu redor, cada milímetro de força se esvaiu de meu corpo e eu desabei, de modo que ele estava mais me firmando que me abraçando.

"Como ele pôde fazer isso? Como ele pôde fazer isso?", eu ficava perguntando. Não fazia ideia do que era "isso". Byron balançou a cabeça, em uma descrença silenciosa, os braços ainda ao meu redor. Não havia nada a dizer. Parte de mim pensava: *Sou a mãe dele. Tenho de me controlar, ser um exemplo aqui, ser forte para Byron.* Mas, para mim, era impossível fazer qualquer coisa a não ser chorar impotentemente, uma boneca de pano nos braços do meu filho.

Os policiais começaram a chegar e nos acompanharam para fora de casa, fazendo-nos esperar na rampa da garagem. Fazia um dia lindo, ensolarado e quente, o tipo de dia que nos faz pensar que a primavera finalmente chegou. Em outras circunstâncias, eu estaria agradecendo por termos sobrevivido a mais um longo inverno no Colorado. Em vez disso, a beleza do tempo parecia um tapa na cara. "O que estão procurando? O que eles querem?", eu perguntava. "Podemos ajudar?" No fim, um policial nos disse que estavam fazendo uma busca por explosivos em nossa casa e no apartamento de nossa inquilina.

Era a primeira vez que ouvíamos qualquer coisa sobre explosivos. Não soubemos de mais nada. Não podíamos entrar em nossa casa sem estar acompanhados pela polícia. Tom não teve permissão para ir à escola ou a qualquer outro lugar. Mais tarde, ficamos sabendo que ninguém podia entrar na escola. As equipes de resgate só tiveram acesso ao prédio muito tempo depois de Dylan e Eric estarem mortos, rodeados pelos corpos de suas vítimas.

Enquanto estávamos ali, esperando na ensolarada rampa da garagem, notei que três ou quatro policiais estavam usando uniformes da SWAT e o que parecia ser coletes à prova de balas. A visão daqueles homens era mais estranha que alarmante. Por que estavam em nossa casa em vez de estar na escola? Eles se curvaram e entraram pela porta da frente, segurando as armas com as duas mãos e os braços estendidos, como em um filme. Será que achavam que estávamos escondendo Dylan? Ou que Tom e eu seríamos, de alguma forma, um perigo para eles?

"HOUVE UM TIROTEIO NA ESCOLA DE ENSINO MÉDIO DE COLUMBINE" 33

Foi completamente surreal, e eu pensei muito claramente: *Somos as últimas pessoas no mundo que alguém esperaria ver nessa situação.*

Passamos horas andando de um lado para o outro na rampa da garagem, como animais assustados. Byron, na época, ainda fumava, e eu o observava acender um cigarro atrás do outro, desnorteada demais para protestar. A polícia não falava conosco, embora implorássemos por informações. O que tinha acontecido? Como sabiam que Dylan era um suspeito? Quantos atiradores havia? Onde estava Dylan? Ele estava bem? Ninguém nos falava absolutamente nada.

O tempo parou, como acontece nas emergências. Helicópteros da imprensa e da polícia começaram a circular ruidosamente no céu. Nossa inquilina, Alison, que morava na quitinete anexa a nossa propriedade, trouxe garrafas de água e barras de granola que não conseguimos comer. Quando precisávamos usar o banheiro, era com dois homens armados vigiando a porta. Eu não tinha certeza se estavam nos protegendo ou se éramos suspeitos. Ambas as opções me aterrorizavam: eu nunca fizera nada ilegal na vida, e jamais me passara pela cabeça ter medo do meu filho.

À medida que a tarde se estendia, continuamos a caminhar de um lado para o outro na rampa da garagem. Conversar era impossível. A base das montanhas Rochosas ao redor de nossa casa sempre me acalmou; Tom e eu dizíamos que não tínhamos necessidade de viajar, porque já morávamos no lugar mais lindo do mundo. Mas, naquela tarde, os altos penhascos pedregosos pareciam frios e ameaçadores — muros de prisão em volta de nossa casa.

Ergui os olhos para ver uma silhueta subindo pela rampa. Era Judy Brown, a mãe de Brooks, um dos amigos de infância de Dylan. Alertada pela confusão de rumores em Littleton de que Dylan estava envolvido nos acontecimentos da escola, ela veio à nossa casa.

Fiquei alarmada ao vê-la. Nossos filhos tinham sido bons amigos no primeiro e no segundo anos do fundamental, depois voltaram a estudar juntos no ensino médio, mas não eram próximos. Eu só tinha visto Judy algumas vezes ao longo dos anos. Tínhamos conversado animadamente poucas semanas antes, em um evento da escola, mas nunca fizéramos nada juntas, exceto quando nossos filhos estavam envolvidos, e eu não tinha certeza se conseguiria administrar amenidades sociais naquele momento. Estava desorientada demais para perguntar por que ela estava ali, mas parecia estranho Judy ter se materializado no momento em que mais precisávamos de privacidade. Ela e Alison se sentaram uma de cada lado meu em nossa calçada de tijolos, implorando que eu bebesse a água que trouxeram. Tom e Byron andavam para cima e para baixo na calçada da frente, com expressões pensativas, enquanto todos lutávamos com nossos próprios pensamentos estilhaçados.

Minha mente era um redemoinho caótico. Não havia maneira de encaixar a informação que tínhamos no que eu sabia sobre minha vida e sobre meu filho. Não podiam estar falando de Dylan, o nosso "Garoto Ensolarado", um filho tão bom que sempre me fazia sentir uma boa mãe. Se era verdade que Dylan havia ferido pessoas de propósito, então de onde viera isso?

Mais tarde, o detetive responsável disse que queria interrogar cada um de nós separadamente. Tom e eu estávamos ansiosos para cooperar, especialmente se houvesse qualquer coisa que pudéssemos fazer para trazer luz ao que estava acontecendo.

Meu interrogatório aconteceu no banco da frente do carro do detetive. É impensável agora, mas, durante aquele interrogatório, eu realmente acreditava que conseguiria esclarecer a confusão se apenas pudesse explicar por que tudo o que estavam pensando sobre Dylan estava errado. Não percebi que tinha entrado em uma nova fase de minha vida. Eu ainda pensava que a ordem do mundo tal como eu a conhecia poderia ser restaurada.

Pressionei as mãos trêmulas para aquietá-las. Solene e intimidador, o detetive foi direto ao ponto: Nós guardávamos alguma arma em casa? Dylan se interessava por armas ou explosivos? Eu tinha pouca coisa relevante para dividir com ele. Tom e eu nunca tivemos armas. Armas de ar comprimido eram comuns para os garotos no lugar onde vivíamos, mas resistimos o máximo que pudemos — e então fizemos nossos filhos redigirem e assinarem termos de compromisso antes de nos rendermos. Eles usaram as armas para praticar tiro ao alvo durante um tempo, mas, assim que Dylan entrou na adolescência, os rifles de ar comprimido encontraram um espaço na prateleira da garagem, ao lado dos aeromodelos, dos bonecos de ação G.I. Joe e de outras relíquias esquecidas da infância dos garotos.

Lembro claramente que Dylan me perguntara, no ano anterior, se eu consideraria lhe comprar uma arma de Natal. O pedido foi feito de passagem e veio do nada. Surpresa, perguntei por que ele queria uma arma, e ele disse que seria divertido ir a um estande de tiro algum dia, a fim de treinar a pontaria. Dylan sabia que eu era radicalmente contra armas, por isso o pedido me pegou de surpresa — embora tivéssemos mudado para uma área rural, onde caçar e praticar tiro ao alvo eram passatempos populares. Por mais estranho que me parecesse pessoalmente, as armas faziam parte da cultura na região onde vivíamos, e muitos de nossos vizinhos e amigos no Colorado eram animados atiradores de fim de semana. Ao mesmo tempo em que eu nunca permitira uma arma debaixo de nosso teto, o pedido de Dylan não acionou nenhum alarme especial.

Em vez disso, sugeri que procurássemos seu velho rifle de ar comprimido. Dylan revirou os olhos, um sorriso brincalhão no rosto: *Mães*.

— Não é a mesma coisa — ele disse, e eu balancei a cabeça decisivamente.

— Não consigo imaginar por que você quer uma pistola, e você sabe como seu pai e eu nos sentimos sobre isso. Você logo vai fazer dezoito anos e, se realmente quiser uma, pode comprar por sua conta. Você sabe que eu nunca, *jamais* lhe compraria uma arma.

Dylan assentiu carinhosamente e sorriu.

— É, eu sabia que você ia dizer isso. Só pensei em pedir.

Não houve intensidade no pedido, e nenhuma animosidade quando neguei. Ele nunca mais voltou a mencionar armas para mim, e eu arquivei aquilo na mesma categoria dos outros pedidos de Natal esquisitos que ele fizera ao longo dos anos. Ele também não pensou seriamente que lhe daríamos um carro tunado ou aulas de voo com planador.

O detetive tinha outra pergunta: Dylan se interessava por explosivos? Achei que ele estivesse falando de fogos de artifício e respondi com honestidade: Dylan gostava daquilo. Quando trabalhou em um estande de fogos (é permitido vendê-los no Colorado), um de seus primeiros empregos de verão, aceitara o pagamento em artigos da loja. Assim, meu filho tinha muitos deles, os quais deixava guardados, em segurança, em uma grande caixa de plástico na garagem. Ele soltava fogos de artifício no Quatro de Julho e os apreciava; pelo restante do ano, eles permaneciam na garagem, esquecidos. Dylan colecionava muitas coisas. Eu ainda não tinha ouvido nada sobre tanques de propano ou explosivos, então não fazia ideia sobre o que o detetive realmente estava me perguntando.

Senti-me pequena e assustada no banco da frente do carro do detetive, mas fui diligente ao responder às perguntas, de maneira completa e honesta. Quando ele quis saber se eu já tinha visto catálogos ou revistas de armas pela casa, a pergunta balançou algo solto em minha cabeça. Alguns catálogos com armas na capa tinham chegado com as pilhas de correspondência descartável que recebíamos diariamente. Eu não prestara mais atenção neles do que nos catálogos de roupas de bebê personalizadas ou equipamentos ortopédicos para idosos, e os tinha jogado fora sem olhar. Dylan tirara um desses catálogos do lixo. Ele estava procurando botas de trabalho pesado que servissem em seus pés enormes, e gostou de um par que estava nesse catálogo. Quando soubemos que não tinham o número dele, joguei o impresso fora pela segunda vez. Mais tarde, ele encontraria outras botas em uma loja de suprimentos para o exército.

Senti que o detetive estava me analisando com um olhar astuto. *Te peguei.* Repentinamente defensiva e insegura, me ouvi começando a tagarelar, tentando fazer o policial entender que vários catálogos chegavam todo dia, por isso eu não havia checado o destinatário.

Achei que ele entenderia se eu me fizesse ouvir. Sempre contei com minha capacidade de abordar problemas logicamente, e com a habilidade de me comunicar efetivamente. Eu não compreendia — e não compreenderia por um bom tempo — que era minha versão da realidade que estava fora de sintonia.

O detetive perguntou sobre eventos recentes, e eu contei tudo que conseguia lembrar. Algumas semanas antes, tínhamos visitado a Universidade do Arizona. Dylan fora aceito, e queríamos que ele colocasse os pés em sua primeira opção para sentir que era a escolha certa. Três dias antes, Dylan, lindo de smoking, tinha posado com sua companheira de baile, sorrindo timidamente enquanto tirávamos uma foto. Como aquele garoto poderia ser a pessoa que estavam acusando?

Mas não havia nenhuma resposta por vir, nenhuma esperança. O interrogatório terminou. Enquanto descia do carro do detetive, senti como se fosse explodir em milhares de pedaços, cacos de mim se espalhando pela estratosfera.

Ainda não podíamos entrar em casa. Tom e Byron continuavam andando de um lado para o outro na rampa da garagem. Um policial nos disse que os investigadores estavam esperando o esquadrão antibomba, uma informação que só fez aumentar ainda mais o nosso terror e confusão. Estavam procurando uma bomba? Será que algum conhecido de Dylan tinha colocado uma armadilha explosiva em nossa casa? Ninguém respondia nada, e não sabíamos se era porque ainda não conseguiam explicar exatamente o que acontecera ou porque éramos suspeitos.

Pelo fato de estarmos havia tanto tempo parados na rampa de nossa garagem, sem acesso a qualquer tipo de comunicação ou notícias recentes, nós provavelmente sabíamos menos do que qualquer outra pessoa em Littleton — ou do que o restante do mundo, para ser sincera — sobre o que estava acontecendo. Os telefones celulares não eram tão onipresentes quanto agora; embora Tom usasse um no trabalho, o sinal não funcionava por causa dos penhascos de arenito ao redor de nossa casa. A polícia havia confiscado o telefone de nossa casa. Assustados e perplexos, tudo o que podíamos fazer era rezar por nosso filho.

Esperamos do lado de fora, no sol, empoleirados nos degraus de concreto ou recostados nos carros parados. Judy veio até mim. Baixando a

"HOUVE UM TIROTEIO NA ESCOLA DE ENSINO MÉDIO DE COLUMBINE"   37

voz em tom de segredo, ela me contou sobre um site violento que Eric criara.

Ainda apavorada com a situação de Dylan, eu não entendia por que ela estava me contando aquilo, até que compreendi: ela sabia havia muito tempo que Eric era perturbado e perigoso.

— Por que você não me contou? — perguntei, absolutamente atônita.

Ela tinha contado para a polícia, Judy explicou.

O telefone de nossa casa tocava sem parar. O detetive me chamou para atender a ligação de minha tia idosa. Ela ouvira falar de um tiroteio em Littleton. (O nome de Dylan ainda não fora mencionado.) Estava com a saúde debilitada, e fiquei preocupada em lhe contar a verdade, mas percebi que protegê-la logo se tornaria impossível.

Falei, o mais gentilmente possível: "Prepare-se para o pior. A polícia está aqui. Eles acham que o Dylan está envolvido". Quando ela protestou, repeti as mesmas palavras. O que horas antes era inconcebível agora começava a se solidificar em uma nova e terrível realidade. Como formas nebulosas se transformam em letras e números a cada clique progressivo da máquina no consultório do oftalmologista, assim era a magnitude do horror que começava a entrar em foco para mim. Tudo ainda era uma mancha incompreensível, mas eu já sabia de duas coisas: isso não duraria muito mais tempo, e a confusão estava se transformando em uma verdade que eu não acreditava poder suportar.

Prometi a minha tia que manteria contato e desliguei o telefone para deixar a linha livre para comunicações vindas da escola.

À medida que as sombras se estendiam, o tempo ficava cada vez mais lento. Tom e eu conversávamos, confusos pela nossa incerteza, em sussurros abafados. Não tínhamos escolha a não ser aceitar o envolvimento de Dylan, mas nenhum de nós era capaz de acreditar que ele participara de um tiroteio por livre e espontânea vontade. Ele devia ter se envolvido com um criminoso, de algum modo, ou com um grupo deles, que o forçaram a participar. Consideramos até mesmo que alguém tivesse ameaçado nos machucar e ele o tivesse acompanhado para nos proteger. Talvez tivesse entrado na escola achando que fosse uma brincadeira inofensiva, algum tipo de encenação, para descobrir no último minuto que estava usando munição de verdade.

Eu simplesmente não conseguia, não era capaz de acreditar que Dylan feriria pessoas voluntariamente. Se ele tivesse feito isso, o garoto dócil, engraçado e brincalhão que tanto amávamos só podia ter sido persuadido, ameaçado, coagido ou até mesmo drogado.

Mais tarde descobrimos que os amigos de Dylan tinham explicações parecidas para os eventos que se desenrolavam ao redor deles. Nenhum deles achava que nosso filho pudesse estar envolvido por vontade própria. Nenhum de nós descobriria o nível real de seu envolvimento — ou as profundezas de sua raiva, alienação e desespero — até muitos meses depois. Mesmo então, muitos ainda tínhamos dificuldade para conciliar a pessoa que conhecíamos e amávamos com o que ele fizera naquele dia.

Ficamos ali na rampa da garagem, suspensos no limbo, as horas marcadas apenas por nossa confusão impotente à medida que oscilávamos da esperança para o medo. O telefone tocava e tocava e tocava. Em seguida, a porta de proteção de vidro mais uma vez se abriu, e dessa vez eu pude ouvir a televisão, que Tom deixara ligada em nosso quarto, ecoando dentro dos cômodos vazios. Um âncora do noticiário local estava na frente da Escola de Ensino Médio de Columbine. Eu o ouvi dizer que os últimos relatos informavam que havia vinte e cinco mortos.

Assim como todas as mães de Littleton, eu estivera rezando pela segurança do meu filho. Porém, quando ouvi o repórter mencionar vinte e cinco mortos, minhas preces mudaram. Se Dylan estava envolvido no ferimento ou na morte de outras pessoas, ele tinha de ser detido. Como mãe, essa foi a prece mais difícil que já fiz no silêncio dos meus pensamentos, mas naquele instante eu sabia que a maior misericórdia que eu poderia pedir não era pela segurança do meu filho, mas pela sua morte.

2

CACOS DE VIDRO

À medida que a tarde virava crepúsculo e, em seguida, escuridão, abandonei minha última esperança de que Dylan aparecesse de repente na garagem, no velho BMW preto amassado que consertara com seu pai, rindo e querendo saber do jantar.

Algum tempo depois, encurralei um membro da equipe da SWAT e fiz a pergunta, direto ao ponto:

— Meu filho está morto?

— Está — ele respondeu. Assim que ouvi isso, percebi que já sabia que aquilo era verdade.

— Como ele morreu? — perguntei. Parecia importante saber. Dylan tinha sido morto pela polícia ou por um dos atiradores? Ele tinha se matado? Eu esperava que sim. Se Dylan tivesse cometido suicídio, pelo menos eu saberia que ele quis morrer. Mais tarde, eu me arrependeria amargamente de ter desejado isso.

O membro da SWAT balançou a cabeça.

— Não sei — disse. E então se virou e foi embora, me deixando sozinha.

. . .

Pode parecer insensível que meu foco estivesse tão somente em Dylan — na questão da segurança dele e, mais tarde, em sua morte. Mas minha obrigação é oferecer a verdade no grau que minhas lembranças permitirem, mesmo quando essa verdade refletir mal sobre mim. E a verdade é que meus pensamentos estavam com meu filho.

No decorrer daquela tarde, vim a compreender que Dylan era suspeito de atirar nas pessoas, mas, a princípio, só registrei esse fato de maneira abstrata. Eu estava convencida de que meu filho não poderia ser responsável por tirar a vida de ninguém. Estava começando a aceitar que ele estivera presente durante o tiroteio, mas Dylan nunca machucara uma pessoa ou coisa sequer em sua vida, e eu sabia, no fundo do meu coração, que ele não poderia ter matado ninguém. Eu estava errada, obviamente, sobre isso e sobre muitas outras coisas. Mas, na época, eu estava convicta das minhas opiniões.

Assim, durante aquelas primeiras horas, e mesmo nos primeiros dias, eu não estava pensando nas vítimas ou na angústia de seus entes queridos e amigos. Assim como nosso corpo passa pela experiência do choque quando vivenciamos um trauma extremo — nós todos já ouvimos histórias de soldados em combate que correm quilômetros sem perceber que têm alguma parte do corpo ferida —, um fenômeno parecido acontece com o trauma psicológico. Um mecanismo é acionado para preservar nossa sanidade, deixando entrar somente aquilo que podemos suportar, um pouquinho de cada vez. É um mecanismo de defesa que chega a sufocar, tamanha sua força de proteção e distorção.

Qualquer misericórdia em não saber teve vida curta. A agonia pelas vidas perdidas ou destruídas pelas mãos do meu filho, e pela dor e sofrimento causados em suas famílias e amigos, permanece comigo todos os dias. Ela nunca desaparecerá, enquanto eu viver. Nunca mais vou olhar para uma mãe no corredor de cereais com sua filhinha sem me perguntar se aquela linda criança chegará à idade adulta. Nunca mais vou olhar para um grupo de adolescentes rindo e se encostando uns nos outros no Starbucks sem me perguntar se a vida lhes será roubada antes de terem a chance de vivê-la plenamente. Nunca mais vou olhar para uma família curtindo um piquenique, um jogo de beisebol ou entrando na igreja sem pensar nos parentes daqueles que meu filho assassinou.

Ao escrever este livro, espero honrar a memória das pessoas que meu filho matou. A melhor maneira que conheço para fazer isso é ser o mais verdadeira que puder. E, assim, esta é a verdade: minhas lágrimas pelas vítimas acabaram vindo, e ainda vêm. Mas não apareceram naquele dia.

. . .

Ainda estávamos na rampa de pedregulhos quando a equipe antibomba chegou. Um pouco depois começou a chuviscar, e eu busquei abrigo nos degraus de nossa porta, com Tom, Byron, nossa inquilina, Alison, e Judy Brown. Nós nos aglomeramos bem apertados embaixo da cobertura estreita sobre a porta da frente. Ficou escuro e frio de repente, e a mudança no tempo aguçou em nós a sensação de vulnerabilidade e o medo do que ainda estava por vir.

Automaticamente, pensei em rezar, e então, pela primeira vez na vida, me obriguei a parar de buscar aquele tipo de conforto.

Enquanto os pais de minha mãe eram cristãos, meu pai nasceu em uma casa judia, então meus irmãos e eu fomos criados nas duas tradições. Há diferenças significativas entre as duas religiões, mas ambas compartilham a concepção de Deus como um pai amoroso e compreensivo. Desde a infância, sempre me refugiei nessa concepção Dele. No entanto, não houve consolo ali para mim naquele começo de noite do dia 20 de abril de 1999. Em vez disso, tive uma real sensação de medo. Estava com medo de fazer contato visual com Deus.

Todas as noites, desde o nascimento de meus filhos, eu pedia a Deus que os protegesse e os guiasse. Eu acreditava piamente que essas orações os protegiam. À medida que os meninos cresciam, mudei minhas orações noturnas para incluir a segurança dos outros. Quando Byron estava no início da adolescência, ouvi uma história terrível no noticiário: um adolescente tinha roubado a placa de "pare" de um cruzamento, uma travessura que resultou em um acidente fatal. A ideia de que um de meus filhos pudesse, sem querer, causar danos aos outros se transformou em meu pior pesadelo. Nunca me preocupei que eles pudessem machucar alguém deliberadamente; nunca tive nenhum motivo para temer uma coisa dessas em relação a nenhum dos dois. No entanto, especialmente enquanto eu me segurava no painel do carro quando eles estavam começando a aprender a dirigir nas estradas estreitas e espiraladas do vale entre nossa casa e a cidade, eu desejava que nenhuma expressão de pura estupidez ou descuido adolescente pudesse um dia resultar em dano a outra pessoa. Agora essas orações tinham se transformado em uma realidade tão horrorosa que eu não tinha imaginação moral para entendê-la completamente.

Eu não tinha perdido a fé. Estava com medo de chamar a atenção de Deus, de aumentar ainda mais a Sua ira.

Sempre imaginei que os planos de Deus para mim estivessem alinhados com meus próprios planos. Eu acreditava, de todo o coração, que, se fosse uma pessoa amorosa, bondosa e generosa — se trabalhasse duro e desse o que fosse possível à caridade, se fizesse o meu melhor para ser uma boa filha, amiga, esposa e mãe —, então eu seria premiada com uma vida boa. Exilada nos degraus da frente de casa, a luz do corredor jogando sombras rudes em nosso rosto, senti-me repentinamente envergonhada, já que minha compreensão de Deus de toda uma vida se revelava duramente como uma ficção ingênua, uma história de ninar, uma ilusão patética. Eu nunca me sentira tão sozinha.

Em breve não haveria tempo para pensar ou sentir. A polícia não nos deixaria voltar para casa; teríamos de encontrar outro lugar para ficar. Tom, Alison e eu poderíamos entrar por cinco minutos para pegar alguns poucos pertences pessoais. Teríamos de entrar um de cada vez, e sob a vigilância cerrada de dois guardas.

Antes da explosão de atividades que se seguiram, tive uma visão curta e vívida de que estava em pé com uma multidão de espíritos, todos sofrendo. Eram de todas as idades, tamanhos e raças; eu não conseguia dizer quem era homem e quem era mulher. As cabeças estavam baixas e cobertas com mantos brancos esfarrapados. Minha antiga vida tinha chegado ao fim, e uma nova começara: uma vida na qual a alegria, um dia tão abundante, seria simplesmente uma lembrança. A tristeza, eu entendi com dolorosa clareza, me acompanharia pelo resto dessa vida. A visão terminou quando agulhadas de chuva começaram a cair sobre meu rosto, como cacos de vidro.

Os dois policiais que me acompanhavam dentro de casa ficaram a meu lado como jogadores da defesa no basquete, observando com atenção minhas mãos e mantendo suas próprias perto das minhas enquanto eu fazia a mala. Aquilo me deixou confusa e assustada, e me senti envergonhada enquanto vasculhava nas gavetas para encontrar peças íntimas e produtos de higiene. Anos depois, conversei com um dos guardas que estiveram em nossa casa. Quando descrevi quanto estava nervosa, ele me explicou que a observação de perto fora para minha própria proteção: eles estavam cuidando para ter certeza de que eu não tentaria me matar. Mais tarde, fiquei estranhamente tocada por isso.

Eu narrava o que estava fazendo enquanto arrumava a mala, um monólogo sem fôlego para focar minha concentração minguante. A necessidade de ser sistemática e organizada voltou a mim. "Algo para dormir. Uma camisola. O tempo vai mudar. Um casaco quente. Vou precisar de botas para o caso de nevar." Nosso gato, Rocky, estava doente, e eu remexia as gavetas à procura de seus remédios, consciente de quanto isso parecia ridículo diante do cenário da tragédia. Preocupada que nossas duas pequenas calopsitas não sobrevivessem à noite fria dentro do carro, peguei as toalhas de praia mais grossas que tinha para embrulhar as gaiolas.

Revirei o armário do andar de baixo procurando as velhas mochilas de nylon que usávamos para viajar, mas não consegui encontrar duas delas. Meses mais tarde eu descobriria que Dylan as usara para carregar explosivos para dentro do refeitório da escola.

Com os dois policias a meu lado, fiquei parada na porta do armário. A percepção de que teria de escolher uma roupa para usar no funeral de Dylan se abateu sobre mim como um soco no estômago; eu ainda esperava ser resgatada da realidade. Após algumas tomadas de fôlego, pendurei uma saia de tweed marrom, uma blusa branca e um blazer de lã escura em um único cabide.

. . .

Tom e eu colocamos as malas no carro em um desvario.

Tínhamos de ir, mas para onde? Como poderíamos carregar tudo aquilo para a casa de alguém? A estrada ao redor de nossa propriedade estava lotada de vans da imprensa e turistas caçadores de desastres espiando de dentro dos carros. Assim que passássemos pela barricada da polícia que cercava nossa casa, estaríamos à mercê deles. À casa de quem poderíamos levar um bando de repórteres e curiosos — uma invasão de privacidade inconveniente, na melhor das hipóteses, e uma ameaça de perigo absoluto, na pior? Chegaríamos sem saber quando iríamos embora, e com uma coleção de animais doentes e confusos a bordo. Precisávamos de ajuda, mas de quem?

Judy se ofereceu para nos hospedar em sua casa. Agradecidos por termos uma opção, concordamos, e ela foi embora a fim de se organizar para nos receber.

Byron queria pegar uma troca de roupa em seu apartamento, mas a ideia me aterrorizava. Será que ele conseguia pensar claramente para dirigir em segurança? Os repórteres e fotógrafos cercavam nossa propriedade, câmeras e equipamentos de som direcionados para nossa fachada, partindo de todos os pontos privilegiados. Será que uma recepção desse tipo esperava Byron em seu apartamento? Na verdade, eu simplesmente não queria que ele ficasse longe do meu campo de visão. Só me deixei convencer quando Byron me lembrou de que seu aluguel estava no nome do colega de quarto. Ele me assegurou de que se encontraria conosco mais tarde.

Assim que acabamos de colocar a bagagem no carro, alguns de nossos vizinhos apareceram carregando uma travessa de rosbife enrolada em um pano, um presente de outra vizinha, provavelmente o jantar de sua própria família. Eu tinha chorado o dia todo, mas aquele ato de generosidade espontânea gerou uma nova torrente. Em apenas algumas horas, perdemos nossa antiga identidade como membros valiosos de uma comunidade vibrante para assumir uma nova: agora éramos os pais de um criminoso, o agente da destruição daquela mesma comunidade. Pareceu-me importante, enquanto segurava a louça morna em minhas mãos, que as pessoas ainda pudessem ser boas conosco.

Era hora de ir. Alguns de nossos vizinhos planejaram nossa fuga: um abriu o portão ao pé da rampa da garagem, enquanto outro foi com seu próprio carro até o final e nos acompanhou até a estrada, bloqueando qualquer um que tentasse nos seguir. O restante de nós seguiu em três carros separados: Byron em um, Alison no outro, Tom e eu no último. Enquanto saíamos pelo portão a toda velocidade e voávamos pela estrada escura e sinuosa, eu retumbava de medo — de um acidente, da exposição, do que viria a seguir.

Quando Tom e eu finalmente diminuímos a velocidade, nos encontramos sozinhos pela primeira vez desde o meio-dia, dirigindo sem rumo pelos subúrbios antes de nossa reunião, às oito e meia, com o novo advogado. Não sei como nem quando Tom fizera contato com ele no meio do caos, mas eles marcaram um encontro no estacionamento de uma loja de conveniência perto de nossa casa. Esse plano era tão sigiloso e clandestino que em outra circunstância eu teria rido. Mais uma vez, pensei: *Somos as últimas pessoas no mundo*. Mas não havia consolo na velha identidade. Seja lá o que estivesse acontecendo, estava acontecendo conosco, e estava acontecendo por causa do que Dylan fizera.

Ainda tínhamos pouquíssima informação sobre o que acontecera na escola. A única coisa que sabíamos com certeza é que Dylan fora visto lá dentro com Eric durante o tiroteio, que deixara muitos mortos e feridos, e os investigadores acreditavam que ele estava envolvido. Eu sabia que meu filho tinha morrido naquele dia, mas ainda não sabia exatamente o que ele tinha feito.

À medida que rodávamos pelo subúrbio escuro, Tom e eu ficamos em dúvida sobre nosso plano para a noite. Estávamos preocupados que a forte conexão de Judy com a comunidade pudesse significar exposição demais se ficássemos com ela. Eu também estava com medo de pôr a família dela em risco. Precisávamos de um lugar para desabar e lamentar. Na verdade, precisávamos de um lugar seguro, um lugar para nos esconder.

Como pais, parceiros de negócios, marido e mulher, Tom e eu éramos bons em coordenar a logística complicada entre nós, e contamos com nossas habilidades enquanto tentávamos imaginar um modo de lidar com o que as próximas horas traziam, sem falar nos dias seguintes. Ainda não tínhamos começado o trabalho emocional de luto por Dylan, ou a batalha para entender o que o levara a cometer um ato de destruição tão terrível — um caminho pelo qual não conseguiríamos andar juntos tão facilmente.

Naquela noite, nosso único foco estava na necessidade humana mais básica: abrigo. Hotéis e motéis estavam fora de questão, considerando que a imprensa invadira Denver. Não podíamos dar nosso distinto sobrenome na recepção nem fazer o check-in com um cartão de crédito. Não podíamos sair da cidade. Mesmo que a polícia nos deixasse fazer uma coisa dessas, o que aconteceria com Dylan?

Uma possibilidade me passou pela cabeça. Absortos demais em nossa própria crise, mal consideramos o que nossos amigos e familiares poderiam estar passando enquanto assistiam à tragédia acontecer, mas a meia-irmã de Tom, Ruth, e seu marido, Don, viviam em um subúrbio tranquilo a cerca de vinte minutos do epicentro da tragédia e não tinham nosso sobrenome. Se eles não se importassem, sua casa seria um bom lugar para ficarmos.

Não víamos Don e Ruth com frequência, embora eles sempre nos tivessem apoiado. Assim que nos mudamos para a região de Denver, a ajuda deles para nos acomodar foi inimaginável. Quando Dylan nasceu, Ruth fora uma das primeiras visitantes no hospital, já que eu não conhecia quase ninguém na cidade.

Eram pessoas boas. Quando os meninos eram pequenos, tivemos um longo período de doenças; a catapora e a gripe circularam pela família durante várias semanas. No meu aniversário, eu estava doente demais e não tive condições de atender a porta quando ela tocou; arrastei-me escada abaixo a tempo de ver o carro de Ruth sair do meio-fio — e, a meus pés, um jantar inteiro feito em casa, acompanhado de um bolo de chocolate com velas.

Fiquei inconformada por não ter pensado neles antes, e só conseguia atribuir o lapso a minha capacidade de raciocínio prejudicada. Apertei o número no celular de Tom enquanto ele atravessava as ruas silenciosas. As casas pelas quais passávamos pareciam convidativas e acolhedoras com suas janelas acesas, e eu conseguia imaginar crianças recebendo ajuda dos pais para a lição de casa depois de a terrina de sopa ter sido retirada da mesa, e todas as outras atividades corriqueiras da semana que deveriam estar acontecendo lá dentro. Naquela noite, no entanto, eu sabia que todas as famílias da região estariam sintonizadas na cobertura do horror na Escola de Ensino Médio de Columbine. Em algumas daquelas casas, assim como na nossa, nada nunca mais seria normal de novo.

Quando Ruth atendeu o telefone, fiquei aliviada por ouvir as boas-vindas em sua voz, e quase chorei de gratidão quando ela disse que poderíamos ficar com eles. Liguei para Judy para agradecer por sua oferta, e Tom ligou para Byron, em seu apartamento, para avisá-lo sobre o novo plano. Anos mais tarde, Byron me disse que naquela ocasião confundira a voz do pai com a do irmão. Por um único momento de alegria, ele achou que Dylan estivesse ligando para dizer que estava bem, e que o dia inteiro tinha sido um grande mal-entendido. Não foi a primeira vez, nem a última, que um de nós se envolveria no tipo de pensamento mágico que nos permitiria apagar os eventos daquele dia.

Antes de nos abrigarmos na casa de Don e Ruth, tínhamos de nos encontrar com nosso advogado. Às oito e meia, paramos o carro no estacionamento da loja de conveniência e esperamos apenas um momento na chuva leve antes de um carro se encaixar na vaga ao lado da nossa. Gary Lozow olhou por sobre o ombro para ter certeza de que ninguém estava observando e então se aproximou do lado do motorista do nosso carro. Eu estiquei o braço por cima de Tom a fim de me apresentar, agarrando a mão molhada de Gary.

Abrimos a porta de trás para que ele entrasse no carro e se protegesse da chuva. Gary se espremeu cuidadosamente no espaço disponível no banco, encaixando o pé entre a caixa de areia e a gaiola do gato. Um dos ombros de seu sobretudo cáqui pressionava a janela embaçada do carro, o outro contra a toalha que cobria a gaiola do passarinho. Ele pediu que fôssemos até um bairro próximo, para podermos conversar. Pouco tempo depois, Tom estacionou o carro, desligou o motor e nós dois nos viramos nos bancos para olhar para o rosto do homem que nos ajudaria a passar pelos tempos difíceis que tínhamos pela frente.

A atitude de Gary me confortou. Ele não só tinha muita experiência como também uma compaixão intrínseca na maneira como falava comigo e com Tom. Demonstrou preocupação conosco, na condição de família enlutada, e reconheceu nossa necessidade de lidar com uma perda devastadora. Em seguida fez uma série de perguntas investigativas sobre Dylan, sobre nossa família, sobre nosso papel como pais. Assim como fizéramos mais cedo com o detetive, contamos a ele tudo o que achávamos ser verdade sobre nosso filho.

Ele estava tentando descobrir se sabíamos dos planos de Dylan. Depois de ouvir nossas respostas, anunciou que não tinha "uma centelha de dúvida" de que não sabíamos de nada. Eu me senti inundada pelo alívio. Embora não fizesse a menor diferença, eu estava desesperada para saber que alguém acreditava em nós. A Terra podia estar revirando e se abrindo sob meus pés, mas o fato de não termos a menor ideia do que Dylan estivera planejando era a única verdade da qual eu ainda tinha certeza.

O rosto de nosso advogado estava sério enquanto nos dizia: "Seu filho é responsável por isso, mas ele está morto. Vocês são o mais próximo que as pessoas conseguem chegar de Dylan, então elas virão atrás de vocês. Depois de a última vítima ser enterrada, haverá uma tempestade de ódio sobre a sua família. Será um período muito difícil. Vocês serão considerados culpados, e serão processados, e, nas próximas semanas, devem pensar seriamente em sua segurança".

Tempestade de ódio. Eu teria motivo para pensar nessa expressão muitas vezes ao longo dos anos: ela se tornaria uma previsão assustadora, uma descrição perfeita do que estava por vir.

Gary sugeriu alguns procedimentos para garantir nossa proteção e privacidade, e disse que entraria em contato com as autoridades para liberar o corpo de Dylan. Eu me senti agradecida pelo fato de ele ter explicado claramente seus próximos passos e dizer exatamente quando falaria conosco de novo. Em seguida nós o levamos de volta a seu carro. O restante de nossa viagem foi silencioso, uma vez que Tom e eu lutávamos para processar o que Gary dissera.

Don e Ruth estavam nos esperando e abriram a porta da garagem assim que nos aproximamos, de modo que nosso carro não fosse visto na rua. Nunca me esquecerei daquela fresta de luz lentamente se abrindo, se transformando em um retângulo brilhante na escuridão, ou de quão profundamente surreal e coisa de ficção científica me pareceu deslizar para dentro da garagem deles, como se estivéssemos estacionando uma nave espacial. Na época, eu pensava estar vivenciando um profundo senso de irrealidade. Eu estava errada. Aquilo *era* nossa nova realidade.

Tom desligou o motor, e nós tivemos um momento em silêncio. Respirei fundo antes de abrir a porta do lado do passageiro. Estava incomodada pela enorme perturbação à família de Tom, e com medo de estarmos trazendo a ameaça da exposição pública à vida deles, mas a emoção predominante que eu estava sentindo era vergonha. Foi difícil sair do carro.

Os pais de Tom já haviam morrido quando ele tinha doze anos. Ele fora criado por seu meio-irmão, mas Ruth era a mais velha e, naquela época, já tinha saído de casa. (Tom e eu somos mais próximos em idade dos filhos de Ruth e Don que deles mesmos.) Embora houvesse grande afeição entre nós — eu os considerava meus tios —, eu ainda me sentia um pouco formal também, sempre tentando causar uma boa impressão.

Don é filho de fazendeiro, generoso até demais — o tipo de cara decente, confiável e trabalhador do Meio-Oeste que você gostaria de ter como vizinho. Ruth é conhecida pela maravilhosa generosidade. Ambos são gentis, bondosos, de poucas palavras e têm quatro lindas filhas, cada uma delas bem-sucedida a sua própria maneira. Ainda assim, lá estava eu, me refugiando na casa deles sob o manto da escuridão, a mãe de um criminoso.

A recepção de Don e Ruth foi calorosa, porém silenciosa, enquanto nos ajudavam a descarregar nossas malas. Fiquei profundamente agradecida quando Byron chegou, minutos depois de nós. Armamos acampamento nos quartos do porão. Fiquei aliviada ao ver as duas carinhas alertas com bochechas laranja passando os olhos pelo novo ambiente quando tirei as toalhas de cima da gaiola. Por causa da alergia de Ruth, colocamos nossos dois gatos, Rocky e Lucy, na lavanderia, e eles se enfiaram atrás da secadora naquele espaço desconhecido. Eu gostaria de poder ter feito o mesmo.

Quando nos juntamos a Don e Ruth no andar de cima, descobri que estar dentro de uma casa normal era um pesadelo ainda maior do que o limbo frenético pelo qual tínhamos passado do lado de fora de nossa própria casa. Durante aquelas longas horas na rampa da garagem, ficáramos suspensos no tempo, sem nenhum acesso às notícias. Mas Don e Ruth, assim como todas as pessoas no país (e, descobriríamos depois, no mundo), estavam grudados na cobertura interminável da televisão sobre o tiroteio.

Passamos do estágio de não ter nenhuma informação a ter informação demais. O caos dentro de minha cabeça já era difícil de suportar, mas o fluxo repentino de especulação e bombardeio televisivo era infinitamente pior. Podíamos ver as consequências terríveis do que nosso filho fizera, a incongruência de um centro de triagem montado em uma calçada do subúrbio. Podíamos ouvir o choque e o horror na voz dos jovens que tinham escapado de dentro da escola, ver os olhares sombrios no rosto dos socorristas. Não havia como fugir da enormidade de tudo aquilo.

As descrições das testemunhas eram tão terríveis que quase dava para senti-las ricocheteando em meu cérebro. Deve ter sido naquele momento, também, que ouvi as descrições das vítimas pela primeira vez, embora não me lembre dessa parte. Mais tarde eu viria a saber que é comum, nos primeiros espasmos de tristeza e desespero, passar por esse tipo de negação. Nos anos seguintes, conversei com muitas pessoas que ficaram estarrecidas e envergonhadas por isso — assim como eu —, mas a mente absorve apenas o que consegue aguentar.

Do lado de fora de nossa casa, isolados das notícias, conseguimos manter a tragédia a distância. De repente, ela estava perto demais, sufocante: a diferença entre ver o fogo de longe e estar até os joelhos dentro das brasas enquanto o inferno queima ao seu redor. Quando comecei a balbuciar: "Meu Deus, isso não pode ser verdade. Não consigo ver isso", Ruth rapidamente pediu que Don desligasse a TV. O silêncio era melhor, mesmo que o eco dos horrores que tínhamos visto e ouvido ainda reverberasse pelas paredes ao nosso redor.

Perto da meia-noite, ficou evidente que nossos anfitriões precisavam ir para a cama. O dia inteiro eu quisera um pouco de privacidade para poder mergulhar na tristeza, e silêncio, para poder focar na situação incompreensível e na perda de meu filho. Com a chegada daquele momento, me senti aterrorizada por ficar sozinha com a verdade inenarrável.

Ruth colocou lençóis limpos nas camas de hóspedes no porão e, em seguida, nos deixou. Byron foi dormir no sofá-cama no escritório, bem ao lado do quarto extra onde Tom e eu estávamos. Deixei a porta aberta a noite toda, assim poderia ver o volume dos pés de Byron embaixo do cobertor; para mim, era vital saber que ele estava ali. Devo ter olhado para aquela direção pelo menos umas cem vezes.

À medida que a casa ficou em silêncio, Tom e eu permanecemos acordados lado a lado, tocando as mãos e os ombros um do outro para oferecer aquele conforto pequeno e precioso que podíamos ter. Tínhamos perdido nosso filho: Dylan estava morto. Não sabíamos onde, ou em que condições, estava o corpo dele. Não sabíamos se ele tirara a própria vida, se fora morto pela polícia ou por seu amigo. Apesar dos relatos terríveis que ouvíramos no noticiário, ainda não sabíamos exatamente o que ele tinha feito.

Naquela primeira noite, a ideia de que Dylan pudesse estar no epicentro daquele evento monstruoso estava além de minha capacidade de entendimento, e eu me recusei a acreditar naquilo. Em vez disso, invoquei milhões de explicações alternativas. Eu não fazia a menor ideia de como Dylan conseguira uma arma, ou por que ele poderia querer uma. Fiquei obcecada, em vez disso, com milhões de outros cenários possíveis: Será que ele fora levado a participar daquilo, achando que a munição era falsa? Será que fora uma pegadinha que deu muito errado? Será que fora forçado a estar lá, sob algum tipo de ameaça? Eu disse a mim mesma que, ainda que nosso filho tivesse participado do que acontecera, ele não tinha, necessariamente, atirado em alguém. Tanto Tom quanto eu acreditávamos de todo o coração que Dylan não teria matado ninguém, e nos apegamos, não apenas durante horas ou dias, mas por meses, a essa crença.

Nas longas horas daquela noite e nos dias que se seguiram, eu refletia de vez em quando que havia pessoas que Dylan poderia ter machucado, mas em seguida aquele pensamento intolerável desaparecia tão rápido quanto tinha vindo. Tenho vergonha até hoje de admitir isso. Na época eu simplesmente achei que estivesse louca. E, de acordo com muitos padrões, eu estava.

Depois que Tom pegou em um sono intermitente, pressionei o travesseiro contra o rosto para silenciar meus soluços. Pela primeira vez compreendi de verdade como foi que "coração partido" passou a descrever uma sensação de tristeza absolutamente terrível. A dor era verdadeira, física, como se meu coração tivesse sido estilhaçado em fragmentos cortantes dentro do peito. "Coração partido" não era mais uma metáfora, e sim uma descrição.

Não dormi e, enquanto estava deitada ali, tinha pensamentos circulares e desconexos, como tivera o dia todo. Eu dissera ao detetive que Dylan fora ao baile de formatura no fim de semana anterior com um grupo grande de amigos, e voltei às minhas lembranças daquela noite e do dia posterior. Eu me levantei da cama para vê-lo quando ele chegou em casa, bem cedo, na manhã seguinte ao baile. Ele tivera uma noite maravilhosa e me agradeceu por ter comprado seu ingresso. Ele tinha dançado! Não pela primeira vez, eu refletira que nosso filho mais novo sempre parecia fazer as coisas direito. *Fiz um bom trabalho com essa criança,* eu pensara comigo mesma naquela noite ao voltar para o quarto. Meras setenta e duas horas depois, eu estava deitada, rígida, em uma cama desconhecida, a sensação de satisfação suplantada por absoluta confusão, horror crescente e sofrimento. Juntar as duas realidades parecia impossível.

No dia anterior ao baile de formatura, Dylan sentou-se ombro a ombro com o pai, examinando plantas de vários dormitórios, comparando os metros quadrados de cada configuração. Com um metro e noventa e três (e nunca tendo dividido um quarto com ninguém antes), Dylan queria garantir o máximo de espaço possível. Eu ri, na ocasião, ao ver os dois ali, rabiscando somas no papel de rascunho. Era tão quantitativo — e tão Dylan! — escolher o dormitório na faculdade usando números.

As lembranças eram tão recentes que ainda estavam mornas, e pensar nelas de novo me jogou em uma confusão ainda maior. Aquele tipo de comportamento era condizente com uma pessoa que se preparava para uma matança?

Isso só passou a fazer sentido quando comecei a aprender mais sobre pessoas que estão planejando se suicidar. Muitas vezes elas fazem planos concretos para o futuro: famílias de suicidas frequentemente ficam desnorteadas com compras de carros novos e agendamentos de cruzeiros. Conversar com pessoas que sobreviveram a tentativas de suicídio tem ajudado pesquisadores a trazer luz ao mistério. Em alguns casos, esses planos futuros são uma maneira de tirarem amigos e familiares da trilha do comportamento suicida. Se você estivesse com medo de que uma pessoa próxima pudesse estar planejando causar mal a si mesma, suas preocupações não seriam amenizadas se essa pessoa comprasse um pacote para um cruzeiro?

Em outros casos, planos desse tipo são simplesmente um sinal e um sintoma da lógica absolutamente doentia que dirige o cérebro suicida. Eles podem sinalizar a ambivalência de sentimentos — um desejo de viver que é, às vezes, tão forte quanto o desejo de morrer. Uma pessoa com a intenção de se mutilar também pode acreditar simultaneamente em ambas as realidades: que vai passar as férias no Caribe e que terá se suicidado antes de ter essa chance.

Na época eu não sabia de nada disso, e, assim, a ideia de Dylan fazer projetos entusiasmados para seu futuro na faculdade enquanto planejava um tiroteio enlouquecido que acabaria com sua própria vida parecia absurda — e, dessa forma, mais uma evidência de que ele não poderia ter tido a intenção de participar daquilo.

Nos meses e anos a seguir, eu seria forçada muitas vezes a confrontar tudo o que não sabia sobre meu filho. Essa caixa de Pandora nunca ficará vazia; passarei o resto da vida confrontando a realidade do jovem que conheci com o que ele fez. Aquela noite foi a última vez em que pude manter Dylan em minha cabeça exatamente do jeito que sempre o tive em vida: um filho, irmão e amigo amado.

E assim, quando a luz cinza-azulada da madrugada finalmente apareceu pelas janelas do porão, eu ainda estava fazendo a pergunta — primeiro a Dylan, depois a Deus — que me atormentaria, me deixaria perplexa e, essencialmente, inspiraria o restante de minha vida: "Como? Como você pôde fazer isso?"

3

A VIDA DE OUTRA PESSOA

*Ontem minha vida entrou no pesadelo mais abominável que
alguém poderia imaginar. Não consigo nem escrever.*

— ANOTAÇÃO NO DIÁRIO, 21 DE ABRIL DE 1999

Na manhã seguinte, parecia que eu tinha caído dentro da vida de outra pessoa sem ser avisada.

Um mês antes, uma velha amiga viera à cidade. Colocando o papo em dia durante o jantar, eu lhe dissera que minha vida nunca estivera mais gratificante. Recentemente eu tinha feito cinquenta anos. Tinha um marido carinhoso e um casamento que já durava vinte e oito anos de altos e baixos. Byron estava se sustentando sozinho, dividindo um apartamento com um amigo. Dylan tinha se recuperado de um episódio problemático no segundo ano do ensino médio e tinha feito um trabalho maravilhoso para que as coisas voltassem aos trilhos; ele estava na última fase antes da formatura, saindo com amigos e fazendo planos para a faculdade. Eu até tinha um tempo livre para desenhar e pintar. Minha única e maior preocupação na vida, eu dissera a minha amiga, era a saúde precária de nosso gato idoso, Rocky.

No dia 20 de abril de 1999, acordei como uma esposa e mãe comum, feliz por guiar minha família por mais um dia de trabalho, tarefas e escola. Vinte e quatro horas depois, eu era a mãe de um atirador louco de ódio, responsável pelo pior tiroteio da história dentro de uma escola. Dylan, meu garoto de ouro, não só estava morto como era um assassino em massa.

A desconexão era tão profunda que eu era incapaz de assimilar aquilo. Ao longo da primeira noite no porão de Don e Ruth, passei a aceitar que Dylan estava morto, mas Tom e eu continuávamos negando que ele pudesse ter tirado a vida de outras pessoas.

Mais que qualquer coisa, é isso o que chama atenção naqueles primeiros dias após Columbine: o modo como nós nos apegávamos, de maneiras estranhas e persistentes, a uma irrealidade, protegendo-nos de uma verdade que não podíamos suportar. Mas essas distorções não puderam

nos proteger por muito tempo da ira da comunidade que havíamos aprendido a amar, ou da verdade que surgia sobre o nosso filho.

. . .

Don e Ruth foram infalivelmente generosos e gentis, mas estavam absolutamente impotentes diante de nosso atordoamento e tristeza, como qualquer um estaria.

Eu mal conseguia falar. Quando abria a boca para fazer um comentário, na maioria das vezes acabava me dispersando na metade do pensamento. A ideia de comer era inconcebível: um garfo parecia um instrumento
alienígena em minha mão, e o mero aroma da comida deliciosa de Ruth
fazia meu estômago revirar.

Eu estava exausta, com o nível de energia mais baixo que já tivera na
vida, me arrastando pelas horas como se estivesse enterrada em cimento
molhado. Eu me lembro vagamente de uma Ruth preocupada, me cobrin-
do com um cobertor de lã enquanto eu jazia, sem me mexer, no sofá. O
sono me dava alento temporário: no exato segundo em que eu abria os
olhos, era devastada novamente pela enormidade do que Dylan fizera, pela
irracionalidade daquilo. É clichê, imagino, dizer que eu estava me com-
portando como um zumbi, mas essa é a descrição que posso dar para o
modo como me senti naqueles primeiros dias.

Em circunstâncias normais — se é que alguma circunstância envolvendo a morte de um filho pode ser chamada de normal —, teríamos ligado
para nossos familiares e amigos a fim de compartilhar as notícias terríveis.
Eles teriam vindo passar pelo luto conosco e oferecer apoio. Teríamos nos
mantido ocupados preparando a casa para os visitantes, e os amigos teriam trazido histórias, poemas e fotos para prestar homenagem a Dylan.
Esses mecanismos de enfrentamento diante da tristeza são tradicionais e
comuns a muitas culturas porque são eficientes; dão conforto às famílias
em um momento em que pouca coisa pode confortá-las. Para nós, nada
poderia ter sido mais distante do normal do que nossa vida nos dias que
se seguiram à morte de Dylan.

Quase todas as pessoas que um dia nos conheceram souberam da conexão de nosso filho com a tragédia de Columbine em questão de horas
depois que ela aconteceu, mas não podiam entrar em contato conosco
porque tínhamos abandonado nossa vida. Os familiares e amigos horro-
rizados que nos telefonaram naquela tarde ou não foram atendidos, ou
se viram falando com policiais que ainda vasculhavam nossa casa.

Obviamente, não podíamos ter nossos familiares de fora do estado ou
amigos próximos vindo a Littleton para ficar conosco. Mesmo que hou-

vesse lugar para eles ficarem, não poderíamos garantir sua segurança. Ao nos escondermos na casa de Don e Ruth, ficamos isolados de uma situação muito assustadora na comunidade. Não saberíamos quanto estávamos em perigo até eu ler sobre um dos primos distantes de Tom, no jornal: ele foi a público declarar que nunca conhecera Dylan e implorar às pessoas que parassem de lhe enviar ameaças de morte. No período de quarenta e oito horas após o tiroteio, um grupo de familiares recebeu mais de duas mil ligações da imprensa e dos membros da comunidade. Nem todas foram ameaçadoras, evidentemente — mesmo nos dias imediatamente após a tragédia, as pessoas ofereciam apoio —, mas ainda assim era impossível gerenciá-las. Um repórter local tentou entrar na casa de minha tia de oitenta e cinco anos, em Ohio. (Ela ficou orgulhosa por tê-lo enfrentado e pedido que fosse embora, apesar de ter insistido que ele levasse consigo um biscoito recém-saído do forno.)

Eu não poderia, em sã consciência, convidar as pessoas que eu amava para uma comunidade cuja tristeza estava misturada ao ódio por nossa família. Ao escolher a reclusão, escolhemos a segurança. Tínhamos nos excluído do conforto de outros que também amaram Dylan.

De acordo com o relatório da polícia emitido meses mais tarde, fomos oficialmente notificados da morte de Dylan no dia seguinte ao massacre. Eu não me lembro. Tom também não. Eu me lembro de ter ficado sabendo que o corpo de nosso filho tinha sido levado para ser submetido à autópsia, notícia que deu à morte de Dylan um peso sólido e tangível que ainda não tivera para nós. Eu achava intolerável pensar nele deitado sozinho em uma mesa gelada de aço. Eu estivera ao lado dele em todas as visitas ao pediatra, segurara sua mão em todas as vacinas; nunca perdera uma de suas consultas ao dentista. Eu ansiava por ir até o escritório do médico-legista para ficar com meu filho, só para não deixá-lo sozinho.

Ao mesmo tempo, Tom e eu tínhamos esperança na autópsia, rezando para que os resultados toxicológicos fossem positivos. Pelo menos o abuso de drogas poderia nos dar uma explicação para Dylan ter se envolvido naquele evento monstruoso.

Parecia que a morte nos rondava e ameaçava nos sufocar. Tom começou a dizer que não achava que conseguiria seguir a vida sem Dylan, seu companheiro. Aquele sentimento mórbido foi uma das únicas coisas capazes de me tirar de meu estado quase catatônico: como eu aguentaria se Tom tirasse sua vida também? Depois do que acontecera com Dylan, não havia como confiar em mim mesma para uma leitura apurada sobre o estado emocional de outros membros da família. Até onde eu sabia, Tom e Byron poderiam estar planejando ativamente a própria morte. A ideia me deixava paranoica.

Eu mesma estava tendo pensamentos suicidas. Era a coisa mais natural do mundo explorar um modo de silenciar a tristeza, a culpa e a vergonha que eu sentia. Mas saber que esses sentimentos eram uma reação normal não os tornava menos assustadores.

Também era normal me preocupar demais com Byron, mesmo que não fosse saudável. Assim que ele saía da minha vista, eu me sentia ansiosa e abandonada. Não conseguia deixar de temer que algo horrendo acontecesse com ele — ou que, das profundezas do desespero sobre o que seu irmão fizera, ele tentasse algo terrível contra si mesmo. Essa dinâmica se intensificaria ao longo dos meses seguintes.

Byron vivera uma vida pouco tocada pela perda: ele estivera em um único funeral em toda a sua vida, de um técnico da liga infantil que sofrera um ataque cardíaco fulminante. Tom e eu tínhamos sobrevivido a nossos pais e outros parentes, e sabíamos que Byron estava despreparado para o que os próximos dias trariam. Por outro lado, que tipo de preparação deveria haver? A primeira experiência real de perda de Byron era uma catástrofe de tamanha magnitude e incompreensão que todos nós passaríamos o resto da vida lutando para compreendê-la.

. . .

Eu não conseguia assistir à TV nem ler o jornal na casa de Don e Ruth, mas espiava pelas frestas de vez em quando, como faria dentro de um abrigo antibombas para confirmar a devastação total do lado de fora. E, assim, não podia evitar inteiramente o que gritavam todas as manchetes, primeiras páginas e vinhetas dos noticiários mundiais: "TERROR EM LITTLETON. Os garotos suspeitos de ser os atiradores, Eric Harris e Dylan Klebold, eram alunos da Escola de Ensino Médio de Columbine..."

Fiquei obcecada pela foto que mostravam sem parar na TV — a pior foto que Dylan já tirara, tão desfavorável que, quando ele a trouxera para casa, eu insistira que tirasse outra. A foto o fazia parecer o tipo de jovem com que tanto os professores quanto os alunos encontrariam uma razão para implicar — o tipo de cara de quem você afastaria a bandeja para evitá-lo no refeitório. Não parecia ele. Mesmo em minha quase loucura naqueles primeiros dias depois da tragédia, eu sabia como era ridículo ficar incomodada porque a imprensa estava usando uma foto pouco atraente de Dylan, em vez de mostrá-lo como o rapaz bem-apessoado que fora. Meu filho era um suposto criminoso, e lá estava eu perturbada por uma foto feia. Esse é um exemplo espetacular dos truques que a mente prega quando lidamos com emoções insuportáveis. Por mais absurdo que parecesse, eu queria que Dylan fosse mostrado do jeito que eu me lembrava dele.

Todos os canais transmitiam imagens vívidas da carnificina e das coisas horríveis que Dylan e Eric disseram e fizeram. Havia descrições detalhadas das armas que carregavam e da roupa que vestiam. Havia diagramas da movimentação deles pela escola. Na ausência de informação, havia especulações intermináveis quanto aos motivos por trás do ataque.

As teorias eram abundantes, muitas delas conflituosas, e cada uma mais chocante que a anterior. Os jornais diziam que Dylan e Eric eram góticos. Que faziam parte de uma seita que cultuava a morte. Eram membros juramentados de uma facção antissocial da escola chamada Máfia do Sobretudo. Eram mimados e superprotegidos, e nunca souberam a diferença entre certo e errado. Eram gays. Sofriam bullying. Faziam bullying eles mesmos. O ataque fora a sangue-frio, planejado há muito tempo. Alternativamente, o ataque fora de improviso: os garotos simplesmente chegaram atirando.

Muito já foi escrito ao longo dos anos sobre a cobertura jornalística do evento — em particular como a desinformação precoce sobre os garotos se solidificava rapidamente em verdade.

Para mim, ouvir a enxurrada de especulações era como olhar em um caleidoscópio. Eu estava tão faminta de conhecimento quanto todo mundo. Já não sabia em que acreditar. Conforme surgia cada nova informação, uma mais horrível que a outra, uma imagem diferente do meu filho começava a se formar. Invariavelmente, era a imagem de alguém que eu não reconhecia. Quando um dos pedaços que o compunham era retirado ou declarado falso, o arranjo mudava novamente — e, com ele, o chão sob meus pés. Para o restante do mundo, essas mudanças do caleidoscópio provavelmente davam a entender que os investigadores e a imprensa estavam chegando a uma explicação plausível sobre por que e como a tragédia ocorrera. Mas cada explicação me levava para mais longe do garoto que eu conhecia.

Nos primeiros dias, eu me esquivava das notícias sobre Columbine porque eram absurdamente imprecisas, ou falavam coisas sobre meu filho que eu não podia suportar. Agora me esquivo porque, como ativista da não violência e defensora da saúde cerebral, compreendo quão assustadoramente irresponsável era grande parte daquilo. Sabemos agora que a cobertura da imprensa com detalhes excessivos — criando fetiches sobre o que os assassinos vestiam, por exemplo, ou fornecendo detalhes da movimentação deles durante o crime — inspira seguidores e lhes dá um modelo em cima do qual podem delinear seus próprios planos.

Na época, no entanto, as notícias contraditórias e as imprecisões serviram para alimentar minha esperança desesperada de que tudo aquilo fosse um terrível mal-entendido. Se esse ou aquele fato foi divulgado erroneamente, então talvez tudo aquilo fosse falso. Como eu viria a aprender muito bem ao longo das semanas, meses e anos a seguir, a mente prega peças para se manter sob controle em situações de tensão tremenda. Geralmente racional até não poder mais, passei aqueles primeiros dias me apegando a qualquer fio de esperança que pudesse salvar ou criar, independentemente de quão irracional ou improvável fosse.

A primeira imprecisão, e a mais amplamente divulgada, foi a caracterização dos garotos como "párias". Isso me chamou a atenção, embora não devesse: como vim a aprender depois, essa é uma concepção falsa comumente aceita (e mais comumente ainda relatada na imprensa) sobre os assassinos em massa.

Era verdade que Dylan sempre fora reservado e tímido; ele não gostava de ser o centro das atenções ou de se sobressair de alguma maneira. Também era verdade que ficara cada vez mais reservado quando entrara na adolescência, embora nunca tenha sido o estereótipo do garoto excluído, sem amigos e antissocial pintado pela mídia. Durante toda a sua vida, Dylan foi rápido em fazer e manter amigos bons e próximos, tanto garotas quanto garotos. No ensino médio, nosso telefone tocava a ponto de atrapalhar, com convites para jogar boliche, ir ao cinema ou jogar beisebol fantasia.* Se a imprensa podia estar equivocada sobre o status social de Dylan, minha mente estilhaçada argumentava, ainda havia a possibilidade de estar tudo errado — de os repórteres e a polícia terem confundido os fatos e Dylan ter sido uma vítima, não o agente da violência.

Também foi dito que Eric era o único amigo de Dylan, o que não era, nem de longe, verdade. Nós desencorajamos abertamente aquela amizade depois que os dois se meteram em encrenca juntos no ano anterior, e Tom e eu ficamos satisfeitos ao notar que Dylan estava mantendo distância de Eric. Na época de sua morte, eu definitivamente consideraria Nate o melhor amigo de Dylan.

Da mesma forma, quando a imprensa identificou Dylan e Eric como disseminadores de ódio que exibiam suásticas por aí, senti-me estranhamente confiante; simplesmente não havia como essa parte da reportagem estar correta. Fui criada em um lar judeu, e nossa própria família tinha celebrado informalmente o Sêder de Pessach duas semanas antes. Sendo o mais jovem, Dylan lera as Quatro Perguntas na celebração. Eu tinha uma

---

* Beisebol fantasia é um jogo muito comum nos Estados Unidos em que cada participante monta um time imaginário com jogadores profissionais da vida real; os participantes competem entre si usando as estatísticas e os números reais de cada jogador. (N. do E.)

carreira como professora e defensora de pessoas com deficiência, e Tom e eu acreditávamos em tolerância e inclusão. Nenhum dos dois jamais admitiria qualquer discurso de ódio ou símbolos antissemitas em nossa casa ou na roupa de Dylan.

De novo e na mesma linha, eu repassava obsessivamente os números contraditórios e mutantes — quantos feridos, quantos mortos. Se as autoridades ainda não tinham certeza em relação às vítimas, sobre o que mais poderiam estar erradas? Por mais que estivesse fixada nas contagens, eu ainda não conseguia traduzir os números para aquilo que realmente queriam dizer: adolescentes e um professor que tinham sido violenta e permanentemente arrancados de suas famílias e roubados de sua vida, de seu futuro. Eu queria que o número de mortos e feridos fosse pequeno, como se para fazer as ações de Dylan parecerem menos terríveis. Espero não desonrar aqueles que morreram ou foram feridos ou traumatizados naquele dia, ou suas famílias, por ser verdadeira quanto a isso. Levou semanas até o véu ser retirado e eu poder chorar pelas vítimas de Dylan. Todos sofremos primeiro por aqueles que amamos, e Dylan era meu filho. E eu ainda não acreditava que ele pudesse realmente ter matado alguém.

Eu estava ávida para evitar a verdade completa sobre o grau de envolvimento de Dylan, mas a negação total que me isolou naqueles primeiros dias não era sustentável. A magnitude e a severidade do ataque recaíam sobre mim a cada manchete e a cada ligação de nosso advogado, sufocando-me novamente a cada vez. Além dos quinze que morreram, vinte e quatro indivíduos estavam hospitalizados por causa dos ferimentos. A situação dos adolescentes gravemente feridos era atualizada constantemente. Se eles sobrevivessem, provavelmente teriam sequelas permanentes. Eu passara a última metade de minha carreira trabalhando com estudantes com deficiência, então sabia muito bem o que aquilo significava.

Minha mente revirava. Como poderia não haver uma maneira de pressionar um botão de reset, para viver as últimas semanas da vida de Dylan de novo, para mudar o resultado daquela vida, para evitar o que acontecera? Eu sofria pelos outros pais que choravam por seus próprios filhos e rezavam ao lado de camas de hospital, e tinha constantemente de me lembrar de que nenhum pensamento mágico faria o relógio voltar atrás. Nem havia nada que eu pudesse fazer para pará-lo: agora que acontecera, não havia absolutamente nada que eu pudesse fazer para melhorar a situação.

Tudo o que eu queria era abraçar meu filho — e então ter mais uma chance de fazê-lo parar antes que cometesse seu terrível ato final. O loop em meu cérebro não parava, sempre começando e terminando no mesmo lugar: "Como ele pôde ter feito isso? Como ele pôde ter feito isso?" Só nos restava encarar a catástrofe que Dylan deixara para trás, sem a única pessoa que possivelmente poderia trazer alguma luz sobre o que acontecera.

. . .

Embora Don e Ruth não pudessem estar sendo mais hospitaleiros, estavam começando a parecer tão exaustos quanto Tom, Byron e eu. É natural querer uma pausa até mesmo dos convidados mais queridos e bem-vindos, e nós estávamos longe disso, ainda que tentássemos ficar fora do caminho deles o máximo possível e minimizar o peso de nossa confusão e tristeza. Eu sabia que Don queria assistir à cobertura das notícias sobre a tragédia; também sabia que não suportaria encará-la, então passava cada vez mais tempo no porão. Anos depois, Byron admitiu que se escondera atrás de um arbusto do lado de fora da casa para ter um lugar para chorar sem ser visto.

Quando nos despedimos de nosso novo advogado naquela noite, no estacionamento da loja de conveniência, marcamos um horário para o dia seguinte: ele queria que fôssemos ao seu escritório para conhecer sua equipe. Nossos vizinhos e amigos íntimos Peggy e George insistiram que fôssemos à casa deles depois da reunião com o advogado. Eu disse que iria, depois de cortar o cabelo.

Se depender de mim, uso uma camisa masculina de flanela e jeans, e consigo contar em uma mão o número de vezes em que fui à manicure. No entanto, assim que comecei a trabalhar, percebi que, se tivesse um bom corte de cabelo e o mantivesse, eu pareceria arrumada e profissional sem precisar me preocupar muito — na verdade, na maioria das manhãs, sem nem mesmo precisar recorrer a um pente. Assim, eu havia marcado um horário regular mensal para cortar e colorir o cabelo. Eu encarava isso como uma tarefa necessária de cuidado com a aparência, assim como tomar banho ou escovar os dentes. Naquele mês, meu horário caiu no dia seguinte à tragédia de Columbine.

Resolvi mantê-lo. Eu não estava pensando em minha aparência para o mundo exterior; não estava pensando em nada. Um corte de cabelo era a última coisa no mundo que eu queria, mas também não queria engolir a tigela de cereal que Ruth insistira que eu comesse mais cedo naquele dia. Manter o compromisso, pensei, me faria sair da casa de Don e Ruth por um tempo, dando a eles uma pequena dose de privacidade e um pouco de espaço para se refazerem longe de nós. Além disso, não exigia nada de mim, exceto me sentar em uma cadeira. Eu não estava animada para muita coisa, mas aquilo eu achei que poderia administrar.

Mais importante, cortar o cabelo me deixaria apresentável. Eu cresci com o entendimento de que a aparência é uma maneira de mostrar respeito. Posso me sentir mais confortável usando jeans e uma camiseta velha, mas me arrumo para ir ao teatro por admiração aos artistas. Eu nem sonharia em usar uma calça de moletom para ir ao templo ou à igreja. Nos dias que se seguiram, teríamos de fazer um funeral para Dylan, e eu não queria parecer um espantalho quando dissesse adeus a meu filho.

Tom nos levou de carro até o escritório de Gary Lozow, onde nos encontramos com a equipe dele. E foi assim que nos sentamos em uma mesa repleta de advogados antes mesmo de tomar as providências para o funeral de nosso filho. Olhando em retrospectiva agora, percebo que provavelmente poderíamos ter nos recusado a discutir questões legais até depois do funeral, mas estávamos totalmente chocados e desamparados. A justaposição de assuntos legais e pessoais tornou-se um padrão em nossa vida depois de Columbine, e algo que negociaríamos ao longo dos anos seguintes. A necessidade de cuidar das preocupações legais encobria nossa tristeza — sempre. Felizmente, havíamos encontrado um advogado ético e misericordioso, que tinha, verdadeiramente, nossos interesses no coração.

Na reunião, Gary resumiu os aspectos legais de nossa situação: nenhuma ação judicial fora registrada até aquele momento, mas era iminente. Fiquei sentada ali, anestesiada, enquanto os advogados conversavam por cima de minha cabeça. Ainda em choque, eu mal conseguia entender o que estava sendo dito, e simplesmente não me importava. Eles estavam agindo como se o meu futuro estivesse em risco, mas, até onde sabia, eu não tinha futuro. Minha vida tinha acabado.

Saindo da reunião, perguntei a Gary sobre meu horário no cabeleireiro. Inconscientemente, eu já tinha começado a pedir a opinião dele sobre questões menores, percebendo que eu não tinha ideia da coisa certa a fazer, e sem um indicador para mostrar como deveria me comportar. Eu ainda estava no modo zumbi. Ele me disse gentilmente: "Acho que você deve fazer tudo o que faz normalmente. Isso vai ajudar". Então, liguei para minha cabeleireira e perguntei a ela se poderia mudar meu horário para a noite, assim eu iria depois de todos os outros clientes terem saído. Ela concordou.

Mais tarde naquela noite, Tom me deixou no salão e foi para a casa de nossos amigos me esperar. A cabeleireira foi cordial, mas estava visivelmente incomodada. Não nos conhecíamos bem. Era minha primeira tentativa de parecer e agir normalmente com alguém fora de meu círculo de familiares e amigos, e percebi imediatamente que não havia esperança. Eu pensara que cortar o cabelo exigiria pouco de mim, mas mesmo aquela mínima interação social era muito mais do que eu conseguia administrar. Eu gostaria de poder acalmar a pobre mulher, mas compreendi que ela nunca seria capaz de me ver como um ser humano normal depois do que Dylan fizera.

A escuridão do lado de fora das enormes janelas do salão me fez sentir terrivelmente exposta; eu mal conseguia fazer contato visual com a criatura abatida e assustada que olhava para mim no espelho. Minha cabeleireira tagarelava nervosamente enquanto eu me encolhia de medo sob as luzes brilhantes e fluorescentes. Durante nossa conversa, ela mencionou que a mãe de uma das vítimas estivera ali para arrumar o cabelo, naquele mesmo dia.

Aquilo me abalou. Eu poderia estar sentada na mesma cadeira em que aquela outra mãe se sentara — talvez com a mesma capa de plástico manchada. A ideia de nós duas executando essa tarefa superficial de cuidado pessoal para nos preparar para o funeral de nossos filhos me comoveu e me aterrorizou na mesma proporção. Por um segundo, me senti da mesma maneira que na rampa de nossa garagem, como se eu fosse parte de uma comunidade de pessoas que passavam pelo luto.

Mas então o sofrimento que meu próprio filho causara em outra mãe tornou-se intolerável. Eu queria me sentir mais próxima dela, e me sentia, mas eu era a última pessoa no mundo que ela permitiria lhe oferecer palavras de conforto. A sensação de isolamento, tristeza e culpa seguindo tão de perto aquela sensação de conexão me arrasou.

Praticamente me dissolvi em gratidão quando minha amiga Peggy e sua filha, Jenny, chegaram — uma surpresa. Elas tinham deixado Tom com o marido de Peggy, George, para que os dois pudessem conversar. Era humilhante ser vista em uma situação tão patética, meu cabelo molhado grudado no rosto enquanto eu afundava na cadeira, quase fraca demais para me sentar com as costas eretas. Minhas amigas puderam ver como eu estava me esforçando para me manter sob controle; as duas seguraram minhas mãos e mantiveram a conversa com a cabeleireira enquanto eu tentava, sem sucesso, segurar as lágrimas.

Finalmente saí da cadeira, com o cabelo ainda molhado, como sempre fazia. Quando fui pagar, lembrei que minha disponibilidade de dinheiro estava limitada: os Brown haviam nos emprestado uma quantia em dinheiro vivo, assim não teríamos de revelar nossa identidade ao usar cheques e cartões de crédito, mas eu estava relutante em gastar qualquer valor antes de saber quando conseguiríamos ir ao banco novamente. Assim, perguntei à cabeleireira se poderia pagar em cheque e não em dinheiro, como costumava fazer.

O silêncio que se seguiu me surpreendeu; senti desconfiança em sua hesitação. Em seguida, ela tomou coragem e explicou que era política do salão solicitar o pagamento imediato no momento do serviço prestado. Um jato de vergonha subiu a minha garganta enquanto eu manuseava as notas e lhe pagava. Eu não era a pessoa que ela conhecera antes da tragédia; agora eu era a mãe de um criminoso. As ações de Dylan mudaram quem eu era aos olhos dos outros, assim como aos meus.

Ainda preocupada com o dinheiro, que estava acabando, fui pega de surpresa quando minha cabeleireira perguntou se havia problema em dizer às pessoas que tinha me visto. Pensei rapidamente naquela outra mãe sentada na cadeira do salão, e no momento passageiro de conexão que sentira com ela pelo simples ritual de cuidado pessoal que compartiláramos. Imprudentemente, eu disse à cabeleireira que não tinha problema em falar sobre a minha visita. Talvez ela fosse capaz de criar uma ponte entre mim e a comunidade dilacerada pelo meu filho.

Aqueles ainda eram os primeiros dias, e, francamente, nem me passou pela cabeça que ela falaria com a imprensa. Ela deu uma entrevista naquela mesma noite. Foi um gesto generoso, uma tentativa de nos ajudar: a cabeleireira descreveu meu estado de choque e minha tristeza, minha insistência em dizer que não sabíamos de nada sobre o que fora planejado. Mas a história se espalhou, e de repente eu era Maria Antonieta, preocupada em atender aos meus desejos e ter um tempo "para mim" enquanto os pais choravam seus filhos mortos na escola. A história ganhou atenção nacional, e eu recebi cartas de ódio de lugares tão distantes quanto o Texas.

Essa narrativa alimentou uma história que a imprensa já vinha cultivando: Dylan era um filho mimado, criado por pais negligentes e egoístas. Os noticiários se concentraram no BMW de nosso filho — indiferentes ao fato de que Tom conseguira o carro por quatrocentos dólares, vandalizado e praticamente impossível de ser dirigido, para que ele e Dylan pudessem consertá-lo juntos. Fotos aéreas de nossa casa a faziam parecer um complexo enorme, mas não mencionavam que ela pertencia a um faz-tudo, tinha problemas de ratos e havia sido vendida por um preço modesto devido a sua condição negligenciada.

Essas impressões equivocadas, e outras, me incomodavam. Tom ficou mais imediatamente absorto em seu luto por Dylan, seu filho amado e companheiro de todas as horas. Os dois passavam horas a fio tagarelando sobre resultados de beisebol, consertando carros, construindo caixas de som, jogando xadrez. Tom estava com o coração partido pelo fato de Dylan não ter dito adeus. Já era ruim o bastante nosso filho ter cometido aquele ato horrendo, e ele o fizera sem nenhuma explicação. Um bilhete, por insuficiente que fosse, teria sido alguma coisa.

Eu me preocupava com a reação da comunidade a nosso redor. Assim como muitas mulheres, fui criada para pensar primeiro nos outros e para me preocupar com a boa opinião deles sobre mim. Eu tivera o orgulho e o prazer de ser uma parte ativa e respeitada de minha comunidade, e de ser vista como uma boa mãe. A censura que começava a emergir era devastadora.

A imagem mais amável de nós na imprensa, como pais, era de negligentes e inúteis, incompetentes e cegamente desatentos. Em outras descrições, tínhamos conscientemente dado cobertura a um racista odioso, fazendo vistas grossas para o arsenal que ele estava juntando debaixo do nosso teto e, assim, expondo a comunidade inteira ao perigo.

Eu entendia completamente por que as pessoas nos culpavam. Eu com certeza estaria furiosa além da conta com os pais *daquele jovem*, se fosse o contrário. Eu os odiaria. Claro que os culparia. Mas também sabia que nenhuma daquelas caricaturas de nós era verdadeira — e que a verdade era muito mais perturbadora.

. . .

No dia 22 de abril, dois dias depois do tiroteio, fomos informados por nosso advogado de que a morte de Dylan tinha sido declarada como suicídio. O investigador estava pronto para liberar o corpo dele.

Com aquela notícia, um problema novo e terrível surgiu: o que faríamos com o corpo de nosso filho? Presumimos que seríamos automaticamente rechaçados por qualquer funerária em Littleton. Mesmo que não nos recusassem, era nauseante imaginar que pudéssemos ofender ou desonrar ainda mais as famílias das vítimas, ou interferir em suas próprias cerimônias. Eu não tinha ideia do que fazer.

Anos antes, eu tinha atuado em uma comissão de apoio ao programa de ciências mortuárias em uma faculdade da região, a fim de criar oportunidades nesse ramo para alunos com deficiência, e trabalhei bem de perto com a chefe do programa. Não nos falávamos havia anos, mas, desesperada e sem ter certeza sobre o que fazer, eu a procurei para ter algum direcionamento.

Quando nos falamos ao telefone, o tom de Martha foi carinhoso e preocupado: ela já tinha pensado em mim, me dissera, e estivera se perguntando se havia qualquer coisa que pudesse fazer para ajudar, mas não tivera como entrar em contato. Assim que desligamos, ela imediatamente falou com um dos diretores funerários mais respeitados de Denver. Martha e John demonstrariam generosidade e compaixão extraordinárias em relação a nós nos dias que se seguiram.

A princípio, Tom e eu não queríamos nenhum tipo de funeral para Dylan. Simplesmente nos parecia desrespeitoso demais para com as vítimas. Serei eternamente grata a Martha e John por nos convencerem a reconsiderar. Eles nos prometeram que conseguiriam manter a cerimônia protegida tanto da imprensa quanto dos membros enfurecidos da comunidade. Juntos, planejamos uma cerimônia simples, convidando alguns poucos amigos e familiares. Byron estaria lá, claro, assim como Ruth e Don, e os pais dos dois melhores amigos de Dylan, Nate e Zack. O pastor da igreja que frequentávamos quando Dylan e Byron eram pequenos concordou em celebrar a cerimônia religiosa para nós.

Tom e eu entendíamos que a cremação era nossa única opção. A probabilidade de que o túmulo fosse vandalizado era grande demais, e nós talvez não pudéssemos permanecer na região; se enterrássemos Dylan e depois nos mudássemos, seríamos forçados a deixá-lo para trás. Eu expliquei que precisava ver meu filho uma última vez, e Martha e John me disseram que os técnicos fariam o possível para cobrir os ferimentos das balas em sua cabeça, assim poderíamos vê-lo como o conhecíamos.

Eu mal consigo me lembrar de ter tomado as providências. Lembro-me de ter ficado surpresa ao me ouvir falar calmamente sobre questões práticas quando o único som que conseguia ouvir dentro de minha cabeça era um rangido contínuo de agonia e desespero. Aquele era o meu filho, a pessoa de quem eu cuidei, que protegi e amei com todo o meu coração. A ideia de nunca mais ouvir sua voz ou tocar seu rosto me deixava sem fôlego. Precisei de cada milímetro de força que consegui juntar para fazer os preparativos para nossa separação final. Meus cuidados de mãe com Dylan tinham terminado. O amor e o trabalho investidos na criação daquele ser humano haviam terminado — e da maneira mais desastrosa possível.

. . .

Em meio às melancólicas sessões secretas de planejamento para o funeral de Dylan, ficou claro que a saúde de nosso velho gato Rocky estava piorando rapidamente, e fiquei obcecada por cuidar dele.

Ruth mais tarde admitiria que minha histeria com o gato doente lhe pareceu uma evidência de que eu tinha sucumbido totalmente à pressão. Estávamos na casa deles havia três dias, e eu estava tão fraca que tinha de segurar a cabeça com o braço na mesa, para evitar cair sob o peso de minha exaustão e tristeza. Eu mal conseguia tomar banho ou me alimentar, quanto mais cuidar de minha família — mas não parava de me preocupar com Rocky.

Dirigir até o veterinário estava fora de questão: até mesmo eu tinha consciência de que não estava em condições de me sentar ao volante do carro. Resignados, e simplesmente por não terem mais ideia do que fazer, Ruth e Don enfiaram Rocky no carro deles e nos levaram à clínica veterinária de nosso bairro.

Eu sou desbragadamente coração mole no que diz respeito aos animais, mas agora consigo ver que obviamente havia mais coisas acontecendo naquele dia com Rocky do que a mera responsabilidade de um dono de bicho de estimação. Havia tanto sofrimento em Littleton pelo qual eu me sentia responsável, e nada que eu pudesse fazer. Cuidar daquele animal em sofrimento era algo que eu *podia* fazer, uma situação ainda a ponto de ser salva.

Morta de medo de ser reconhecida, entrei na clínica pela porta lateral. Quando chegou a hora de entregar Rocky ao veterinário, descobri que não conseguia fazê-lo. Rocky era o gato de Dylan. Ele o escolhera de uma ninhada do vizinho quando estava na terceira série. O grande gato branco tinha se espreguiçado conosco durante todas aquelas noites em família no sofá, enquanto assistíamos juntos aos filmes da Pantera Cor-de-Rosa na sala de TV. Deixar Rocky ir embora era como deixar Dylan partir. Eu me esforcei para me comunicar com os médicos sem soluçar e pedi que fizessem o possível por ele, e que ficassem com ele até eu conseguir voltar. Finalmente deixei uma veterinária tirar o gato assustado dos meus braços.

Enquanto atravessava o estacionamento em direção ao santuário do carro de Don e Ruth, ouvi alguém correndo atrás de mim, gritando meu nome. Eu me virei e vi uma pessoa da equipe da clínica vindo em minha direção, e, por um momento, não tinha certeza se caminhava na direção dela ou se corria para fugir. Gary nos avisou várias vezes de que precisaríamos ter cuidado com nossa segurança: havia muita gente no Colorado e ao redor do mundo que nos julgava responsáveis pelo tiroteio e que ficaria feliz em nos ver mortos. No dia anterior, uma entrega enorme de comida quente chegara para nós ao escritório dele — um gesto de simpatia e boa vontade de um estranho, como as caixas de correspondência que estávamos começando a receber ali. Gary não nos deixou dar uma única garfada na comida, por medo de estar envenenada. Mesmo anos depois, eu me pegava em alerta máximo toda vez que precisava dar meu nome completo para solicitar uma entrega, ou para um atendente no banco. Mas aquele momento no estacionamento da clínica veterinária foi a primeira vez que me lembro de ter me encolhido de medo diante da interação com alguém no lugar onde vivíamos.

No fim, não havia nada com que me preocupar. A pequena mulher atirou os braços a meu redor. Ela me disse que tinha filhos homens e sabia como eles podiam ser inacreditavelmente idiotas. Foi um sentimento que muitas, muitas mães compartilharam comigo ao longo dos anos. Embora eu fosse bem mais alta que a mulher, deixei que ela me abraçasse enquanto eu soluçava, encharcando nós duas com minhas lágrimas. Depois percebi que nem mesmo sabia o seu nome.

Aquela mulher não foi a única pessoa a demonstrar generosidade para conosco. Mesmo antes de sairmos da casa de Don e Ruth, amigos de longa data e vizinhos se juntaram à nossa volta. O jornal publicou a foto de alguns amigos pendurando uma faixa no portão, na entrada da garagem:

SUE & TOM

NÓS AMAMOS VOCÊS

ESTAMOS AQUI PARA VOCÊS

LIGUEM PARA NÓS

A visão daqueles rostos queridos e familiares parecia uma mensagem da Radio Free Europe transmitida através das linhas inimigas. A lembrança de tantas gentilezas, grandes e pequenas, me comove até hoje. No entanto, mesmo enquanto nossos amigos e familiares demonstravam amor e compaixão por nós, eu também tinha certeza de que eles estavam se perguntando: *O que raios vocês fizeram para criar tanto ódio em um filho? Como não perceberam o que estava acontecendo?*

Eu mesma estava fazendo essas perguntas.

4

UM LUGAR DE DESCANSO

No sábado, 24 de abril, nós cremamos nosso filho.

Martha se ofereceu para nos buscar e nos levar até a funerária. Sua experiência com os enlutados era uma dádiva, e ela conversava facilmente conosco enquanto dirigia, mas o medo paralisante que eu sentia se intensificava a cada quilômetro. Ainda assim, meu treinamento social prevaleceu e eu tentei manter a conversa, mesmo enquanto tremia violentamente e tentava, sem sucesso, segurar as lágrimas.

Tanto Martha quanto John estavam verdadeiramente preocupados com nossa segurança e privacidade. Eles nos garantiram que não haveria placa ou livro de visitantes do lado de fora do lugar onde Dylan estava, que tinha uma única entrada e nenhuma janela. No entanto, mesmo com as precauções, alguém da imprensa ligara para a funerária minutos antes de chegarmos, e então entramos na sala furtivamente, olhando por cima dos ombros como presas assustadas.

Não há palavras adequadas para descrever a dor de ver o corpo de Dylan dentro do caixão. A expressão de seu rosto era desconhecida, o que Byron mais tarde confessou ter facilitado as coisas para ele. Sua expressão desconhecida foi, talvez, a única coisa que nos permitiu superar aquele primeiro momento horrível e irreal. Eu acariciei o cabelo de Dylan e lhe beijei a testa, buscando pistas em seu rosto, sem encontrar nenhuma. Tom e eu trouxemos muitos bichinhos de pelúcia da infância de nosso filho e os colocamos no caixão, onde ficaram encostados nas bochechas e no pescoço dele. Byron, Tom e eu entrelaçamos as mãos e, juntos, seguramos as mãos de Dylan. Estávamos finalmente ao lado dele, uma família de novo.

Era um dia frio de primavera, e fui tomada por uma necessidade compulsiva, quase biológica, de aquecer Dylan. Não conseguia parar de esfregar seus braços gelados, expostos pelo avental de mangas curtas do hospital que ele estava usando. Tive de me controlar para não subir em cima do caixão, assim poderia cobri-lo com o calor do meu corpo.

Martha recomendara que cada um de nós passasse um tempo sozinho com Dylan. Byron foi o primeiro. Enquanto eu esperava na antessala principal da funerária, me preparei para ficar sozinha pela última vez com o que restara de meu filho e comecei a entrar em pânico. Um surto de instinto de proteção animal tomou conta de mim. Como eu poderia deixar que Dylan fosse destruído, queimado no fogo? Saltei da cadeira e comecei a andar de um lado para o outro, minha cabeça girando. As outras opções — sepultamentos acima ou abaixo da terra — não me traziam conforto. Tentei pensar em como poderíamos roubar o corpo dali e escondê-lo em segurança. *Não posso fazer isso*, pensei vez após outra, em um loop sem fim. Havia uma lareira na sala de espera da funerária. Parecia alegre e convidativa naquele dia frio e nevado, e fui atraída até ela. No fim, consegui recobrar a calma olhando para as chamas. Grande parte do meu pânico se transformou em resignação e, em seguida, a tristeza veio à tona novamente. *Que triste*, pensei enquanto olhava fixamente para o fogo, *que esta seja a maneira como devo aquecer meu filho.*

Desde aquele dia, tive vários sonhos recorrentes com Dylan: sonhos nos quais tenho uma segunda chance de mantê-lo em segurança; sonhos nos quais levanto a camiseta dele para expor suas feridas escondidas; sonhos nos quais estou, ao mesmo tempo, protegendo-o e protegendo os outros dele. Mas houve um em particular que só tive uma vez.

Nele, eu via os ossos ensanguentados de Dylan espalhados pelo chão da floresta. Eu os juntava, um por um, em meus braços, com medo de deixá-los no chão e serem roubados ou perdidos, mas não havia lugar seguro para eles, então eu ficava ali, indefesa, apertando os ossos grudentos e ensopados de sangue contra o peito.

Há uma lenda budista famosa sobre uma mulher chamada Kisa Gotami. A história começa quando seu bebê morre. Incapaz de aceitar a morte do filho, a mãe pede remédios ao médico, que sabe muito bem que nada poderá curá-lo. Ele a envia a Buda, que lhe pede para ir procurar quatro ou cinco sementes de mostarda branca em uma casa onde ninguém tenha sofrido. Kisa Gotami vai de porta em porta explicando que precisa do remédio para seu bebê. Muitas pessoas lhe oferecem sementes de mostarda, mas, toda vez que ela pergunta ao proprietário da casa se já perdeu alguém próximo, a resposta é sim. No fim, ela volta a Buda.

— Você trouxe as sementes de mostarda? — ele pergunta.

— Não — ela responde. — Mas agora compreendo que não há ninguém que nunca tenha perdido alguém que ama, e deixei meu filho descansar.

Eu levaria anos para encontrar um lugar de descanso para Dylan em minha mente — e ainda mais tempo para descobrir algumas das respostas que me permitiriam encontrar meu próprio lugar de descanso.

5

PREMONIÇÃO

Dylan, onde quer que você esteja, eu te amo e sinto sua falta.
Estou batalhando no caos que você deixou para trás. Se há algum
modo de absolvê-lo dessas ações, por favor indique o caminho.
Auxilie-nos a encontrar respostas que nos deem paz e nos ajudem
a viver esta vida dentro da qual fomos atirados. Ajude-nos.

— Anotação no diário, abril de 1999

Na noite do funeral de Dylan, no sábado, tiramos os lençóis das camas, aprontamos nossos bichos de estimação e saímos do apartamento no porão de Ruth e Don para voltar para nossa casa. Byron seguiu em seu próprio carro.

Chegamos perto de casa preocupados. A invasão da imprensa não diminuíra. Os jornalistas cercaram as residências de nossos conhecidos, bombardeando-os com cartões de visita e recados. Um deles bloqueou a entrada da garagem de uma de nossas amigas quando ela se recusou a falar com ele e depois a seguiu enquanto ela resolvia suas coisas pela cidade, até que ela ameaçou chamar a polícia. Mais de uma vez, um amigo ligou para nos dizer, sussurrando, que um famoso âncora de noticiário estava sentado bem ali em sua sala de TV.

Eu entendia que o mundo estava unido em uma única pergunta, que era descobrir por que o tiroteio acontecera. Eu entendia que esperavam que nós déssemos uma explicação, embora não tivéssemos nenhuma para dar. Nós só queríamos ser deixados em paz para viver o luto da perda de nosso filho, assim como daqueles que ele matara ou ferira. Felizmente a entrada de nossa garagem estava deserta quando chegamos naquela noite; depois de quatro dias infrutíferos de vigília, os jornalistas tinham desistido e ido embora.

Nossa chegada não nos trouxe alívio. Eu esperara que fôssemos nos sentir melhor pelo simples fato de estarmos em casa de novo, perto das coisas de Dylan. Em vez disso, assim que a porta da frente se fechou, eu me senti mais vulnerável do que na casa de Don e Ruth. Nossas grandes janelas panorâmicas davam para o cenário espetacular do Colorado. Nós nunca havíamos tido cortinas; a privacidade não era um problema no lugar onde estávamos, e nunca quisemos obstruir a paisagem. Agora eu só pensava em quanto aquelas janelas me faziam sentir desprotegida. Uma vez que o interior da casa estivesse aceso, qualquer pessoa do lado de fora conseguiria enxergar lá dentro.

O abajur que Tom deixara aceso na janela da frente enquanto estávamos fora servia como nossa única fonte de iluminação enquanto caminhávamos pela casa vazia. Tom encontrou uma lanterna, mas, estranhamente, todo o estoque de pilhas desaparecera da gaveta da cozinha, então recorremos às velas já meio queimadas que eu guardava para os casos de falta de energia. Por hábito, eu ainda mantinha os fósforos na prateleira de cima, longe das crianças pequenas que já tinham crescido havia anos, mas os fósforos, assim como as pilhas, também tinham sumido. A polícia tinha confiscado qualquer coisa na casa que pudesse servir como prova de confecção de bombas.

Procurando as coisas no escuro, encontrei um velho jogo de lençóis, alguns cobertores de flanela e jornais destinados ao lixo reciclável. Tateei as gavetas em busca de tachinhas e fita adesiva. Trabalhamos primeiro na cozinha, subindo nas cadeiras e usando a luz da geladeira aberta para pendurar um jogo de cortinas improvisadas. Com as velas acesas no fogão a gás, nós três passamos de quarto em quarto usando qualquer coisa que pudéssemos encontrar para bloquear a vista de nossa casa. Só quando estávamos fechados em um casulo de retalhos, finalmente acendemos outra luz nos fundos da casa.

Depois de ajudar a nos acomodar, Byron voltou para seu apartamento. Foi difícil deixá-lo ir. Eu tinha certeza de que sua semelhança física com o irmão e nosso sobrenome incomum significariam que ele nunca mais teria uma vida normal, e sua dor e confusão me assustavam mais do que as minhas próprias. Eu já perdera um filho, e estava apavorada pela possibilidade de perder mais um para o desespero.

Eu também me pergunto se não estava apegada a Byron pelo simples fato de a presença dele me trazer de volta a mim mesma. Apesar de tudo, quando estava com Byron, eu ainda era a mãe de alguém.

Agora sozinhos, Tom e eu caminhávamos a esmo pelos cômodos escuros. Dirigindo de volta para casa, eu imaginara estar indo para um esconderijo, como um animal sendo caçado, mas me sentia mais como um animal gravemente ferido que rasteja até o esconderijo para morrer sozinho. Nossa casa não parecia mais um lar. Cobrir as janelas mudara a acústica dos cômodos, e a ausência de som naquele ambiente subitamente sem filhos

PREMONIÇÃO 71

parecia a ausência de oxigênio. Eu ficava pensando ter ouvido a porta da geladeira se abrir, uma das muitas fantasias que eu teria ao longo dos anos, de que Dylan ainda estava conosco, de corpo e alma.

Do térreo podíamos ver o andar de cima até o mezanino, onde móveis, livros e papéis se espalhavam do quarto de Dylan até o corredor. O colchão da cama, sem lençóis, estava recostado no corrimão do segundo andar. A cama estava desmontada, ao lado do colchão. Por mais que quiséssemos estar perto dos pertences dele enquanto estávamos na casa de Don e Ruth, nenhum dos dois teve força para entrar em seu quarto naquela noite.

Doía demais ficar consciente, então Tom e eu fomos para a cama. Deixamos a luz acesa, porque nosso quarto dava para a estrada e tínhamos medo de que jornalistas ou alguém à espreita percebesse se a apagássemos. Quando dormir com aquela claridade ficou impossível, finalmente concordamos que estávamos sendo tolos.

. . .

É difícil imaginar que pudemos dormir naquela primeira noite em casa, mas a mente em algum momento demonstra piedade e para de funcionar. Assim como seria durante anos, acordar era a parte mais cruel do dia — o segundo no qual era possível acreditar que tudo fora um pesadelo, o pior sonho que uma pessoa poderia ter.

Na primeira manhã em nossa própria cama, a mão de Tom se arrastou pela colcha e nós ficamos ali, juntos, em silêncio, olhando para o teto e apertando a mão um do outro. Finalmente, um dos dois colocou os pés no chão e, juntos, nos aventuramos para fora do quarto. Recuei quando caminhei pela casa à luz do dia e me deparei com fotos dos meninos — escalando e pescando com o pai, com uniformes de beisebol, fazendo rafting com outra família, em pé nas rochas perto de nossa casa. Da superfície das mesas e prateleiras, o rosto alegre e travesso de Dylan brilhava para mim.

O cômodo principal de nossa adorada casa, o lugar onde vivíamos havia mais de dez anos, o lugar de inúmeras noites de filmes clássicos, brigas por causa de lição de casa e jantares com a família, estava irreconhecível. Não conseguiríamos sobreviver sem privacidade, mas as janelas tapadas faziam o espaço aberto parecer escuro e sinistro. Eu conseguia ouvir os passarinhos no comedouro do lado de fora, mas não podia vê-los.

A pequena jornada do quarto até a cozinha me deixou exausta, e eu agarrei o balcão para me segurar. Em pé ali, de repente me lembrei de um momento incômodo que eu tivera anos atrás no hospital, logo depois do nascimento de Dylan.

Ele nasceu bem cedo, na manhã de 11 de setembro de 1981. Assim como havíamos feito com o primogênito, Tom e eu batizamos nosso segundo filho com o nome de um poeta, o escritor galês Dylan Thomas. Os lençóis da sala de parto do hospital tinham flores amarelas, e a chegada de Dylan foi tão silenciosa e sem alarde que eu era capaz de ouvir os sussurros das enfermeiras no corredor enquanto estava em trabalho de parto. Ele chorou uma vez antes de se aconchegar em meus braços ávidos e semicerrar os olhos para a luz.

Assim como toda mãe novata, eu estava encantada por conhecer aquela criatura, com quem já mantinha um relacionamento tão íntimo. Na manhã seguinte, finalmente tivemos um momento sozinhos, e eu estava muito feliz por beijar suas bochechas macias e me maravilhar com seus dedinhos perfeitos. Mas, enquanto eu o segurava, tive uma sensação profunda e incômoda de mau presságio, forte o bastante para me fazer sentir arrepios. Foi como se uma ave de rapina tivesse sobrevoado o lugar, jogando-nos à sombra. Olhando para aquele pacotinho perfeito em meus braços, fui tomada por uma forte premonição: aquela criança me traria um sofrimento terrível.

Não sou supersticiosa por natureza, e aquela foi uma sensação pela qual nunca passara antes e nunca mais passei. Fiquei tão assustada que mal conseguia me mexer. Será que era intuição de mãe? Será que meu bebê aparentemente saudável estava doente? Mas no fim estava tudo bem, e o hospital me mandou para casa com meu garotinho.

Duas semanas depois, Dylan vomitou bastante depois de mamar, e na próxima mamada também. Muito assustada, eu o levei ao pronto-socorro. Os médicos o mantiveram em observação por duas noites, mas não encontraram nada. Na consulta de retorno pela qual eu insisti, ao final daquela semana, Dylan, com três semanas de idade, estava pálido, desidratado e abaixo do peso com que nascera. Àquela altura, a condição se agravara o suficiente para aparecer na radiografia, e meu filho foi diagnosticado com estenose pilórica, um estreitamento na base do estômago. O médico nos mandou de volta para o hospital. A situação era tão séria que Dylan poderia morrer se não fosse operado imediatamente.

Depois que ele passou por aquela experiência desgastante e se transformou em um bebê doce, gorducho e de bochechas rosadas, senti o alívio óbvio e algo mais, certa de que aquela doença séria — um desastre evitado — era a premonição realizada.

A doença também foi a última vez, até o segundo ano do ensino médio, em que tive um motivo real para me preocupar com Dylan.

6

INFÂNCIA

Com Dylan, entre dois e três anos, brincando na neve.
Família Klebold

O terror e a descrença absoluta são acachapantes. A tristeza de perder meu filho, a vergonha pelo que ele fez, o medo do ódio do mundo. Não há trégua para a agonia.

— ANOTAÇÃO NO DIÁRIO, ABRIL DE 1999

Por quase toda minha vida eu mantenho o hábito de escrever um diário. No segundo ciclo do ensino fundamental, eu derramava minhas esperanças e meus sonhos nas páginas de pequenos cadernos que mantinha trancados e escondidos — não que alguém no mundo se importasse com a blusa que eu usara ou aonde eu levara meu cachorro para passear. Eu preenchia uma página inteira, todos os dias. Se minha irmã ficava impaciente e apagava a luz do quarto, eu terminava de escrever no escuro.

No ensino médio e na faculdade, concentrei-me em escrever cartas para minha irmã, minha mãe e meus avós, embora de vez em quando fizesse poesia (ruim). Depois que me casei e tive filhos, eu escrevia no diário toda vez que precisava me lembrar de eventos importantes ou lidar com emoções difíceis. Eu sentia prazer em anotar as etapas de desenvolvimento dos dois meninos, e marquei as datas de quando eles perceberam suas próprias mãos pela primeira vez, rolaram na cama ou deram os primeiros passos. À medida que os garotos cresciam e a administração da vida deles tomava mais do meu tempo, as anotações ficaram menores e mais cotidianas: "Byron no dentista, precisa passar fio dental. O time de Dylan ganhou: 6 a 3!"

Nos primeiros dias depois de Columbine, retomei a escrita como uma válvula de escape, em um diário que Dylan me dera de presente de Natal. Tom e eu sempre dissemos aos garotos para não se preocuparem em comprar presentes caros para nós, então fiquei tocada, em 1997, ao encontrar um diário com capa de couro dentro de minha meia de Natal. Fiz tanta festa por causa disso que Dylan me deu outro no Natal de 1998, este com a reprodução de *O grito*, de Edvard Munch, na capa. Mais tarde a imagem pareceu ameaçadoramente simbólica, claro, mas na ocasião simplesmente fiquei tocada pela consideração — um presente que tinha a ver com arte e que servia para escrever, perfeito para mim.

Depois de Columbine, o alívio que eu sentia ao escrever era quase físico, mesmo que temporário. Meus diários se transformaram no lugar para juntar a miríade de sentimentos, geralmente contraditórios, sobre meu filho e sobre o que ele fizera. Nos primeiros dias, escrever me permitia processar a imensa dor pela tristeza e pelo sofrimento que Dylan causara. Antes de poder ir pessoalmente ver as famílias das vítimas, os diários foram um lugar onde eu podia me desculpar com eles de todo o meu coração, e passar pelo luto das perdas que eles tiveram.

Os diários também eram um lugar para eu "esclarecer as coisas". Nos abalos imediatos da tragédia, não estávamos em luto apenas por Dylan, mas também pela própria identidade dele — e pela nossa. Era impossível corrigir a enxurrada de informações erradas na imprensa, mas eu queria contar o nosso lado da história, mesmo que fosse em particular. As páginas de meu caderno se tornaram um lugar para, em silêncio, responder às pessoas que nos xingavam de animais e monstros, para corrigir equívocos sobre meu filho e nossa família. Algumas dessas páginas refletem meus sentimentos de defesa e até mesmo a raiva daqueles que nos julgaram sem nos conhecer. Eu não tinha orgulho daqueles sentimentos e ficava feliz por mantê-los escondidos, porém, na época, eles foram necessários para

INFÂNCIA

mim. Vejo os detalhes pelos quais fiquei obcecada como testemunhos inconscientes do choque e da dor que eu estava sentindo.

Escrever no diário também deu espaço para que eu refletisse sobre minha própria perda quando não me sentia segura o bastante para falar sobre isso abertamente. Nosso advogado me disse que eu não poderia frequentar um grupo de apoio sem pôr os outros membros em risco de serem chamados para depor, mas eu precisava de um lugar seguro para lembrar do meu filho e falar sobre ele. Para o resto do mundo, Dylan era um monstro; mas eu tinha perdido meu filho.

Assim, especialmente naqueles primeiros dias, muito do que coloquei em meus diários foram lembranças. Mais tarde eu as revisitaria para o processo judicial, uma tentativa de ver em que ponto as coisas tinham saído tão horrivelmente erradas. Muito do luto tem a ver com enclausurar o indivíduo em nossa memória, e, durante anos, meu luto estaria emaranhado com o questionamento sobre o que estava passando pela cabeça de Dylan no fim de sua vida. Tentar desvendar o mistério viria mais tarde. Naqueles primeiros dias, eu só escrevia por amor.

Resgatei todas as lembranças de Dylan que pude desencavar — quando criança, garoto, adolescente. Revisitei seus triunfos e suas decepções, assim como alguns poucos momentos prosaicos de nossa vida juntos. Petrificada pelo medo de esquecer, anotei as muito contadas histórias de família e as piadinhas internas que curtimos juntos, palavras e frases que poderiam levar cada um de nós quatro a gargalhadas sem fim enquanto pareciam incompreensíveis para alguém de fora. Escrever me fazia sentir perto dele.

Eu sei que contar essas histórias aqui me expõe a um criticismo ainda mais profundo. A ideia me enche de medo, embora não haja crítica sobre a criação de meus filhos que eu já não tenha ouvido nos últimos dezesseis anos. Ouvi que Tom e eu fomos muito tolerantes com Dylan, e que fomos muito restritivos. Já me disseram que o posicionamento de nossa família com relação ao controle de armas provocou o evento de Columbine; talvez, se Dylan estivesse habituado às armas, não teria a mesma aura de encantamento por elas. Pessoas me perguntaram se tínhamos abusado de Dylan, se tínhamos deixado que outra pessoa abusasse dele, se algum dia o abraçamos, se algum dia lhe dissemos que ele era amado.

Obviamente que olho para trás com ceticismo em relação às decisões que tomamos. Claro que tenho arrependimentos, particularmente quando penso nas pistas que deixei passar quanto ao fato de Dylan correr perigo de ferir a si mesmo e a outros. É exatamente porque não as percebi que quero contar essas histórias. Porque, sejam quais foram as decisões que Tom e eu tomamos em relação à criação de nossos filhos, foram assumidas refletida e conscientemente, e da melhor forma que poderíamos ter feito. Conto essas histórias não para limpar a reputação de meu filho, ou a nossa como pais. Mas acho importante, especialmente para pais e professores, entender *como* Dylan era.

Nos quinze anos desde que comecei a trabalhar com prevenção do suicídio e da violência, ouvi centenas de histórias de vida que terminaram em tragédia. Às vezes os pais me diziam que sabiam que o filho tinha problemas. Descreviam um bebê que não conseguiam acalmar; comportamentos antissociais preocupantes no ensino fundamental; um adolescente raivoso e violento de quem passaram a ter medo. Em muitos casos, esses pais tentaram repetidamente, e geralmente sem sucesso, obter ajuda para os filhos. Falarei mais sobre isso neste livro; devemos facilitar aos pais e a outros responsáveis a ajuda para o jovem que está obviamente passando por um período difícil antes que se transforme em um perigo para si e para os outros. Menciono essas famílias conturbadas aqui porque quero fazer uma diferenciação importante. Sabe aquela criança cujas dificuldades vêm à tona logo cedo e perturbam a família há anos? *Meu filho não era assim.*

Havia pistas de que Dylan estava perturbado, e eu assumo a responsabilidade por não tê-las percebido, mas não houve uma buzina ensurdecedora, nem um sinal de perigo de neon piscando. Você não afastaria seu filho nervosamente do lado de Dylan se o visse sentado no banco do parque. Na verdade, depois de alguns minutos batendo papo com ele, provavelmente o convidaria para o jantar de domingo na sua casa. Até onde eu sei, é exatamente essa verdade que nos torna tão vulneráveis.

Nos escombros de Columbine, o julgamento do mundo foi compreensivelmente rápido: Dylan era um monstro. Mas essa conclusão também foi equivocada, pois reduziu a pouco uma realidade muito mais complexa. Assim como em todas as mitologias, a crença de que Dylan era um monstro servia a um propósito maior: as pessoas precisavam acreditar que reconheceriam o mal entre elas. Os monstros são inconfundíveis; alguém seria capaz de reconhecer um monstro se visse um, não seria? Se Dylan fosse um demônio cujos pais insensatos permitiram que o filho adolescente perturbado e furioso juntasse armas escondido debaixo do nariz deles, então a tragédia — por mais horrível que fosse — não teria importância para as mães e os pais comuns em suas salas de estar, com seus próprios filhos enfiados em camas macias no andar de cima. Os eventos seriam dolorosos, mas também distantes. Se Dylan fosse um monstro, então os acontecimentos de Columbine — por mais trágicos que fossem — seriam uma aberração, o equivalente a um raio cair em um dia claro e ensolarado.

O problema? Não era verdade. Por mais monstruosas que tenham sido as ações de Dylan, a verdade sobre ele é muito mais difícil de definir. Ele não era o retrato do mal de olhos vidrados que conhecemos dos desenhos animados. A realidade inquietante é que por trás daquela atrocidade hedionda havia um garoto tranquilo, tímido e agradável, que vinha de uma "família boa". Tom e eu éramos pais participativos, que controlávamos a quantidade de horas na frente da televisão e de cereais açucarados. Monitorávamos os filmes que nossos filhos podiam ver e os colocávamos na cama com histórias, orações e abraços. Com exceção do comportamento preocupante do ano anterior à tragédia (mas, de acordo com o que nos disseram, nada fora do comum para um adolescente), Dylan era o clássico bom garoto. Ele era fácil de ser criado, uma pessoa com quem era prazeroso conviver, um filho que sempre nos deixou orgulhosos.

Se o perfil de Dylan como um monstro deixava a impressão de que a tragédia de Columbine não era relevante para pessoas comuns e suas famílias, então qualquer medida de conforto que ele oferecia era falsa. Espero que a verdade acorde as pessoas para um maior senso de vulnerabilidade — mais assustador, talvez, porém crucial —, que não possa ser tão facilmente limitado.

. . .

Eu sempre quis ser mãe. Tom perdera os pais quando ainda era pequeno, e, apesar do cuidado amoroso que recebera dos familiares que o criaram, sentia profundamente a perda de seu pai e de sua mãe. Isso fortaleceu sua vontade de ser um pai ativo, envolvido e presente. Minha própria infância, nos anos 1950, se parecia com a tradicional vida pós-guerra mostrada nos programas de TV da época. Embora o mundo tenha mudado significativamente (e eu trabalhava quatro dias por semana em vez de ficar em casa o tempo todo, como minha mãe fazia com seus três filhos), aquele modelo familiar suburbano de laços fortes era o que eu e Tom seguíamos ao criar nossos próprios filhos.

Éramos pais confiantes, especialmente na época em que tivemos nosso segundo filho. Ansiosa por natureza, eu nunca parava de me preocupar com coisas perigosas que engasgavam e com boas maneiras. Eu cuidava de crianças desde pequena, e passei a maior parte de minha carreira lecionando tanto para crianças como para adultos. Minha graduação na faculdade exigiu que eu fizesse cursos de desenvolvimento infantil e psicologia. Ingenuamente, acreditei que a combinação de conhecimento e intuição, aguçada pela minha experiência, fosse suficiente para colocar meus próprios filhos em um bom lugar. No mínimo, pensei, saberíamos aonde ir se encontrássemos problemas.

Nossa confiança como pais era sustentada pelo que víamos em nossos filhos. Ainda pequeno, Byron, o mais velho, era um furacão, alegre e travesso. Ele me lembrava a personagem de Lucille Ball em *I Love Lucy*, sempre aprontando ou esbarrando em alguma coisa. Byron era o tipo de criança que saía correndo do banheiro do restaurante dando encontrões na garçonete com a bandeja lotada. Era a criança que catapultava um prato de salada de batatas para que batesse em seu próprio rosto, ao estilo torta voadora, enquanto fingia soltar um "pum de sovaco" — e então fazia tudo de novo com uma tigela de mingau no dia seguinte, durante uma nova encenação no café da manhã. Eram tolices de um garoto sem um pingo de malícia. Tom geralmente ria demais das travessuras de Byron para ficar bravo.

Depois da energia de Byron, o desejo de Dylan de sentar no chão e brincar em silêncio foi uma revelação. Os dois garotos eram ativos e brincalhões, mas Dylan buscava tarefas sedentárias, que exigissem paciência e lógica. Depois que seu irmão elétrico passou da fase do aconchego, Dylan ainda fazia uma pausa para um livro ou um quebra-cabeça ou para se aninhar comigo. Nosso caçula era observador, curioso e reflexivo, com uma personalidade tranquila. Atento ao que acontecia ao redor, paciente, calmo e de riso fácil, Dylan era capaz de transformar a rotina mais comum em algo divertido. Ele topava qualquer coisa — um menino sociável, afável, que adorava *fazer* coisas.

E ele era inteligente. O dom de Dylan apareceu cedo. Assim que aprendeu a segurar objetos por conta própria, ainda bebê, ele passou por um breve período em que chorava durante a noite. Tentamos tudo o que pudemos imaginar para confortá-lo, e então o levamos ao pediatra para verificar se o problema poderia ser físico. O médico o examinou cuidadosamente e então nos aconselhou a colocar Dylan na cama com brinquedos seguros e macios, para que ele pudesse se entreter sozinho caso acordasse. Naquela noite, ouvimos Dylan fazer barulhinhos enquanto se distraía com os brinquedos e olhava os livros. Quando terminou, voltou a dormir. Ele só ficava entediado.

Como professora, eu me maravilhei com a precocidade dele. Talvez aquilo não devesse ser tão importante para mim, mas ele aprendia tão rápido! Na terceira série, Dylan se apaixonou por origami, um interesse que durou até a adolescência. (Pouco depois de ter feito seu primeiro *tsuru*, hospedamos duas estudantes japonesas de intercâmbio em nossa casa. Dylan ficou decepcionado ao descobrir que as garotas não sabiam muito mais do que eu sobre dobraduras de papel.) Ao longo dos anos, colecionamos muitos livros de origami, e Dylan dominou os designs mais complicados, alguns com setenta ou oitenta dobraduras. Ele se mexia rápido, e seus dedos grossos nem sempre conseguiam fazer as dobras com a precisão de uma navalha, mas ainda assim eram pequenas obras de arte. Ainda vejo seus trabalhos manuais na casa de nossos amigos, e, quando sua professora da quinta série veio nos visitar para dar as condolências depois da tragédia, trouxe um de seus bens mais preciosos para nos mostrar: uma árvore de origami, enfeitada com pequeninos ornamentos — um presente de Natal que Dylan levou horas para fazer.

Ainda bebê, ele era fascinado por brinquedos de encaixar e montar; à medida que ficava mais velho, passava horas a fio construindo coisas com Lego. Preciso e metódico, adorava seguir exatamente as instruções impressas, construindo meticulosamente navios, castelos e estações espaciais, só para desmontá-los e construí-los novamente. Dylan tinha um beliche em seu quarto, e Tom colocara uma grande folha de compensado sobre a cama de baixo para que Dylan pudesse ter um lugar específico para trabalhar em estruturas maiores e mais complicadas durante dias. Byron preferia a construção de estilo livre, e sua imaginação foi a fonte de alguns projetos absurdamente criativos. Dylan era o oposto. De vez em quando, preocupados que nosso filho pudesse estar focado demais na perfeição, Tom e eu conversávamos com ele sobre não haver problema em substituir uma peça caso não conseguisse encontrar a exata para encaixar no lugar.

Da mesma forma, víamos sua natureza competitiva emergir quando nós quatro brincávamos com jogos de tabuleiros, como Banco Imobiliário ou Risk. Perder era uma humilhação para Dylan, e a humilhação dele às vezes se transformava em raiva. Obviamente, é importante saber perder, assim como ganhar, então continuamos a jogar em família até Dylan aprender a controlar seu temperamento. Ele também jogava beisebol pela liga infantil, onde aprendia a importância do espírito esportivo. Assim como esperávamos, sua necessidade de vencer se equilibrou à medida que ele amadureceu. Fazendo uma retrospectiva, no entanto, eu me pergunto se estávamos, sem querer, encorajando Dylan a esconder seus sentimentos sob o pretexto de estar aprendendo a jogar apropriadamente.

Como fui uma criança medrosa, ficava impressionada por ver que Dylan não tinha os medos comuns da infância. Ele não tinha medo de ir ao médico ou ao dentista, como eu tinha na idade dele. Cortou o cabelo pela primeira vez com um grande sorriso no rosto. Não tinha medo da água nem de ficar sozinho no escuro, ou de trovões e raios. Mais tarde, quando começamos a frequentar parques de diversões, tínhamos certeza de que Dylan escolheria sempre as atrações mais perigosas. Às vezes ele tinha de ir sozinho enquanto acenávamos lá de baixo, pois ninguém mais tinha coragem de acompanhá-lo.

Tom e eu chamávamos Dylan de "nosso pequeno veterano", por sua habilidade de tolerar frustrações. Ele não desistia até dominar um problema, e raramente abandonava uma ideia sem analisá-la minuciosamente. Não gostava de pedir ajuda. E isso era algo que ele raramente precisava. Por ser tão alto e pela facilidade de aprendizado, ele entrou na escola um ano antes do tempo. Durante a maior parte de sua vida, Dylan foi o aluno mais novo na classe, e quase sempre o maior de todos.

Ele nem sempre era bom em dividir os brinquedos, a ponto de esconder seus favoritos quando algum amiguinho mais ávido vinha brincar. Na primeira infância, um Dylan exausto de vez em quando se jogava no chão em um ataque de choro na saída do supermercado, quando minhas compras estavam demorando muito, e a maneira como ele se gabava por saber a tabuada muito melhor que o irmão mais velho não era a coisa mais simpática do mundo. Mas ele não passava de um menino normal, e nós o amávamos. Tom e eu acreditávamos que ele estava destinado a fazer grandes coisas.

Depois do que aconteceu, pensei muito na necessidade de Dylan de convencer a si mesmo e aos outros de que estava completamente no controle. Isso fez parte de sua natureza desde a mais tenra infância. Enquanto tínhamos orgulho dessa sua característica quando ele era bem novo, eu me pergunto agora se aquele orgulho era um equívoco. Porque, quando Dylan realmente precisou de ajuda no fim de sua vida, não soube como pedir.

Diante do que aconteceu em Columbine, muitas pessoas tomaram coragem para compartilhar comigo suas histórias de dor oculta. Acho impressionante que tantas dessas histórias venham de adolescentes tidos como "perfeitos": o vencedor da feira de ciências, a estrela da corrida, o jovem músico que recebeu uma bolsa integral para o conservatório que escolhera. Algumas vezes houve sinais evidentes na vida desses adolescentes de que nem tudo estava bem: notas cada vez mais baixas, promiscuidade, uso de drogas, problemas com a lei. Em muitos casos, porém, eles conseguiram permanecer fora do radar dos pais, exatamente por serem crianças de ouro, escondendo uma dor terrível com tanta destreza quanto faziam o restante.

Toda vez que me pergunto por que estou escrevendo este livro, me exponho mais uma vez ao julgamento e ao sarcasmo do mundo, é nesses pais que penso. Dylan pode não ter sido o melhor aluno ou uma estrela do atletismo, mas tínhamos certeza de que seria capaz de lidar elegante-

INFÂNCIA 81

mente com os inevitáveis desafios da vida. Será que eu teria mudado a criação de meus filhos se soubesse das histórias de adolescentes que sofrem intimamente enquanto apresentam ao mundo um rosto feliz e saudável? Em retrospecto tudo se torna mais claro, mas acho que, se eu tivesse conhecido essas histórias, não teria sido tão facilmente convencida de que Dylan passava pela vida sem maiores esforços.

Tom e eu sempre brincávamos que Dylan estava no piloto automático. Com cinco ou seis anos, nosso filho me pediu para lhe ensinar a tomar banho sozinho. Eu lhe mostrei como devia fazer para passar o sabonete na toalhinha, quais partes do corpo precisavam de atenção extra e como se enxaguar bem. Três anos mais velho, Byron ainda se divertia demais na banheira para lavar as orelhas sem precisar ser mandado. Eu só precisei mostrar os passos a Dylan uma vez — e ele pendurava a toalha depois do banho sem que eu dissesse uma só palavra.

Além de ser uma criança fácil, Dylan era uma criança *feliz*. Ele era mais introvertido que seu irmão mais velho, mesmo assim fazia amigos com facilidade. Quando moramos em uma rua com muitas crianças, Dylan saía sem problemas com um bando de garotos da idade dele para andar pelo bairro. (Sempre sabíamos onde eles estavam, por causa do monte de bicicletas jogadas na grama da casa onde paravam para tomar lanche.)

À medida que nossos filhos foram crescendo, Tom e eu ficávamos particularmente impressionados ao ver a facilidade de Dylan para se relacionar com Byron e seus amigos. Uma de minhas fotos favoritas, que está sobre a escrivaninha enquanto escrevo, é de Dylan pendurado no braço de Byron como um macaquinho, ambos mostrando grandes sorrisos.

Há uma história da infância de Dylan na qual penso muito. Quando ele tinha aproximadamente dez anos, precisou arrancar um dente que nasceu no lugar errado, incrustado bem no fundo. Infelizmente, alguns amigos de outra cidade viriam nos visitar no dia seguinte. Eu provavelmente deveria ter insistido para que Dylan e eu ficássemos em casa enquanto ele se recuperava, mas de jeito nenhum ele perderia o passeio com nossos amigos, mesmo com as bochechas inchadas como as de um esquilo.

Eu piscava toda vez que olhava para seu rosto pálido e inchado, mas ele não perdia um momento — dirigindo carrinhos, tomando sorvete e subindo de trem até o pico Pikes, uma montanha com mais de 4.200 metros de altitude e uma das paisagens mais espetaculares do mundo. Quando, ansiosamente, fiz contato visual com ele pelo espelho retrovisor no caminho de um lugar para outro, ele me sorriu suavemente, para dissipar minhas preocupações. Apesar de minha inquietação, Dylan estava se divertindo muito.

Quando, durante a viagem, a outra mãe e eu estávamos com medo demais para dar o primeiro passo na Ponte Royal Gorge, foi Dylan quem voltou para nos buscar, brincando conosco, nos convencendo e nos encorajando a atravessar a ponte mais alta dos Estados Unidos. Ainda consigo sentir a mão dele na minha.

. . .

Tom e eu nos mudamos várias vezes antes de finalmente encontrar a casa onde queríamos criar nossa família. Com suas grandes janelas panorâmicas e pé-direito alto, a casa já fora espetacular. No entanto, tinha sido muito malcuidada e, na época em que a compramos, estava praticamente em estado de abandono. A piscina não tinha água, e as ervas daninhas cresciam a quase dois metros de altura pelas rachaduras da quadra de tênis. O telhado tinha vazamento e várias janelas estavam quebradas, criando rotas de acesso fácil para as centenas de esquilos, ratos e outros roedores que moravam dentro e em volta do nosso quintal.

A propriedade era demais para nós, considerando nossa renda, mas era cercada por um cenário de tirar o fôlego. A luz extraordinária ao pé das montanhas fazia as rochas atrás da casa reluzirem em um tom laranja brilhante ao amanhecer e em um tom profundo de lavanda ao anoitecer. Entre os maciços penhascos de arenito rosado, havia carvalhos parrudos e retorcidos, figueiras-da-índia em abundância e iúcas pontiagudas — todas elas fortes sobreviventes do deserto.

Os garotos e eu nos sentávamos e observávamos a vida selvagem pelas janelas panorâmicas como outras pessoas assistiam à televisão. Gaios, pica-paus, pegas e chapins tomavam conta de nossos comedouros para passarinhos; famílias de veados, raposas e guaxinins dividiam as sementes espalhadas pelo chão. Nosso quintal abrigou uma família de linces durante um tempo. Uma noite, depois do jantar, Tom ergueu os olhos enquanto lavava a louça e viu um urso-negro olhando para ele da janela da cozinha, a menos de meio metro de distância. Em certa manhã, viu outro urso deitado de barriga para cima, se molhando alegremente em uma depressão na cobertura da piscina, que acumulara água suficiente para seu banho.

Um de nossos vizinhos me disse que aquele pedaço de terra fora o invernadouro de uma tribo indígena, e que a propriedade tinha uma aura espiritual. Eu queria que meus filhos crescessem em segurança, cercados pela beleza da natureza, para andarem livres em um lugar que lhes beneficiasse a imaginação. Quando encontramos a casa na base das montanhas, acreditei que tivéssemos encontrado esse lugar.

Nós nos mudamos no início de dezembro de 1989, quando Dylan estava na terceira série. Um vizinho amigável nos deu uma antiga minibicicleta que estava em sua garagem, e Tom encontrou uma segunda, usada, nos classificados do jornal. Ele e os garotos restauraram as bicicletas para poder usá-las, e logo Dylan e Byron já tinham feito trilhas pela propriedade. Eles tinham uma tremenda liberdade de ir e vir; por outro lado, a nova casa era tão afastada que as atividades deles na cidade tinham de ser agendadas, de modo que Tom e eu pudéssemos levá-los. Os meninos não podiam simplesmente pegar as bicicletas para visitar seus amigos nem pedalar até a esquina para tomar um sorvete. Nosso relativo isolamento no campo queria dizer que os dois irmãos passavam grande parte do tempo juntos.

À medida que crescia, Dylan tinha muito orgulho de sua independência. Para minha diversão, ele me pediu que o ensinasse a lavar sua própria roupa quando tinha dez anos. Aquela independência, combinada à determinação que víamos nele quando pequeno, fazia de Dylan alguém que não poderia ser ignorado. Eu me lembro de levá-lo com Byron ao rinque de patinação. De modo algum eu seria considerada uma boa patinadora, mas conseguia permanecer em pé, e me ofereci para ajudar Dylan, que estava com dificuldade para se equilibrar sobre os patins. Ele insistiu que conseguia fazer aquilo sozinho, então eu me plantei zelosamente na grade à medida que ele se afastava de mim, aos tropeços. Deu alguns passos hesitantes sobre as rodinhas, sem escorregar, e em seguida caiu no chão com força. Corri para ajudar, mas ele acenou para mim com impaciência. "Eu consigo patinar. Espere e veja. Não se mexa! Eu não preciso de ajuda!"

Então eu assisti enquanto ele engatinhava sobre as mãos e os joelhos até a grade e se erguia. Deu mais alguns passos desajeitados antes de cair novamente. Eu me segurei e observei conforme a pequena figura dava a volta no rinque enorme: alguns passos hesitantes, a queda inevitável, e então o trabalho de engatinhar de volta até a cerca. Não faço a mínima ideia de quanto tempo ele levou para fazer a volta toda. Pareceu uma hora.

Finalmente, ele cambaleou até onde eu estava. O suor escorria em seu rosto, as mechas de cabelo loiro caíam sobre a testa. Estremeci ao pensar nos hematomas que cobriam suas pernas embaixo do jeans empoeirado. Segurando-se na parede para se equilibrar depois de todo aquele trabalho, ele ficou de cabeça erguida, todo orgulhoso diante de mim. "Viu só? Eu disse que conseguia patinar!"

Incidentes como esse convenceram Tom e a mim de que Dylan seria capaz de qualquer coisa que se comprometesse a fazer, nem que fosse apenas pela força de vontade. Essa era a base de nossa crença nele. Ele tinha muita confiança em si mesmo, e nós também.

Dylan passou a quarta, quinta e sexta séries em uma classe para crianças com altas habilidades. Era quase um ambiente de escola particular: turmas pequenas, muitos jogos de xadrez e matemática e atenção individual. No fim da sexta série, academicamente desafiado e tendo passado os dias com crianças que compartilhavam seus interesses, Dylan parecia estar no topo do mundo. Ele deixou em um desenho a prova da confiança que sentia: um garoto usando uma camisa xadrez, diante de uma cadeia de montanhas amarelas, verdes e roxas, acenando para o observador com um enorme sorriso no rosto. O diretor da escola de ensino fundamental escolheu o desenho para a coleção permanente da escola, emoldurou-o com uma placa dourada com o nome dele e o pendurou no corredor.

Depois de Columbine, com medo de que alguém pudesse destruí-lo ou roubá-lo, pedimos ao professor favorito dele que nos devolvesse o desenho.

$\cdots$

Um dos traços que marcaram a vida de Dylan foi uma relutância exagerada em se arriscar passar vergonha, algo que se intensificou quando ele entrou na adolescência. Tom e eu somos espirituosos por natureza, os primeiros a fazer piada sobre nós mesmos. Mas Dylan não ria facilmente de suas próprias falhas. Ele não se perdoava quando falhava em alguma coisa, e odiava parecer tolo.

Em uma temporada de férias de verão, quando Dylan tinha mais ou menos oito anos, fomos a um piquenique com Judy Brown e seus dois filhos. Os garotos estavam pegando camarão de água doce quando Dylan perdeu o equilíbrio nas pedras escorregadias e caiu no riacho raso, espirrando água. Ele saiu sem nenhum machucado, porém furioso: lívido por ter caído sentado, e ainda mais bravo pelo fato de todos terem rido. Tentamos ajudá-lo a ver a graça daquilo — Byron provavelmente teria ido ainda mais longe, fazendo uma mesura elaborada —, mas Dylan foi para o carro e se recusou a falar com qualquer pessoa até conseguir encarar o mundo novamente. A reação parecia desmedida, mas apenas consolidava o que já sabíamos: Dylan sentia vergonha mais profundamente que as outras crianças.

Quanto ele tinha uns dez anos e uma prima de outro estado estava nos visitando, ela, os meninos e eu saíamos juntos para cavalgar. No meio do caminho, o cavalo de Dylan parou na estrada para fazer xixi. Infantilmente, o restante de nós riu. O rosto de Dylan ficou vermelho e quente de vergonha, sua humilhação crescendo a cada segundo. Mesmo assim, ainda que ele fosse mais tímido que Byron, suas inseguranças estavam bem dentro da normalidade para um pré-adolescente.

No sétimo ano, o programa para alunos com altas habilidades do qual Dylan fazia parte chegou ao fim. Assim como muitos meninos e meninas dessa idade, ele estava dolorosamente consciente de qualquer coisa que pudesse fazê-lo sobressair na multidão. No ensino fundamental, segundo ele, não era legal ser inteligente demais.

Apesar disso, ele continuou a se sair bem na escola. Quando chegou ao oitavo ano, o professor de matemática recomendou que ele se matriculasse em um curso de álgebra na Escola de Ensino Médio de Columbine. Dylan se recusou a ir. Nós três nos encontramos com o professor dele para discutir os prós e os contras. Já é intimidante começar o ensino médio como qualquer outro aluno, que dirá um ano mais cedo, e a logística de levá-lo e buscá-lo era complicada. Juntos, chegamos à conclusão de que seria melhor para Dylan continuar estudando matemática na escola de ensino médio.

Para nós era um alívio que ele estivesse indo bem, pois a entrada de Byron na adolescência havia sido desafiadora. Ele precisava de muito estímulo para cumprir as rotinas diárias. Tínhamos estabelecido expectativas claras para os garotos quando eram pequenos. Eles nunca poderiam falar conosco, ou com qualquer adulto, de forma desrespeitosa. Pedíamos que cuidassem do próprio quarto e de seus pertences e nos ajudassem com as tarefas de casa. Eu esperava que fizessem o possível para estar em segurança: que usassem filtro solar, dirigissem com responsabilidade e dissessem não às drogas. Além de tudo, eles tinham a responsabilidade de estar com a lição de casa em dia. Quando Tom e eu vimos o desempenho escolar de Byron (que nunca fora alto) decair no ensino médio, fizemos uma busca pelo quarto e descobrimos que ele estava fumando maconha.

A maconha agora é legalizada no Colorado, então nossa reação pode parecer fora de moda e desmedida, mas drogas nunca fizeram parte da vida dos garotos, e, francamente, ficamos com medo. Antes já monitorávamos de perto os movimentos de Byron, mas, depois de encontrar a droga, ficamos em cima dele. Fazíamos buscas rotineiras em seu quarto. Insistimos que terminasse amizades que acreditávamos não serem boas para ele. Nós o colocamos para fazer terapia.

Tenho certeza de que o irritamos além da conta, mas Byron manteve o bom humor e o espírito amoroso de sempre. Ele era divertido e aberto, e eu passava horas no quarto conversando com ele, me assegurando de que estava bem. Não havia muito conflito em casa, mas Byron definitivamente estava recebendo a maior parte de nossa atenção, o que pode ter significado que não reconhecemos a intensidade das necessidades emergentes de Dylan.

Durante aqueles anos difíceis, Dylan continuou a fazer o que devia ser feito. Parecia gostar do papel de adolescente responsável e cooperativo, o filho que fazia a coisa certa, e Tom e eu precisávamos que ele desempenhasse aquele papel mais do que nunca quando estávamos preocupados com o bem-estar de Byron. O comprometimento de Dylan com a independência encobriu a pungente necessidade de ajuda no final de sua vida. Certamente contribuiu para nossa incapacidade de enxergá-lo como alguém problemático.

No verão depois do oitavo ano, Dylan começou a desenvolver a aparência esguia e angular que teria para o resto da vida. Nós queríamos premiá-lo por sua transição para o ensino médio, então o mandamos para um acampamento de verão nas montanhas. O acampamento era rústico, e os participantes tinham a responsabilidade da maioria das coisas que precisavam ser feitas para manter o lugar funcionando. Em casa, Dylan nunca hesitou em reclamar quando sentia que havia recebido uma cota injusta de tarefas, mas não fez reclamações sobre o acampamento. Ele adorava estar ao ar livre, e os monitores disseram que ele se deu bem com os outros adolescentes.

. . .

Nossos dois filhos jogaram beisebol desde pequenos; o esporte foi o interesse comum na infância e adolescência deles. Eles assistiam a jogos na televisão, brigavam por causa das páginas de esportes e faziam rodízio para ir a estádios de beisebol com o pai. Tom adorava estar com eles, e os três passavam as noites de verão treinando recepção no quintal ou lançando bolas sobre uma placa de compensado que Tom customizara para que eles praticassem arremesso. As paredes do quarto de Dylan eram cobertas de pôsteres de seus heróis do beisebol: Lou Gehrig, Roger Clemens, Randy Johnson. Um de nossos filmes favoritos era *Um homem fora de série*, no qual Robert Redford é um prodígio do beisebol. Os garotos assistiram tanto a esse longa que sabiam algumas falas de cor.

O beisebol não era apenas um passatempo saudável para os garotos; era uma paixão compartilhada entre a família de Tom e a minha. Um de meus avós foi convidado para fazer parte de um time profissional quando jovem (ele declinou: não quis ficar longe de sua mãe viúva), e tanto o pai como o irmão de Tom jogaram como amadores durante muitos anos, já adultos. Eu adorava que nossos filhos praticassem esse clássico esporte americano, assim como seus avôs e bisavôs fizeram antes deles. Tanto Dylan como Tom ficaram arrasados quando, ao entrar na Escola de Ensino Médio de Columbine como aluno do nono ano, nosso caçula não foi selecionado para o time de beisebol da escola.

O lançamento fluido de Byron, de direita, o manteve no jogo até ele se cansar daquilo. Dylan também arremessava, mas era canhoto e atirava a bola feito um canhão, tentando acertar o rebatedor. Arremessar com força era sua característica, e ele muitas vezes sacrificava a precisão pela velocidade. Com o tempo, seu estilo de arremesso acabou afetando seu braço. No verão antes de Dylan começar o oitavo ano, Tom contratou um treinador para orientar os garotos. Durante uma das aulas, Dylan parecia estar tendo problemas. De repente ele parou de arremessar, os olhos baixos. Tom correu até lá, preocupado que ele mesmo ou o treinador tivessem passado dos limites. Ele viu os olhos de nosso filho cheios de lágrimas. "Meu braço está doendo demais para arremessar", Dylan disse ao pai.

Tom ficou chocado. Dylan nunca mencionara aquela dor antes, embora mais tarde tenhamos descoberto que aquilo vinha acontecendo havia meses, piorando a cada arremesso. Era típico de Dylan não mencionar nada: ele estava determinado a superar o problema pela força de vontade. Tom o levou ao médico imediatamente. Dylan tinha uma inflamação dolorosa em volta dos tendões do cotovelo, e o médico recomendou que ele fizesse uma pausa com o beisebol. Nosso filho ficou sem jogar até o verão seguinte, quando começou a treinar para os testes do time da Escola de Ensino Médio de Columbine.

Tom também começou a sentir dores fortes nas juntas. (Bem perto da época em que Dylan entrou no ensino médio, Tom foi diagnosticado com artrite reumatoide, e nos anos seguintes passaria por cirurgias nos joelhos e nos ombros.) Sua capacidade para ajudar Dylan a praticar estava limitada, já que ele não podia mais arremessar, então Tom contratou novamente o treinador de arremessos. Mas o braço de Dylan ainda estava sensível. No dia dos testes, os dois formaram um belo par: Dylan poupando o cotovelo, e os joelhos de Tom doendo tanto que ele mal conseguia caminhar até o campo.

Considerando sua lesão, recebemos com alegria e tristeza a notícia de que Dylan não entrara para o time. Embora decepcionados porque ele não participaria de uma equipe esportiva no ensino médio, nem Tom nem eu queríamos forçá-lo a uma atividade que poderia lhe causar um dano físico de longa duração. Como família, tentamos minimizar a decepção e seguir em frente. Da parte de Dylan, ele alegou que não gostava de alguns garotos do time, de qualquer forma.

A paixão dele pelo esporte não chegaria ao fim naquele momento. Ele ainda acompanhava religiosamente os campeonatos de beisebol profissional, e de vez em quando ia aos jogos com o pai; mais tarde, se juntaria a uma liga de beisebol fantasia. Não entrar para o time foi uma perda muito maior do que imaginávamos, porém, pois o foco de sua atenção mudou do esporte para os computadores.

Dylan e Byron não eram elegíveis ao serviço de ônibus da Escola de Ensino Médio de Columbine, assim Tom e eu tínhamos de levá-los e buscá-los. Quando Dylan começou o nono ano, fizemos um plano que honrava seu crescente senso de independência: depois da escola, ele tomaria o ônibus municipal por alguns quilômetros até a faculdade onde eu trabalhava e ficaria comigo até a hora de ir embora. Eu adorava ter Dylan no escritório comigo. Mantinha uma gaveta de arquivo cheia de guloseimas para ele, que muitas vezes nem era aberta, porque as mulheres do meu departamento o mimavam com gostosuras feitas em casa. Quando terminava a lição de casa, Dylan ficava no lounge dos estudantes assistindo à televisão, ou no refeitório tomando um milk shake. De vez em quando, esticava as longas pernas embaixo de uma mesa do escritório para tirar uma soneca.

No primeiro ano do ensino médio, ele trabalhou como voluntário em uma creche no campus. A diretora era uma colega minha, e eu de vez em quando dava uma passada por lá para vê-lo trabalhar. Conforme esperado, Dylan estava no parquinho, verificando se as criancinhas faziam fila para esperar a vez no balanço.

Toda mãe se preocupa com os aspectos sociais do ensino médio, mas eu era menos preocupada que a maioria. Dylan era alto, tinha um comportamento geek e nunca fizera parte do grupo no topo da hierarquia social, reservado aos atletas, mas sua vida social desabrochou no ensino médio. Ele tinha três amigos próximos, com quem passava a maior parte do tempo livre. Todos os fins de semana um deles estava em nossa casa, ou Dylan estava na casa de um deles. Os quatro — Dylan, Zack, Nate e Eric — tinham outros amigos, mas esses eram os garotos que considerávamos o círculo íntimo de nosso filho.

Dylan conheceu Nate, que eu sempre considerei seu melhor amigo, no segundo ciclo do ensino fundamental. Nate era filho único, criado pela mãe e pelo padrasto. Assim como Dylan, ele era desengonçado: alto e magro, com longos cílios escuros e cabelo preto. Mas, ao contrário de nosso filho, ele era efusivo, alegre e gostava de conversar sem parar sobre qualquer assunto. Nos primeiros anos de amizade, os dois passavam a maior parte do tempo ao ar livre, brincando de bola e outros jogos. Nate ganhava

INFÂNCIA

com facilidade de Dylan no basquete, mas este lhe dava boas surras quando jogavam bilhar em nossa casa. Quando Nate vinha dormir em casa, os garotos ficavam acordados até tarde jogando bilhar ou videogame, ou testando receitas de programas de culinária que passavam tarde da noite. (Dylan tinha fama de guloso até mesmo entre os adolescentes vorazes de sua turma. E ele era ousado. Quando seus amigos saíam conosco para jantar, geralmente ficavam nas frituras básicas, mas Dylan se aventurava na lula ou no pato assado.)

Nate passava muito tempo em nossa casa. Era o primeiro a se levantar para ajudar quando eu chegava em casa com as compras do supermercado ou com roupas da lavanderia, e sempre era rápido em elogiar minha comida. Sou mais feliz quando tenho a casa cheia, e nunca reclamava quando um grupo de adolescentes aterrissava na cozinha feito gafanhotos, embora nossa casa fosse suficientemente distante para que isso não acontecesse com tanta frequência.

Dylan conheceu Zack no primeiro ano do ensino médio. O pai dele era um professor universitário que virara administrador, e a mãe coordenava o grupo de jovens da igreja que frequentávamos quando nossos filhos eram pequenos. Zack era simpático e expansivo, de compleição atarracada, rosto redondo e cabelo castanho curto. Sua casa era o ponto de encontro para todas as atividades divertidas — parecia que sempre havia alguém fazendo churrasco, saindo de barco ou dando uma festa ao redor da piscina —, e Dylan passava bastante tempo lá. Eu ficava especialmente feliz com essa amizade; por Zack ser tão sociável e extrovertido, não se importava em ser o centro das atenções, o que fazia Dylan se soltar um pouco.

Tanto Zack quanto Dylan tinham interesse em tecnologia. Em um verão, eles se aventuraram pelas vendas de garagem no bairro de Zack em busca de equipamentos antigos, determinados a construir um sistema de telefonia portátil. (Isso foi antes dos telefones celulares.) Os garotos ficaram orgulhosos do dispositivo que inventaram — um velho telefone preso a uma maleta —, e o fizeram funcionar tão bem a ponto de causar um pouco de estática no telefone de nossa casa.

Foi Zack quem fez Dylan se interessar por cuidar da sonoplastia nas produções teatrais no final do segundo ano. Depois de assistir a uma produção de *Adeus, amor*, visitei Dyl na cabine de som e fiquei impressionada com seu domínio dos muitos interruptores e alavancas no painel complexo. Ele adorava. Passava horas nos ensaios e fazia experiências manipulando sons no computador para a trilha sonora original da produção de *Frankenstein*, dirigida por seu amigo Brooks. As pessoas de vez em quando o abordavam pedindo para usar o sistema de som para shows de talentos, eventos de igreja e produções menos formais pós-escola.

Zack foi o primeiro amigo de Dylan a ter uma namorada. Dylan ficou com inveja da sorte do amigo, mas mesmo assim fez amizade com a namorada dele, Devon. Depois da morte de nosso filho, Devon fez um livro de fotos e histórias dele para mim. O que mais me surpreendeu foi quanto ela confiava em Dylan e contava com ele. Quando ficava chateada ou discutia com alguém, era nele que ela buscava apoio: "Eu ligava para o Dylan ou falava com ele pelo computador. Era a melhor terapia que eu poderia querer. O Dylan era a pessoa que mais sabia ouvir que eu já conheci na vida".

Eric era o quarto membro do grupo. Dylan e Eric também se conheceram nos últimos anos do ensino fundamental. O pai dele era militar e tinha se aposentado na região de Denver; a família era bem recente ali quando os garotos ficaram amigos. Nós conhecemos os Harris quando nossos filhos começaram a andar juntos, e gostamos deles, embora só nos encontrássemos socialmente. No final do oitavo ano, Dylan e Eric foram premiados pelos bons resultados em matemática. Quando foram até o palco receber o prêmio, cochichei para Tom como eles eram parecidos. (Isso foi antes do estirão de Dylan.)

No ensino fundamental, Dylan e Eric assistiam juntos a toneladas de filmes e adoravam jogar boliche. Uma vez construíram um equipamento para arremessar batatas de um lado a outro de uma praça. À medida que foram crescendo, acrescentaram aos interesses comuns garotas, jogos de computador e música, assim como beisebol e shows. No ensino médio, Eric continuou miúdo, enquanto Dylan esticou. Eric era mais velho e tirou a carteira de motorista antes de Dylan.

A amizade deles não parecia mais intensa que o relacionamento de Dylan com os outros garotos; na verdade, eu diria que nosso filho era mais próximo de Nate. No entanto, de algum modo, parecia mais reservada. Nunca me senti tão próxima de Eric como me sentia de Nate e Zack, embora ele sempre tivesse sido respeitoso e absolutamente educado comigo e com Tom. Não me lembro dele me fazendo nenhuma pergunta ou revelando histórias divertidas sobre Dylan, como Zack e Nate faziam, mas ele era claramente inteligente, simpático e engraçado.

Talvez seja significativo que eu não tenha as mesmas lembranças da ligação com Eric que tenho com os outros amigos de Dylan. Eu me pergunto quanto disso tem a ver com o fato de eu ter passado algum tempo com Zack e Nate após a morte de Dylan, e com o fato de ter tido o privilégio de vê-los se tornar adultos. Ainda converso com Nate; ele aparece durante as festas de fim de ano e vem me visitar quando está na cidade. O que eu sei é que não percebemos nada incomum ou perturbador em relação a Eric ou a sua amizade com Dylan, antes do problema que tiveram perto do fim do segundo ano do ensino médio, caso contrário Tom e eu não teríamos permitido que ela continuasse.

Dylan não tinha namorada no ensino médio, mas ele e seus outros amigos andavam com garotas; o "namoro em rebanho" era comum na idade deles. Ele conheceu sua parceira de baile, Robyn, na sala de aula; estudavam cálculo juntos. Quando Dylan começou a andar com Robyn, eu o bombardeei com perguntas sobre ela e a família, assim como fazia no que se referia a todos os seus amigos. Ele riu: "Pode acreditar, mãe, você não tem nada com que se preocupar em relação à Robyn. Ela é exatamente o tipo de pessoa com quem você gostaria que eu andasse: uma aluna nota 10". Quando perguntei como ela era, Dylan deu de ombros: "Ela é uma pessoa legal". Eu a conheci alguns dias depois e percebi que Dylan estava certo: Robyn era adorável. Fiquei impressionada com quanto ela ficava à vontade perto de Tom e de mim.

Antes de Dylan e seus amigos poderem dirigir, era fácil interagir com eles e conhecer seus pais, pois os garotos precisavam de transporte para se reunir. Tom e eu sempre parávamos para cumprimentar os outros pais e coordenar os planos quando íamos deixar Dylan. Fazia bem para nós saber que podíamos conversar abertamente uns com os outros sobre nossos filhos se tivéssemos preocupações, embora quase nunca surgisse essa necessidade.

Quando Dylan e os outros garotos da turma atingiram idade suficiente para trabalhar, seus amigos mais próximos acabaram conseguindo emprego na pizzaria Blackjack. Zack conseguiu primeiro; Dylan se juntou a ele um pouco depois, e Eric e Nate por último. Dylan se gabava da habilidade de fazer uma ótima pizza em pouco tempo. Quando o salário começou a entrar, eu o ajudei a abrir uma conta corrente e uma poupança, e, depois de sua morte, encontrei pastas organizadas com seus extratos bancários, holerites e informações sobre impostos. Tom e eu o levávamos para o trabalho e íamos buscá-lo quando ele não conseguia carona com um de seus amigos. Nós nos divertíamos ao ligar para saber a que horas ele precisava ser pego; era a única hora em que conseguíamos ouvir a voz profissional de Dylan no atendimento aos clientes.

As notas do ensino médio caíam e subiam de acordo com seu nível de entusiasmo pelo assunto e pelo professor. Era muito decepcionante para nós que ele não estivesse alcançando todo o seu potencial escolar como fizera no primário. Por outro lado, eu estava aliviada por ver Dylan animado. Quando ele era mais novo, seu perfeccionismo o frustrava e, às vezes, nos frustrava também — embora eu pudesse entender. Assim, não me importei quando seu quarto organizado se transformou em um chiqueiro tipicamente adolescente. Ele um dia encontraria áreas de interesse nas quais se sairia bem, como Tom e eu fizemos; minhas notas sempre foram medianas até chegar à faculdade.

Desde então, aprendi que o perfeccionismo é frequentemente uma característica de crianças com habilidades especiais. Ironicamente, ele às vezes pode prejudicar o potencial dessas crianças. Um erro ou um obstáculo que a maioria tiraria de letra pode arrasar um garoto ou garota com padrões irreais ou inatingíveis. Pode diminuir sua autoestima, levando essa criança a se desinteressar dos desafios intelectuais que um dia a entusiasmaram. Em retrospecto, acredito que o perfeccionismo inato de Dylan e nossa incapacidade de ajudá-lo a administrar suas expectativas irreais para si mesmo contribuíram para alimentar o sentimento de alienação no fim de sua vida.

. . .

Dylan planejava fazer faculdade de ciência da computação. Assim como seu pai, ele adorava consertar coisas, desmontá-las e montá-las novamente, e eles fizeram muito disso juntos: personalizavam caixas de som e consertavam carros. Ele e Tom também gostavam de pregar peças um no outro, como programar o computador para surpreender o usuário com sons irritantes quando a máquina era ligada — por exemplo, um cachorro "cantando" uma canção de Natal.

No primeiro ano do ensino médio, Dylan montou seu próprio computador. Ele e os amigos gostavam de jogar videogame e fazer experiências com efeitos audiovisuais, e ele se tornou testador beta dos produtos da Microsoft. Eu muitas vezes me referia a ele como um geek da computação. Eu preferiria que ele e os amigos passassem mais tempo ao ar livre, especialmente porque vivíamos perto de uma das melhores áreas para escalada, esqui e snowboarding do mundo. Mas nem Tom nem eu achávamos que o tempo de Dylan no computador era fundamentalmente prejudicial. A vida social dele não mudou, e ele se afastava do monitor, relutantemente, para jantar ou assistir a um filme conosco se pedíssemos. Nenhum de nós via o computador como uma ferramenta para um comportamento destrutivo ou malicioso. Se víssemos, não teríamos permitido que ele o usasse.

Dito isso, Tom e eu não conferíamos o que Dylan fazia no computador. Isso parece absurdamente ingênuo hoje em dia, mas era uma época diferente, e, de qualquer forma, eu não saberia como checar o histórico do navegador naquele tempo; eu mesma estava começando a usar a internet.

Eu inventava desculpas para entrar e sair do quarto de Dylan, assim podia dar uma espiada no que ele estava fazendo. Uma vez ele estava em uma sala de bate-papo e pareceu reticente quando olhei por cima de seu ombro. Quando lhe pedi para traduzir as gírias, aquilo pareceu uma típica (e boba) conversa de adolescentes. Eu sabia que imagens de conotação sexual estavam amplamente disponíveis na internet, e presumi que chamavam a atenção dele, assim como fazem com a maioria dos adolescentes, embora nunca o tenha flagrado olhando para nenhuma.

Mesmo que eu estivesse consciente do conteúdo perigoso da internet, nunca suspeitaria de que Dylan estivesse interessado no tipo de material que o levaria a machucar a si mesmo ou a qualquer outra pessoa.

. . .

Byron não tinha vontade nenhuma de cursar uma faculdade, pelo menos não imediatamente. Tom e eu não queríamos entrar em conflito com ele sobre nossas regras (para começar, não beber, não usar drogas nem fumar em nossa propriedade), mas também nos preocupávamos com a possibilidade de Byron enfrentar dificuldades em um ambiente menos estruturado.

Após infinitas conversas, Tom e eu fomos com ele ver seu terapeuta. Este perguntou a nosso filho, sem rodeios, se ele estava pronto para manter um emprego e um apartamento por conta própria, e Byron lhe assegurou que sim. De nossa parte, só podíamos esperar que as demandas da vida real o ajudassem a amadurecer. Com a bênção do terapeuta, Byron e seu melhor amigo alugaram um apartamento barato do outro lado da cidade e saíram de nossa casa em uma caminhonete entulhada de móveis sobressalentes, utensílios de cozinha e algumas caixas de comida. Sempre otimista, cheguei até a colocar alguns materiais de limpeza entre os objetos levados na mudança.

Dylan mal podia esperar para se mudar para o quarto do irmão, que era maior e tinha mais janelas. Nossa família adorava fazer reformas. Tom e eu revestimos com espelhos as portas de correr do guarda-roupa, assim o quarto parecia duas vezes maior. Dylan pediu que uma das paredes fosse pintada de preto, o que ficou elegante com a mobília preta moderna que Byron deixara para trás. Dylan colocou seu computador encostado na parede escura e cobriu o restante do quarto com pôsteres. Tom colocou uma prateleira em cima do computador, para que Dylan tivesse um lugar para os CDs, e instalou uma luminária fluorescente na parte de baixo.

Para mim, a mudança de Dylan para o quarto de Byron marcou o fim de sua infância. Mesmo ele já tendo mais de um metro e oitenta, eu observava com tristeza enquanto ele empacotava as caixas de brinquedos em seu próprio quarto e as etiquetava para guardar. Depois de sua morte, abri as caixas cheias de seus conjuntos de Lego, que já haviam sido tão valiosos. A maioria estava na caixa original e tinha o manual de instruções, quase rasgado nas dobras de tanto uso. Fiquei impressionada com quanto aquilo era a cara de Dylan: organizar meticulosamente até mesmo as coisas que estava guardando.

Perto da época em que se mudou para o antigo quarto do irmão, Dylan recebeu sua carteira de motorista provisória. Por mais difícil que fosse vê-lo dar esse passo para se afastar de nós, também ficamos felizes. Os amigos dele sempre foram generosos com as caronas, mas morávamos a uns quinze ou vinte minutos fora do caminho deles, e Dylan ficava irritado por ser a única pessoa do grupo que ainda não tinha idade para dirigir.

A princípio, Tom levou Dylan a estacionamentos vazios durante a noite, para ele ter a sensação de dominar o carro. Depois eles treinaram até chegar ao ponto de dirigir pelas ruas da cidade, rodovias e, finalmente, nas estradas tortuosas da montanha. A primeira vez em que fomos jantar no apartamento de Byron, deixamos Dylan dirigir metade do caminho. (Byron orgulhosamente nos ofereceu uma travessa de massa semipronta de caixinha. Prevendo a falta de vegetais no cardápio, levei uma salada.) Em agosto, Dylan estava fazendo aulas de direção para conseguir um desconto no seguro do carro.

O processo que levou à mudança de Byron fora doloroso, mas, assim que o vimos instalado em seu novo apartamento, soubemos que fora a decisão certa. "Agora podemos nos concentrar em Dylan", eu disse a Tom, só que não parecia haver tanta coisa assim para cuidar. Nosso filho mais novo simplesmente parecia estar na linha. Na maior parte do tempo, se entendesse o motivo pelo qual uma regra fora estabelecida, ele a seguia.

Talvez Dylan não fosse mais tão expressivo, carinhoso ou comunicativo quanto fora quando era mais novo. Que adolescente é? De qualquer forma, até ele se meter em encrenca no segundo ano, eu não via nada — *nada* — em nossa vida familiar que prenunciasse a tragédia que estava por vir.

7

DE MÃE PARA MÃE

*Hoje dei início à tarefa de escrever cartas de condolências
para as famílias das vítimas. Foi tão difícil. A perda
trágica de todas aquelas crianças. É tão difícil, mas é algo
que devo fazer. Do coração de uma mãe para outra.*

— ANOTAÇÃO NO DIÁRIO, MAIO DE 1999

Desde a infância, sempre encontrei conforto em ser útil. Meu avô fazia enormes piqueniques em sua fazenda para os funcionários de sua empresa e para as obras de caridade que apoiava, e eu colaborava recolhendo pratos de papel e utensílios vazios. Na escola, eu preferia ajudar as funcionárias na limpeza do refeitório a ficar no parquinho na hora do recreio. Sou assim até hoje. "Me coloque para trabalhar", eu digo em um casamento, e continuo pedindo até a anfitriã me dar algo para preparar ou servir.

Porém não havia absolutamente nada que eu pudesse fazer para ajudar alguém depois da carnificina e da crueldade cometida pelo meu filho na Escola de Ensino Médio de Columbine.

Amigos preocupados e pessoas da igreja queriam reunir as famílias, mas a primeira ação judicial foi instaurada dias após a tragédia, e nossos advogados rejeitavam veementemente a ideia de participarmos de encontros cara a cara. Também não consigo imaginar que qualquer um dos envolvidos quisesse me ver logo após o tiroteio.

As pessoas imploravam que Tom e eu emitíssemos uma declaração pública através da imprensa, o que fizemos alguns dias depois da tragédia: pedimos desculpas e expressamos nossa perplexidade e tristeza. Mesmo assim, eu me sentia compelida a me comunicar diretamente com as famílias das vítimas de Dylan e com as pessoas que sobreviveram. Resolvi escrever a mão cartas de desculpas para cada uma dessas famílias.

Eu não era tola a ponto de acreditar que houvesse palavras que pudessem ser suficientes. Mas eu precisava que as famílias soubessem da profundidade de minha tristeza pelo que sofreram nas mãos de meu filho.

Eu tinha a impressão de que, se oferecesse algum tipo de bondade, ela poderia contrabalançar a crueldade de Dylan naquela manhã horrenda. E, embora não haja nada de nobre nisso, queria que soubessem que, apesar de o amar, eu não era o meu filho.

Escrever aquelas cartas continua sendo, até hoje, uma das coisas mais difíceis que já fiz na vida. Levei um mês inteiro para terminá-las. Como eu poderia demonstrar pesar quando a simples menção de meu nome provavelmente aumentaria o sofrimento pelo qual aquelas famílias estavam passando? Como eu poderia estender a mão, como uma companheira na tristeza, quando meu filho — a pessoa que eu criei e amei mais que a vida — era o motivo de elas estarem em agonia? Como se diz: "Sinto muito que o meu filho tenha matado o seu"?

A dificuldade de escrever as cartas foi intensificada pelo conflito que aquilo criou em nossa própria família. Tom era contra a ideia. Ele temia que enviar um pedido de desculpas seria equivalente a se responsabilizar pessoalmente. Saber sobre as vítimas e como morreram era angustiante, e ele evitava o assunto.

Eu sentia de outra forma. Se ter notícias minhas pudesse trazer algum pequeno conforto e abrir as portas para nos comunicarmos com as famílias, esse era um risco que eu queria assumir. Eu precisava fazer *alguma coisa*. Esperava que, ao demonstrar minha própria humanidade, pudesse trazer um pouquinho de paz àquelas pessoas, que seriam atormentadas para sempre pela crueldade do que meu filho fizera.

Eu evitava deliberadamente tomar conhecimento do que a imprensa divulgava, mas, para escrever as cartas às famílias, precisava saber mais sobre seus entes queridos. Assim, me forcei a ler os jornais para me informar sobre o professor e cada um dos adolescentes mortos. Eu nunca, jamais quis desumanizar os indivíduos que foram mortos ou feridos pensando neles como um grupo — *as vítimas*. Em cada caso, eu precisava conhecer o tesouro específico e particular que fora perdido.

A tristeza se acumulava a cada detalhe biográfico que eu lia. Descobrir os interesses de cada um e o que seus amigos e familiares diziam sobre ele partiu meu coração. A noção de que Dylan roubara a vida preciosa de pessoas inocentes e o futuro que teriam era intolerável. Como ele pôde causar tanta dor? Como uma pessoa criada em nossa casa pôde fazer isso?

Às vezes, escrever as cartas se parecia com estar perigosamente perto do fogo, e ocasionalmente eu tinha de dar um passo atrás. Todos os dias eu queria fugir o mais rápido possível da tarefa à minha frente. Mas, se fizesse isso, eu sabia que perderia a conexão com o que acontecera. Columbine já se tornara o para-raios que ainda é, um símbolo, em uma só palavra, dos perigos do bullying, de doenças mentais, criação irresponsável, armas. Assim como todo mundo, eu acreditava haver respostas a serem buscadas, mas ainda não estava pronta para me refugiar em abstrações. Columbine não tinha a ver com armas ou bullying; tinha a ver com quinze pessoas que agora estavam mortas, e vinte e quatro que estavam feridas, algumas seriamente.

No entanto, mesmo enquanto tentava escrever cartas coerentes reconhecendo a responsabilidade de meu filho, eu estava ferozmente apegada à negação de que Dylan pudesse ter sido o responsável por matar alguém. Conforme escrevia, eu acreditava de todo o coração que as pessoas que tiveram ferimentos fatais haviam sido baleadas por Eric, não por Dylan. Nas cartas, eu me referia ao "papel" que meu filho tivera na tragédia porque ainda não sabia o que realmente acontecera naquele dia; só sabia que pessoas haviam sido mortas e feridas. Eu me referia a um "momento de loucura" porque acreditava que Dylan só poderia ter agido por impulso; era inconcebível que sua participação pudesse ter sido premeditada. Eu não conseguia acreditar que meu filho era um assassino, pois não aceitava que ele tivesse a intenção de matar.

Eu temia que muitas das famílias ficassem ofendidas com a minha ousadia de entrar em contato. Elas diriam — com razão — que eu não tinha o direito nem mesmo de pronunciar o nome de seus entes queridos. Quando li os primeiros rascunhos das cartas que escrevera, quase os joguei fora. As palavras no papel eram vergonhosa e dolorosamente inadequadas.

Mas eu só conseguia pensar em escrevê-las. Eu não podia desfazer o que Dylan e Eric haviam feito. Não podia trazer de volta as vidas que foram perdidas nem curar aqueles que foram feridos física ou psicologicamente. Eu não tinha poderes para aliviar as consequências da tragédia para mim ou para qualquer outra pessoa, e sabia que não poderia controlar como reagiriam. Eu não estava pedindo perdão, compreensão ou qualquer outra coisa exceto a oportunidade de dizer que sentia muito.

· · ·

Li hoje que o sr. Rohrbough destruiu as cruzes de Dylan
e Eric. Eu não o culpo. Ninguém deveria esperar que as
famílias enlutadas das vítimas abraçassem Dylan e Eric
neste momento. Eu me sentiria da mesma forma.

— ANOTAÇÃO NO DIÁRIO, MAIO DE 1999

Uma semana depois do tiroteio, meu irmão, Phil, veio passar alguns dias conosco. Minha irmã não pôde se juntar a ele: uma de suas filhas adolescentes, prima de Dylan, ficara tão traumatizada com as notícias que precisara de cuidados médicos.

Phil viera para nos confortar, mas o que ele poderia dizer ou fazer? Nós éramos pessoas sombrias, fantasmas de nós mesmos, caminhando pelo crepúsculo infinito caracterizado por confusão, vergonha e tristeza. Nossos dias eram consumidos por compromissos judiciais e pelas medidas paranoicas que seguíamos para evitar a imprensa e aqueles que pudessem querer nos machucar.

O rosto de Dylan estava em todo lugar: *Assassino. Terrorista. Neonazista. Pária. Escória.*

Logo após o tiroteio, tivemos mais um choque terrível. Foi divulgado que Robyn, a parceira de baile de Dylan, comprara três armas para os garotos.[1]

Meu primeiro pensamento foi: *Ah, não. Coitada da Robyn.* Em um flash, pude ver: ela fizera isso porque eles pediram, porque gostava deles, porque era uma pessoa legal. Ela nunca, jamais teria feito isso se soubesse que não era seguro. *Ela terá de conviver com isso para o resto da vida*, pensei. E então, pela milésima vez: *Veja só quantas pessoas eles machucaram.*

Os abalos continuaram acontecendo. Ainda quase totalmente isolada das notícias e do mundo exterior, eu estava apenas levemente consciente da maioria deles. Eu só soube um ano depois que Marilyn Manson cancelara shows em nossa região em respeito às vítimas, e que a Associação Nacional de Rifles da América (ANR) não cancelou o encontro anual, em um hotel a vinte e cinco quilômetros da escola, apenas dez dias após o tiroteio.

Fiquei sabendo que a direção da escola e a polícia haviam sido comunicadas sobre o site de Eric, aquele sobre o qual Judy Brown me contara no terrível dia do tiroteio, e que, no site, ele falava abertamente de bombas caseiras e de matar pessoas.

Vi a foto de Dylan na capa da revista *Time*, ao lado da manchete: "Os monstros da casa ao lado". Apesar da natureza monstruosa do que ele fizera, doeu muito ver essa palavra usada para descrevê-lo, e era absurdamente surreal ver o rosto dele abaixo do logo icônico da revista. Ainda era difícil acreditar que Dylan tivesse feito algo horrendo o bastante para que os vizinhos ficassem sabendo, quanto mais o mundo inteiro.

Eu li a matéria. No dia seguinte, escrevi:

A depressão realmente me pegou quando li a matéria da revista Time *ontem. Eles fizeram Dylan parecer humano, como um adolescente legal que se perdeu na vida. O que dói mais do que a figura de vilão, pois demonstra como tudo*

isso foi totalmente sem sentido. Ele não precisava fazer nada disso. Estava tão
perto de uma vida longe da escola. Se ele estava deprimido, não demonstrou
nada para nós.

Um memorial improvisado foi construído na cidade, consistindo em quinze cruzes de madeira mal talhadas, uma para cada pessoa que morrera, incluindo Dylan e Eric. Imediatamente, as cruzes dos dois foram arrancadas e jogadas em uma lata de lixo. Um grupo de uma igreja plantou quinze árvores em um círculo na propriedade deles, e a polícia e os membros da congregação ficaram ali, impotentes, enquanto duas delas eram derrubadas.

É claro que eu entendia por que as pessoas não queriam o luto por Dylan e Eric nem que eles fossem lembrados, mas essa demonstração incontestável de ódio nos assustou. Poucos dias depois de sua chegada, meu irmão aceitou a oferta para dormir na casa de um vizinho. Ele implorou que fôssemos junto. "Vocês estão em um estado de choque tão grande que não conseguem ver como isso é perigoso."

Nós *estávamos* em choque, mas a principal questão é que simplesmente não nos importávamos. Em uma noite particularmente ruim, Tom disse, desgastado: "Gostaria que ele tivesse nos matado também". Era um pensamento que teríamos em muitas ocasiões ao longo dos anos.

Um repórter conseguiu nossos registros telefônicos e ligou para todo mundo com quem conversáramos nos meses anteriores. Nossos amigos e familiares já estavam inundados de atenção da mídia, mas agora a imprensa começava a aparecer em frente aos dois prédios de apartamentos que tínhamos para questionar nossos inquilinos. Trabalháramos duro para construir o negócio da família, e a segurança e o conforto de nossos inquilinos eram prioridade, e agora eles estavam sendo perseguidos simplesmente por terem tido o azar de se mudar para uma de nossas propriedades. Não víamos nenhuma maneira de protegê-los, então decidimos vender os prédios.

Consideramos nos mudar dali, mas, com toda a hostilidade do mundo contra nós, nosso círculo mais próximo se tornou uma fonte inestimável de apoio. Durante mais de uma década, nossa vida esteve em Littleton, e as pessoas que amávamos se reuniram imediatamente ao nosso redor. Nos dias em que eu não tinha certeza se sobreviveria, os amigos se materializavam para me fazer continuar.

Se Deus manda amor à terra, eu acredito verdadeiramente que ele seja entregue através das ações das pessoas. Durante aquela época terrível, fomos sustentados pelo carinho daqueles ao nosso redor. Os amigos e familiares foram leais e atenciosos, com ligações e abraços diários. Os vizinhos deixavam refeições em nossa casa e devolviam as travessas vazias a seus donos. Nossos amigos aprenderam rapidamente a não nos defender na imprensa depois que muitos deles viram suas palavras distorcidas ou colocadas em um contexto negativo, mas protegiam nossa propriedade com unhas e dentes, não só da invasão dos repórteres como de qualquer estranho que aparecesse. Nos primeiros dias, quando nosso telefone tocava sem parar com pedidos de entrevistas e ligações de estranhos e de amigos — vinte ou trinta chamadas por dia —, nossos vizinhos mais próximos compraram para nós um identificador de chamadas, assim saberíamos quando era seguro atender. Depois disso, passamos a filtrar cada ligação.

No Dia das Mães após o tiroteio, uma amiga que é uma jardineira talentosa esquadrinhou a seção promocional em um viveiro de plantas local. Quando voltei para casa, fui recebida por uma profusão de cores primaveris vindas dos vasos abandonados em minha varanda: verbenas, petúnias, cravos, lobélias, calêndulas. Era uma oferenda de beleza, e dela própria, e me deu a notícia surpreendente de que eu ainda era capaz de apreciar coisas daquele tipo.

Para lidar com nosso sofrimento e juntar os pedaços do que estava acontecendo na cabeça de Dylan, precisávamos conversar com as pessoas que o conheciam, mas eu não queria colocar nossos amigos em uma posição na qual seriam forçados a testemunhar em um julgamento. (Não podíamos falar sobre qualquer coisa de relevância legal, mas tudo tinha relevância legal.) Eu sou naturalmente espontânea, e estava acostumada a dividir meus pensamentos abertamente com as pessoas com quem me importava. Nosso advogado me disse que eu poderia falar sobre meus próprios sentimentos, e assim fiz. As pessoas ao meu redor foram gentis o bastante para ouvir, mesmo quando eu lhes contava a mesma história vez após outra.

Tudo o que eu podia fazer era receber sem dar nada em troca. Nunca precisei tanto da bondade dos outros como naquela época, e nunca expressei tão mal minha gratidão. Minha memória de curto prazo desaparecera. Eu não conseguia lembrar a quem tinha agradecido, ou se tinha dito qualquer coisa para expressar apreço. Mantive um caderno de anotações para me ajudar a lembrar o que tinha dito e feito, mas ainda estou convencida de que não consegui demonstrar gratidão a todos que a mereciam.

Ao fim de nossa primeira semana de volta em casa, sabíamos que não podíamos ir embora de Littleton. As pessoas que conheciam Dylan *antes* — que se lembravam do dia em que ele conseguiu um desempenho perfeito como arremessador no jogo de beisebol, sem nenhuma bola rebatida, que eram capazes de rir da ocasião em que ele comeu sozinho um balde inteiro do KFC, ou que gargalharam com uma de suas observações sarcásticas — também estavam ali, querendo dividir as lembranças dele. Como sobreviveríamos sem elas?

Além disso, será que um dia poderíamos fugir daquilo tudo? Jamais haveria uma maneira de escapar do terror do que Dylan fizera. Uma simples mudança de cidade não poderia nos distanciar da verdade ou da mancha que ela deixara. Aonde quer que fôssemos, o horror nos seguiria.

• • •

Perambulando pela casa, sozinha, tentando funcionar.

— ANOTAÇÃO NO DIÁRIO, ABRIL DE 1999

No início dos anos 1970, eu trabalhei como arteterapeuta em um hospital psiquiátrico em Milwaukee. Um dia ouvi Betty, uma de nossas pacientes com esquizofrenia, dizer: "Estou de saco cheio de seguir minha cara por aí". Nas semanas e meses depois de Columbine, a frase de Betty sempre me vinha à cabeça. À medida que meu estado de choque começou a se dissipar, ondas de emoções negativas tomavam conta de mim, e eu alternava entre tristeza debilitadora, medo, raiva, humilhação, ansiedade, remorso, luto, impotência, dor e desesperança.

Os sentimentos não eram novos; vinham sendo meus companheiros constantes desde que eu recebera aquele primeiro recado de Tom em meu escritório. Seja lá qual fosse a armadura protetora que minimizara o impacto nas primeiras horas, estava se tornando cada vez menos eficiente. Conforme mais dias se passavam, começou a perder força o isolamento que me permitia evitar a realidade completa do que Dylan fizera, e minhas emoções, quando vieram, foram arrasadoras. Eu já não conseguia me distanciar do sofrimento da comunidade, ou fingir que meu filho não causara aquela agonia. Ver a foto do funeral de uma das vítimas na capa do jornal local me deixou incapaz de me mover sob o peso da dor e do pesar. Eu mal conseguia funcionar.

Sempre fui superorganizada e eficiente, o tipo de pessoa que simplesmente adora navegar pela lista diária de afazeres. Nas semanas seguintes a Columbine, se eu conseguisse fazer uma só coisa — esvaziar a lava-louça, pagar uma conta — já considerava que tivera um bom dia. Ainda não conseguia voltar ao trabalho, mas minha experiência com deficientes me deu uma boa base. Os sintomas do pesar profundo — perda de memória, déficit de atenção, fragilidade emocional, fadiga incapacitante — são supreendentemente parecidos com os provenientes dos traumatismos cranioencefálicos.

Em alguns dias eu me preocupava se perderia a conexão com a sanidade. Em certa manhã eu me sentei na beira da cama tentando me vestir. Calcei uma meia, depois olhei fixamente para o nada durante uma hora antes de conseguir calçar a outra. Levei quase quatro horas para me vestir. Em uma tarde, uma amiga me ligou para saber como eu estava. "Eu não faço nada. Por que estou tão cansada?", perguntei, verdadeiramente desnorteada. Ela falou com base na própria experiência de perda: "Você não está sem fazer nada; você está de luto. É um trabalho árduo". Meu luto por Dylan estava no centro de tudo. Teria sido devastador em qualquer circunstância, mas aumentava ainda mais pela falta de compreensão e pelo sentimento de culpa acerca da destruição que ele provocara. Meu mundo foi tirado do eixo.

Os amigos que sabiam que eu sempre recorria à arte em tempos difíceis me trouxeram livros sobre o assunto e cadernos de desenho para tentar me animar, mas para mim era impossível abri-los. Usar cores vibrantes me embrulhava o estômago. Uma vida outrora preenchida com trabalho, atividades familiares, a manutenção da casa, arte e amigos estava suspensa. As longas caminhadas noturnas que eu fazia com nossos vizinhos pelos penhascos ao redor de nosso terreno eram meu único alívio.

No início de maio, a escola decidiu que os amigos mais próximos de Dylan não teriam permissão para ir à própria cerimônia de formatura, marcada para o fim do mês.

A princípio, a injustiça dessa decisão provocou verdadeiro ódio em mim e um senso de proteção em relação aos amigos de Dylan. Eles eram bons garotos e também estavam sofrendo. A maioria veio nos oferecer apoio e dizer que tinham levado um golpe cego tanto quanto nós. Muitos deles trouxeram fotos e vídeos de Dyl, e cartões que haviam recebido dele. A namorada de Zack, Devon, fez um livro de fotos e memórias com papel que ela mesma confeccionara. Lá estava Dylan — fazendo careta enquanto jogava o pai de Zack na piscina; vestindo uma camisa havaiana e um monte de colares de flores em uma festa à fantasia na casa de Devon; fazendo palhaçadas em volta de Zack e mostrando sinal de positivo para a câmera. Passei horas me derramando sobre essas imagens, desesperada pela confirmação de que o garoto sensível e divertido de quem Tom e eu nos lembrávamos realmente existira.

Depois de refletir, meu ódio acerca da formatura diminuiu, e uma resignação amarga tomou seu lugar. Quem era eu para ficar brava, mesmo em nome de outra pessoa? As circunstâncias eram extraordinárias. Não havia manual sobre como proceder diante do pior tiroteio da história dentro de uma escola.

Mais tarde, os amigos de Dylan se espalharam como miçangas de um colar quebrado. Não surpreendentemente, muitos deles sofreram sérias dificuldades durante anos. Nate passou por nossa casa quando estava saindo da cidade. Ele me pediu algum objeto para se lembrar do amigo, um pedido que me tocou, e fiquei feliz por vê-lo escolher os óculos de sol — que nos lembravam de Dylan em tempos mais felizes.

Mas Nate também tinha algo a nos dizer. Ele vira Dylan dar uma grande quantia em dinheiro para um cara com quem eles trabalhavam na pizzaria Blackjack. Quando Nate o pressionou, Dylan contou que o dinheiro era para comprar uma arma.

Ficamos pasmos com essa notícia. Até mesmo Tom estava finalmente inclinado a expressar raiva por Dylan, pelo fato de ele ter mentido para nós. Nós dois estávamos apegados à crença de que Dylan era uma vítima inocente, enlaçada por Eric no último minuto — e agora ali estava a prova de que ele tivera um papel ativo na compra de uma arma, mais uma evidência de que meu filho não era a pessoa que eu pensei que fosse.

Um mês depois do tiroteio, enviei as cartas que escrevera às famílias dos mortos. Nosso advogado assistiu aos noticiários para ver a reação delas. (Eu ainda não conseguia ligar a televisão.) Como esperávamos, as reações foram absolutamente diversas. Algumas demonstraram apreço pelo esforço. Outras ficaram furiosas; pelo menos uma das famílias rasgou a carta sem ler. Não havia só um ponto de vista. Nas semanas, meses e anos que estavam por vir, quando um indivíduo ou uma família agia agressivamente, isso me ajudava a lembrar que eles não necessariamente representavam todas as famílias envolvidas.

Recebi duas respostas escritas de famílias de vítimas nos meses que se seguiram. Uma delas veio da irmã adolescente de uma das garotas assassinadas. Ela dizia que não nos culpava pela tragédia, e eu chorei de alegria e tristeza. Em seguida, no meu aniversário, onze meses depois, recebemos uma carta do pai de um garoto morto na biblioteca. Ele se manifestou com compaixão e disse que gostaria de poder nos ajudar de alguma forma. A carta pareceu um presente dos céus. Tivemos permissão de nosso advogado para escrever de volta, mas não pudemos nos encontrar durante muitos anos por causa das várias ações judiciais contra nossa família.

A pequena sensação de missão cumprida que conquistei com o envio das cartas às famílias das vítimas foi efêmera. Houve muito mais perdas do que as treze vidas que chegaram ao fim. Eu senti que também precisava escrever aos vinte e quatro que ficaram feridos. Havia estudantes que nunca mais poderiam andar, e alguns que viveriam em dor constante. Depois de trabalhar por anos com jovens deficientes, eu fazia ideia das dificuldades que os estudantes feridos e suas famílias teriam de enfrentar. Pensei na agonia física e psicológica que deviam estar passando, e na drenagem contínua de seus recursos financeiros. Alguns teriam de se adaptar a uma nova identidade, que afetaria todos os aspectos de sua vida. Mesmo que fôssemos considerados financeiramente responsáveis, não haveria dinheiro no mundo que pudesse minimizar o que Dylan causara.

O segundo conjunto de cartas — às famílias dos sobreviventes — levou muito mais semanas para ser escrito que o primeiro. Mais uma vez, eu estava perplexa pela inadequação de minha mensagem, e pela fragilidade de meras palavras diante de tudo o que se perdera. Como eu ousaria me intrometer na vida deles? Mas eu sentia que precisava fazer alguma coisa.

. . .

> *Estou cansada de acordar todos os dias com o coração partido, com saudades de Dylan e querendo gritar alto o bastante para acordar do pesadelo em que minha vida se transformou. Quero segurar Dylan em meus braços de novo, aconchegá-lo como fazia anos atrás, colocá-lo no colo e ajudá-lo com seus sapatos ou com o quebra-cabeça. Quero conversar com ele, e evitar até mesmo que ele considere pensar naquele ato horroroso.*
>
> — ANOTAÇÃO NO DIÁRIO, 11 DE MAIO DE 1999

Há uma cena no final de *Os caçadores da arca perdida* na qual Indiana Jones está amarrado, costas com costas, à heroína do filme. Eles não podem fazer nada além de fechar os olhos enquanto espíritos voadores lançam uma tempestade de destruição a seu redor. Tom e eu estávamos, da mesma forma, amarrados um ao outro, incrivelmente expostos, mas incapazes de fugir, e não sabíamos se sobraria alguma coisa da nossa vida quando o furacão passasse. Nosso sofrimento aumentava a cada revelação sobre Dylan.

Logo após o tiroteio, procuramos um dos terapeutas recomendados em uma carta do investigador de homicídios do condado. Tom e eu fomos até lá algumas vezes, mas em breve chegamos à conclusão de que as sessões não estavam ajudando. Eu continuei um pouco mais, embora o terapeuta e eu mal tivéssemos tocado a superfície de minha dor. Ele parecia estupefato pela nossa situação e pela magnitude daquilo com que estávamos lidando. Ele lia os jornais, assistia aos noticiários e navegava na internet para avaliar a reação do mundo. Quando eu entrava na sessão de terapia, ele se virava do computador e fazia menção às ameaças feitas contra nós nos jornais e na internet. Eu estava tentando me isolar desse tipo de medo e negatividade, e aqueles relatos me deixavam ansiosa. Tenho certeza de que o terapeuta só estava preocupado com nossa segurança, mas às vezes parecia consideravelmente mais preocupado com os fatores externos do que com meu estado emocional.

Fizemos alguns exercícios para lidar com a tristeza, tais como escrever cartas para Dylan, mas Tom e eu não conseguíamos iniciar o árduo trabalho de encarar a perda de um filho. Como poderíamos? Fomos arrastados pela loucura que nos inundava. Nosso pesar por Dylan estava enterrado sob as dificuldades de viver a vida que ele criara para nós.

Também se tornava cada vez mais evidente que Tom e eu estávamos indo em direções diferentes com nossa dor. Tom é um empreendedor, sem nem um pouco da minha precaução inata, sempre disposto a mergulhar em um novo projeto sem parar para se preocupar com quanto será difícil ou caro. Eu me apaixonei pela criatividade dele e sempre fui fascinada por sua capacidade de se arriscar e por sua ausência de medo. Sempre fomos muito atraídos um pelo outro e compartilhávamos o mesmo senso de humor. Quem você é dita a maneira como se comporta no processo de luto, e o caráter extremo da situação em que nos encontrávamos começou a evidenciar quanto Tom e eu éramos diferentes.

Tom estava buscando uma explicação: os praticantes de bullying, a escola, a imprensa, Eric. Nada disso fazia sentido para mim. Embora eu ainda estivesse mantendo certo nível de negação sobre o grau de envolvimento de Dylan, era mais fácil para mim acreditar que ele era louco — ou até mesmo diabólico — do que fingir que qualquer coisa pela qual ele tenha passado pudesse justificar o que ele fizera.

Enquanto eu me confortava com nossos visitantes, Tom achava mais fácil ficar sozinho. A mim parecia que ele queria controlar os advogados que trabalhavam conosco, enquanto eu estava dolorosamente consciente de que estávamos longe de nosso estado normal, e me sentia grata quando um profissional experiente podia nos dizer o que fazer.

Nosso casamento fora bem-sucedido durante quase trinta anos porque nos completávamos. Mas, depois de Columbine, parecíamos não concordar em nada. Estávamos ambos na mesma montanha-russa, mas nunca no mesmo lugar ao mesmo tempo. Se Tom estava triste, eu estava brava. Se eu estava triste, ele estava bravo. Eu sempre fora capaz de relevar os maus humores de Tom e de rir de seus ataques de rabugice. No entanto, quando se está sofrendo de modo tão extremo, a tolerância ao estresse diminui. Era como se minha pele tivesse sido arrancada, não deixando nenhuma camada de proteção entre mim e a emoção avassaladora. No meu diário, escrevi:

> *As palavras de Tom soam como uma furadeira para mim, até mesmo aquelas ditas bem baixinho. Os pensamentos dele nunca estão alinhados com os meus. Eles sempre vêm de longe, e são totalmente estranhos ao meu modo de pensar.*

Nosso relacionamento com Byron também ficou abalado. Ele se mudou de volta para casa várias semanas após a morte do irmão. Naquela época, já morava em seu apartamento havia dois anos e se acostumara a ser independente. Tom e eu não conseguíamos parar de fazer pressão e de nos meter na vida pessoal dele; achávamos que nossa falta de participação na vida de Dylan levara a Columbine. Porém mal conseguíamos ser racionais, um ponto que chamou nossa atenção em uma noite, quando Byron saiu para jantar com um amigo.

O clima estava ruim, e Tom e eu não conseguíamos dormir, pensando nas condições perigosas das estradas espiraladas que levavam a nossa casa. Finalmente ouvimos o carro de Byron estacionar na garagem por volta das onze horas, mas ele não entrou em casa, conforme esperávamos. Em vez disso, ouvimos alguns sons metálicos vindos da garagem, e então o carro saiu de novo, a toda a velocidade.

Entramos em pânico. Nossa cabeça se encheu com as piores situações: armas, drogas, suicídio, roubo, assassinato. Será que Byron veio para casa com uma arma escondida ou outro tipo de contrabando? Será que escondeu mercadoria ilegal em nossa garagem? Será que deveríamos chamar a polícia?

Vinte minutos depois, remontando ao som de nosso coração disparado, ouvimos o carro de Byron estacionar a uma velocidade mais tranquila. Ele ficou muito surpreso por nos encontrar de pijama e com os olhos arregalados, esperando por ele no topo da escada. A situação era completamente diferente do que havíamos imaginado. A caminho de casa, Byron passara por um carro que derrapara na estrada escorregadia. Ele viera até em casa para pegar uma corrente na garagem, a fim de tirar o outro motorista da vala.

Depois daquela noite, eu o fiz prometer nunca, de propósito, machucar a si mesmo ou a outra pessoa. Fiquei surpresa ao descobrir que ele também precisava dessa mesma promessa de minha parte. Estávamos começando a cair no padrão complicado que definiria nosso relacionamento nos anos seguintes ao tiroteio, mesmo tendo ficado mais próximos do que nunca. Eu o encorajava a falar sobre seus sentimentos, mas, quando ele confessou seu desespero (justificável, naquelas circunstâncias), eu me preocupei que ele pudesse causar algum ferimento a si mesmo. Colocá-lo naquela posição foi terrivelmente injusto. Eu estava lhe pedindo para me assegurar que estava bem — de fato, eu estava lhe pedindo para *ficar* bem — quando, obviamente, ele não estava. Levaríamos um bom tempo para encontrar uma maneira de conversar sobre nossa devastação enquanto garantíamos um ao outro que ainda estávamos comprometidos com a vida.

Na verdade, não tenho certeza se estávamos. Em muitos dias, morrer parecia mais fácil que viver. Nós três falávamos sobre morte, cinzas, epitáfios, o sentido da vida. Tom disse que sabia quais seriam suas últimas palavras: "Graças a Deus acabou".

. . .

Li cartas durante cinco horas, chorando praticamente o tempo todo. Duas caixas agora, uma da agência dos correios e uma do advogado. Tantos cartões e cartas de amor e apoio, e, mesmo assim, uma só carta de ódio e eu estou em frangalhos.

— ANOTAÇÃO NO DIÁRIO, MAIO DE 1999

Muito já foi escrito sobre a necessidade que a maioria das pessoas tem, após tragédias como a de Columbine, de pôr a culpa em alguém. Quer tenha sido a escala ou a irracionalidade da tragédia, ou milhares de outras razões que eu possa imaginar, Columbine se tornou — e ainda é — um para-raios. As pessoas culparam videogames, filmes, música, bullying, acesso a armas, professores desarmados, ausência de orações nas escolas, humanismo secular, medicação psiquiátrica. Mas a maioria culpou a nós.

Para mim, aquilo fazia sentido. Se eu estivesse sentada em minha sala de estar, sacudindo as páginas do recém-entregue *Rocky Mountains News*, com Dylan ensacando o lixo da cozinha atrás de mim e Byron feliz e desajeitadamente seguro em seu apartamento do outro lado da cidade, também teria culpado a nós.

Eu não me perguntava sobre a família de um criminoso toda vez que ouvia falar de um terrível ato de violência? Não pensava: *Que raios esses pais fizeram com essa pobre criança para que ela crescesse e fizesse algo desse tipo? Um filho criado com amor, em uma casa cheia de carinho, nunca teria feito uma coisa dessas.* Durante anos, e sem pensar duas vezes, aceitei as explicações que jogavam a culpa totalmente na família dos criminosos. Obviamente os pais foram displicentes, irresponsáveis, secretamente abusivos. Claro que a mãe fora uma víbora, uma opressora, um capacho.

E era por isso que eu ficava tão surpresa quando pessoas que não conhecíamos entravam em contato com nossa família, manifestando pesar tanto por nossa perda quanto por nossa situação difícil. É também por isso que tenho tanta admiração e apreço pelas famílias das vítimas que se manifestaram sem nos culpar. Elas não têm como saber, como eu, o que é ser a mãe de um assassino, e mesmo assim foram capazes de demonstrar compaixão. Isso para mim é formidável. É algo que eu mesma não tenho certeza se teria sido capaz de fazer.

Alguns dias depois do tiroteio, o advogado nos entregou uma caixa de papelão contendo um anjo de cerâmica pintado a mão, um jantar congelado de frango cremoso com pãezinhos e alguns cartões de condolências — todos gestos de pessoas que nunca conhecemos. Aqueles pingos de consideração transformaram-se em um riacho, depois em uma enxurrada. Pessoas escreveram de todos os lugares do país e do mundo. Só precisavam colocar o nosso nome e "Littleton, CO" no envelope que suas palavras e seus presentes chegavam até nós.

Muitas das correspondências vieram de pessoas que Tom e eu tínhamos conhecido em outras épocas: colegas de escola, professores, colegas de trabalho, ex-alunos. Algumas vinham de famílias da região cujos filhos conheceram Dylan, compartilhando as lembranças que tinham dele. Essas eu reli diversas vezes. No entanto, muitas das cartas eram de estranhos, e grande parte era anônima. Recebemos orações, poemas, livros, placas, brinquedos, desenhos de crianças e objetos feitos a mão. As pessoas fizeram doações para a caridade em memória de Dylan. Chegavam a enviar dinheiro e cheques, que nós devolvíamos.

Pessoas de todo tipo escreveram para nós: sacerdotes, advogados, professores, assistentes sociais, policiais, fuzileiros navais dos Estados Unidos e presidiários. A generosidade era impressionante. Ofereciam serviços de assistência legal, conversas confidenciais, massagens, quartos privados onde poderíamos nos esconder da imprensa.

Uma quantidade enorme de pessoas nos escreveu para dizer que estavam consternadas por ver os memoriais da cidade lembrarem treze e não quinze vítimas. Algumas escreviam para dizer que suas organizações religiosas ou grupos sociais tinham se lembrado dos quinze — em eventos em que o nome de Dylan fora lido com o das outras vítimas, ou em missas em que orações foram feitas pela alma dele. Fiquei muito agradecida por essas cartas. Para mim, houve quinze vítimas. Embora eu compreendesse a reação em minha própria comunidade, ainda era difícil aceitar que a vida inteira de Dylan não tinha valor por causa do que ele fizera antes de morrer.

Foi divulgado extensivamente na imprensa que Dylan e Eric tinham sofrido bullying, e então recebemos cartas de pessoas de todas as idades que passaram por isso no ensino médio. Eu não sabia que Dylan sofrera bullying, e o choque de ter que reajustar a imagem que tinha dele foi extremo. Independentemente disso, fiquei comovida com as descrições dos autores das cartas sobre o ódio cego, a depressão e o desamparo de se sentir tão impotente. "Não estou surpreso que isso tenha acontecido. Estou surpreso que também não tenha acontecido na minha escola, e que não aconteça todos os dias nas escolas de todo o país", um homem escreveu depois de compartilhar suas experiências do ensino médio, de ter medo de ir ao banheiro ou simplesmente caminhar pelos corredores. Jovens escreviam diretamente para Dylan, derramando seu pesar e seu ódio pela cultura da escola, e eu me perguntei se alguém próximo deles sabia do sofrimento que carregavam.

Muitas das pessoas que escreveram compartilharam experiências pessoais de perda. Algumas relataram suas próprias experiências familiares com doenças mentais e suicídio. Essas cartas me ajudaram tremendamente, assim como aquelas nas quais pais e avós compartilharam histórias sobre dificuldades e humilhações causadas por um membro da família.

Um pastor escreveu para contar que seu filho estava cumprindo pena de prisão perpétua por assassinato. Eu sempre relia essa carta. Uma das (muitas) coisas pelas quais eu me sentia culpada diante da tragédia era o medo de ter falhado em dar uma educação religiosa adequada. Eu ensinara a Dylan a diferença entre o certo e o errado, mas não íamos regularmente à igreja ou à sinagoga desde que os garotos eram pequenos. Era tolice — um único exemplo não serve como verdade —, mas mesmo assim eu sentia grande conforto em saber que, naquele evento em particular, pelo menos, o catecismo não fora suficiente para impedir um jovem de fazer uma escolha terrível.

Nosso advogado indicou um membro de sua equipe para rastrear e remover cartas contendo demonstrações de ódio ou ameaças de morte. Apesar de seus esforços para nos proteger, nós recebíamos esse tipo de manifesto. E uma única carta negativa obliterava os efeitos positivos de centenas de outras cartas de apoio.

Uma delas exibia apenas, em pincel atômico preto: "COMO VOCÊS PODIAM NÃO SABER??!"

Essa era, obviamente, a pergunta que eu me fazia dia e noite. Eu não me imaginava uma mãe perfeita, de jeito nenhum. Acreditava, no entanto, que minha conexão tão próxima (não só com Dylan, mas com meus dois filhos) significaria que eu seria capaz de intuir se algo estivesse errado, especialmente se estivesse muito errado. Eu nunca diria que tinha acesso a cada pensamento e sentimento de Dylan, mas diria, com confiança, que sabia exatamente do que ele era capaz. E estaria errada.

"Senão pela graça de Deus, prossigo", uma mãe escreveu. Ela tinha um filho doente mental e violento, e contou em detalhes que acordava todos os dias morrendo de medo de receber um telefonema com notícias terríveis sobre seu filho, como o que eu recebera de Tom. Foi um sentimento que muitos outros ecoaram ao longo dos anos. Uma carta ofereceu orações de apoio, e estava assinada por "Uma mãe no corredor da morte".

Recebemos algumas cartas de famílias de vítimas de outros tiroteios. O filho de um homem fora assassinado na escola, e ele compartilhou, eloquentemente, seus sentimentos iniciais de dor, revolta e inconformismo. A carta me deu uma vaga ideia do que as famílias das vítimas deviam estar sofrendo. As pessoas escreviam para contar da perda de suas crianças, como uma jovem mãe cujo bebê sofrera uma lesão fatal na cabeça quando caíra a poucos passos dos familiares. Essas cartas me permitiram me reconectar com a parte de mim que estava simplesmente sofrendo por Dylan. Obviamente, ouvimos muitas pessoas que perderam entes queridos para o suicídio. Eu ainda não conseguia entender completamente a morte de Dylan como suicídio, mas aquelas cartas me ajudaram a começar a entender. Mais tarde eu teria a oportunidade de me encontrar com muitas das pessoas que escreveram.

Embora estivéssemos isolados de nossa comunidade local de várias formas, as cartas me ajudaram a encontrar afinidade com outros em escala global. Muito mais pessoas do que eu jamais imaginara passavam por experiências de perda e extrema dificuldade. Havia uma quantidade avassaladora de dor no mundo lá fora. Era como se tivéssemos acessado um poço profundo de sofrimento universal. Eu me admirava diariamente com a compaixão e a generosidade das pessoas. Um cartão dizia simplesmente: "Deus abençoe sua família", na caligrafia trêmula e cuidadosa de alguém muito idoso, e eu me maravilhava diante do enorme e possivelmente doloroso esforço que um estranho do outro lado do país fizera — comprar o cartão e o selo, escrever a mensagem, enviá-la pelo correio — só para que eu não me sentisse tão sozinha. Essas eram pessoas com profundidade emocional, com ampla capacidade de compreensão, provenientes da dor de sua própria vida.

Infelizmente ainda era cedo demais para eu conseguir me confortar com essas histórias de sobrevivência. Eu ainda não acreditava que pudesse haver um "depois".

Assim como tantas coisas que aconteceram conosco após o tiroteio, não havia como responder normalmente às cartas que recebíamos. Respondi pessoalmente às primeiras mensagens, e tinha a intenção de continuar, mas as caixas de correspondência chegavam uma atrás da outra. Meu avô uma vez chegou ao ponto de escrever uma mensagem de agradecimento em resposta a uma linda mensagem de agradecimento que recebera, então minha falha em reconhecer a generosidade das pessoas que se manifestaram pesava muito em mim. Eu odiava a ideia de que as pessoas que tinham gastado seu tempo e feito o esforço de expressar solidariedade ficassem sem resposta, mas eu simplesmente não tinha condições de fazê-lo.

Empilhei as cartas a nosso redor, enchendo cestos de plástico para separá-las e organizá-las, até que elas tomaram conta da sala de estar. Desenvolvi um sistema de triagem para priorizar aquelas que exigiam resposta pessoal, mantendo no topo pessoas que tinham compartilhado pensamentos desesperados e suicidas. Respondi muitas cartas, mas foi somente um pequeno percentual. Parei de contar os cartões e as cartas quando somaram três mil e seiscentos, e eles continuaram chegando até bem depois de eu não estar mais contando.

Meu sentimento de culpa era amplificado pelas críticas severas que recebíamos de todos os cantos. Éramos condenados diariamente na imprensa, geralmente por decisões que nem eu mesma entendia completamente. Por exemplo, nossos advogados nos instruíram a registrar nossa intenção de notificar o departamento de polícia, uma estratégia legal de rotina para manter nossas opções abertas caso novas informações sobre o caso ficassem disponíveis. Enquanto isso, manteríamos um relacionamento positivo com o departamento de polícia, continuando a nos comunicar e ávidos por ajudá-los de qualquer forma que pudéssemos. Mas as notícias apareceram rapidamente na imprensa após a decisão, e deram a entender que processaríamos o departamento de polícia pelo que nosso filho havia feito. Notícias como essa levavam a um volume impressionante de comentários venenosos. "Esses pais são repugnantes", uma pessoa soltou em um programa de rádio que ouvi, sem querer, enquanto trocava de estação em meu carro. As pessoas achavam que deveríamos ser presos, caçados feito animais, torturados, mortos. Até hoje não consigo olhar para a seção de comentários dos artigos sobre Columbine.

Nunca consegui escapar do medo e da humilhação que esses comentários deixaram para trás. Sempre me considerei uma boa cidadã e uma boa mãe, e agora estava sendo mostrada como a pior mãe que já existira. Pela primeira vez na vida eu estava vivendo como um pária, julgada e rejeitada por circunstâncias sobre as quais eu não tinha controle. Dylan havia, inconscientemente, criado uma oportunidade para entendermos como ele deve ter se sentido durante seus últimos anos de vida.

Vivíamos em um pequeno casulo psicológico depois da morte de Dylan: um reduto no qual ainda éramos os pais atenciosos, carinhosos e bem-intencionados que perderam o filho. A única maneira de sobrevivermos era minimizando nossa exposição à negatividade, e, assim, recuamos. Toda vez que alguém tentava falar em nosso nome, as palavras eram distorcidas e erroneamente divulgadas na imprensa. Dessa forma, nos rodeamos de amigos e nos trancamos longe do restante do mundo. Não respondíamos nem mesmo às acusações mais ofensivas.

Não tenho certeza de que nos recusar a nos envolver tenha sido a melhor estratégia. Nossa incapacidade de falar em nossa própria defesa fez as pessoas acreditarem que estávamos escondendo algum segredo. Parecia, e ainda me parece, errado deixar as inverdades prevalecerem — especialmente porque muitas das ideias errôneas acerca de nossa família e do modo como criamos Dylan são consideradas verdadeiras até hoje.

. . .

Estou cansada de ser forte. Não consigo mais ser forte. Não consigo encarar ou fazer nada. Estou perdida em um profundo abismo de sofrimento. Tenho dezessete recados na secretária eletrônica e nenhuma energia para ouvi-los. O quarto de Dylan está exatamente como a polícia o deixou, e não tenho condições de colocá-lo em ordem.

— Anotação no diário, maio de 1999

Durante nossos primeiros dias de volta em casa, fizemos esforços desarticulados para retomar a posse de nosso lar, mas o quarto de Dylan permaneceu como a polícia o deixara, com os pertences dele para fora, no mezanino, e seu colchão descoberto encostado no corrimão do andar de cima.

No mês seguinte à morte dele, comecei a fazer investidas diárias no quarto, pondo algumas coisas em ordem antes que a força de meus sentimentos tomasse conta de mim e eu tivesse de fugir. Passei muito tempo sobre a pia do banheiro de Dylan. Tufos de seus cabelos loiros ainda estavam em seu pente, e os pelos de sua barba enchiam o aparelho de barbear elétrico que tínhamos comprado para ele.

Não era só a força do meu sofrimento que evitava que eu fizesse mais. Toda vez que eu desinfetava uma superfície ou lavava um cesto de roupa suja, estava destruindo os vestígios de Dylan. A ideia de apagá-lo me cortava o coração, e eu me preocupava que, a cada cesto de lixo esvaziado, eu estivesse perdendo a oportunidade de compreender suas últimas horas de vida. Claro que os investigadores levaram tudo o que achavam relevante, mas eu ainda estava buscando respostas nos destroços que encontrava.

Eu não estava mais perto de entender o que ele pensava e sentia, ou como o garoto que eu amei e criei podia ter participado de uma atrocidade daquelas. O que poderia explicar seu estado mental? Será que havia drogas em seu organismo, não detectadas na autópsia? Será que houve influências externas? Crime organizado, talvez? Mesmo que Eric tivesse elaborado todo o plano e insistido para Dylan participar, meu filho era inteligente. Ele poderia ter encontrado uma maneira de sair pela tangente, se quisesse. Por que não o fez? Será que Eric o coagiu ou ameaçou? Será que Dylan sofreu lavagem cerebral? A certa altura, Byron perguntou seriamente se o irmão poderia estar possuído. Um mês antes, eu teria rido alto diante de uma ideia tão ridícula, mas, em nossa nova realidade, a possessão demoníaca parecia uma resposta tão plausível quanto qualquer outra.

Não havia túmulo, então eu passava horas no quarto de Dylan tentando intuir as respostas às questões que nos atormentavam. Fiquei chocada ao encontrar um maço de cigarros em uma de suas gavetas. Não muito antes de ele morrer, achei que tivesse sentido cheiro de tabaco nele e perguntei sem rodeios se ele estava fumando. Ele me dirigiu um olhar exasperado e respondeu: "Não sou *tão* idiota assim!" Parecia que Dylan tinha verdadeiro desprezo pelo hábito, e eu acreditei nele. Os cigarros na gaveta sugeriam que ele mentira descaradamente.

Também fiquei triste ao encontrar um frasco quase vazio de erva-de-são-joão no armário de remédios de Dylan. Eu estivera no banheiro dele muitas vezes nos meses anteriores, para ter certeza de que ele o mantinha limpo, mas nunca havia olhado dentro do armário de remédios. A erva-de-são-joão é um antidepressivo natural encontrado em lojas de produtos naturais e farmácias. Ali estava uma prova clara e incontestável de que Dylan estava deprimido o suficiente para tentar aliviar aqueles sentimentos com medicação. A data de vencimento no frasco indicava que ele o adquirira havia bastante tempo.

Eu estava começando a perceber como tinha sido ingênua. Nossa caixa de correio estava lotada de relatos de pessoas, a maioria adultas, confessando as atividades ilícitas que esconderam dos pais quando eram adolescentes: façanhas sexuais, uso de drogas, roubo. Algumas das histórias eram engraçadas — decisões tolas da adolescência com final feliz. (O autor de uma das cartas fora preso no telhado da casa onde passara a infância, sem calça.) Mas a maioria era trágica e representava anos de silêncio doloroso.

O "descarrego" coletivo estava acontecendo em nosso próprio círculo de amizades também. Quase todos que vinham nos visitar contavam algo que tinham escondido dos pais durante os anos de adolescência: bebidas e drogas, viagens de carro para Las Vegas, anos de furtos em farmácias, um namorado muito mais velho. Estimulado pelos eventos de Columbine, um amigo finalmente admitiu para o pai (e para nós) que, quando garoto, fora sexualmente molestado pelo vizinho durante anos. Eu me peguei silenciosamente perguntando o que todas as pessoas do mundo provavelmente se perguntavam sobre mim: *Como o pai dele pôde não notar algo tão importante?*

Também recebemos uma carta, com o carimbo do correio datado de 27 de abril de 1999, que reproduzo aqui com a permissão da autora, embora tenha mudado os nomes e os lugares para proteger a privacidade dos envolvidos. Ela foi enviada por Cindy Worth, que tinha mais ou menos a nossa idade. Tom conhecera a família dela na adolescência e mantivera contato com eles ao longo dos anos. Nós dois admirávamos os Worth; eles eram bem-sucedidos e felizes, pilares de sua igreja — boas pessoas —, e eu sempre ficava impressionada com quanto eram próximos e carinhosos uns com os outros.

Com verdadeira tristeza e alarme, lemos o seguinte:

Queridos Tom, Sue e Byron,

Perdoem-me pelo tamanho desta carta, mas há tanto a ser dito. Espero que, ao compartilhar minha história, vocês possam encontrar algum conforto e entender melhor por que Dylan não conversou com vocês sobre a dor e o ódio que estava sentindo.

Meus pais se mudaram para o Colorado [quando] eu tinha catorze anos. Quase desde o princípio, fui perturbada por um grupo de garotos que me chamavam de "Flipper", porque meu nariz é comprido. Eles andavam atrás de mim pelos corredores da escola e cantavam a música-tema do programa de televisão *Flipper*. Penduravam absorventes internos usados e protetores diários no meu armário e roubavam cartas do meu caderno. Eles liam no vestiário dos garotos, antes do treino de futebol americano, as cartas que eu escrevia aos meus amigos da minha antiga cidade.

O ápice da perturbação aconteceu quando fui estuprada por um jogador de futebol americano. Ele bradava aos amigos que teria sido "melhor" se não tivesse olhado para minha cara feia.

Nunca contei isso aos meus pais — não até alguns dias atrás. Eu queria que eles soubessem — e queria que vocês soubessem — por que não lhes contei. Isso pode ajudá-los a compreender por que Dylan não conversou com vocês sobre os problemas dele.

Eu sentia enorme vergonha por ser alvo de perturbações e ataques. Posso lhes dizer, por experiência própria, que os jovens se culpam pela dor que sofrem. Eu achava que devia haver algo errado comigo para as pessoas me tratarem daquele jeito.

DE MÃE PARA MÃE

Queria que meus pais pensassem o melhor de mim. Presumi que, se lhes contasse o que acontecera, eles me veriam como eu mesma me via: feia e cheia de defeitos.

Eu era jovem e confusa demais para reconhecer que o que aconteceu foi um crime. Achei que, se contasse a alguém, os insultos piorariam.

Sofri em silêncio durante três meses, e ficava mais deprimida a cada dia. Eu estava pensando em suicídio quando encontrei alguém que, literalmente, salvou minha vida.

Ken era um garoto de aparência engraçada, simpático e alegre, ele mesmo um tipo estranho, mas isso não parecia incomodá-lo. Ele me procurou e se tornou meu amigo. Depois de várias semanas, eu me senti segura o bastante com ele para lhe contar o que acontecera. Esse garoto doce e gentil de catorze anos teve sabedoria o bastante para me ouvir e me abraçar enquanto eu derramava baldes de lágrimas. Ken cresceu e se tornou pastor. Ele foi e sempre será o meu pastor.

Isso é o que DEVERIA ter acontecido com Dylan. Um amigo, um companheiro, deveria ter estado lá para ele. Um amigo que pudesse guiar Dylan para longe do ódio e da depressão, não para alimentá-lo.

Por favor, acreditem nisso. Esse amigo não poderia ter sido vocês, Tom e Sue, como pais. Ou você, Byron, como irmão. O processo de crescimento e separação torna *extremamente difícil* para as crianças procurarem nos pais ou nos irmãos a ajuda com esses problemas secretos e dolorosos.

Acredito com todas as fibras do meu corpo e a agitação da minha alma que Dylan está com o Senhor e que nós o veremos e nos alegraremos com ele novamente.

Amo vocês. Nós amamos vocês. Estamos torcendo por vocês.

Cindy

Tom e eu relemos essa carta muitas vezes. Ele conhecia Cindy pela vida inteira; eu a conhecia havia mais de vinte anos. Nossos filhos comemoraram aniversários juntos. Nenhum de nós jamais teria imaginado que ela tivesse passado por algo como o que descreveu — nem o bullying, nem o estupro — ou que tivesse estado tão próxima do suicídio. Conversamos com os pais dela, arrasados, uma ou duas semanas depois. Eles também ficaram profundamente chocados com a revelação.

Entre outras coisas, a carta de Cindy reafirmou para nós como a desolação pessoal de uma criança pode passar despercebida pelos pais mais cuidadosos, professores e colegas caso essa criança escolha mantê-la escondida. Eu tinha sido professora universitária durante a maior parte de minha carreira, e sabia muito bem que os jovens tinham um comportamento arisco, escondendo pacotes de cerveja e se agarrando furtivamente no estacionamento. Ainda assim, eu nunca imaginaria ser possível para um adolescente esconder um evento tão turbulento quanto um estupro, ou pensamentos e sentimentos tão sérios quanto a ideia de suicídio, especialmente para pais como os Worth. Cada dia trazia um novo choque de realidade para me mostrar como minha crença tinha sido dolorosamente ingênua — e perigosa.

Mais que qualquer coisa, a carta de Cindy me fez querer conversar com Dylan. Um diálogo rápido entre mim e ele passava em minha cabeça como uma música de fundo, em um loop constante e exaustivo. Nos primeiros dias na casa de Ruth e Don, meu médico receitara um ansiolítico. Eu só o tomei uma vez. A repressão da ansiedade fez o luto vir à tona com força total. Eu não conseguia parar de chorar, como se uma torneira tivesse emperrado na posição ligada. Depois daquilo, decidi viver com minhas emoções, sem medicamentos.

Eu estava começando a perceber que não fazia sentido tentar evitar ou escapar da confusão ou do sofrimento. O melhor que eu podia fazer era simplesmente tentar sobreviver àquilo e, nos meses e anos por vir, fazer tudo que estivesse ao meu alcance para entender todas as coisas que eu não sabia sobre meu filho.

8

UM LUGAR DE SOFRIMENTO

*Esta biblioteca foi um lugar de crianças inocentes, um lugar onde
deveriam estar em segurança, e agora estão todas mortas.*

— Anotação no diário, junho de 1999

No início de junho de 1999, lemos no jornal que os familiares das vítimas estavam sendo convidados para visitar a biblioteca da escola, onde muitos alunos tinham morrido, antes que as reformas destruíssem o local.

Eu sabia que Dylan nunca seria considerado uma vítima de Columbine, e entendíamos por que não tínhamos sido convidados. Mas precisávamos ver o lugar onde nosso filho ceifara a própria vida e a vida de tantos outros. Nosso advogado falou com o departamento de polícia para nos conseguir uma visita. Estávamos vivendo mais ou menos às escondidas desde o tiroteio, então encontramos os advogados no estacionamento da loja de material de construção para trocar de carro. Pela primeira vez o esquema sigiloso não parecia absurdo.

A escola ainda era o cenário de um crime. Assim que vi a fita amarela, meu coração disparou no peito. À medida que caminhávamos pelos corredores, víamos os trabalhadores consertando os estragos que Dylan e Eric causaram. Manchas de fuligem negra no carpete, nas paredes e no teto indicavam onde eles jogaram pequenos explosivos enquanto andavam pelo edifício. Telhas haviam sido retiradas, assim como algumas partes do carpete. Placas de plástico transparente cobriam as janelas estilhaçadas. Não era a primeira nem a última vez que eu ficava estupefata pela magnitude do estrago que meu filho causara. Os trabalhadores olhavam para nós do alto de suas escadas, e eu me perguntei se sabiam quem éramos.

A porta da biblioteca estava trancada, coberta com plástico e envolta em fita policial amarela. Antes de entrarmos, os policiais nos disseram que estávamos ali para ver o local onde nosso filho morrera, e aquilo era tudo. Eu me senti grata pelo profissionalismo da polícia e pelo respeito que mostraram a todas as vítimas.

Eu estava tremendo quando cheguei. Sempre buscando respostas, queria acreditar que ver o local onde Dylan e os outros tinham morrido me daria uma revelação, algum tipo de insight. Esperava que fosse entrar ali e descobrir algo vital sobre os eventos daquele dia e sobre o estado mental de Dylan, e tentei deixar a tristeza de lado para poder captar qualquer verdade que ocupasse o lugar.

No momento em que entrei no recinto, tudo ficou em silêncio. Eu não conseguia mais ouvir os reparos feitos no corredor. Senti apenas duas coisas antes de ser tomada pelas lágrimas. Senti a presença de crianças, e senti paz.

A polícia nos levou ao ponto onde Eric e Dylan tinham se matado. Meu coração disparou quando vi a forma esguia e angular marcada no chão. Claro que era Dylan; era exatamente como ele. Minhas lágrimas molharam o chão. A mão gentil de Byron estava em minhas costas quando me ajoelhei ao lado da marca que lembrava meu filho e toquei o carpete que o amparou quando ele caiu.

9

A VIDA COM O LUTO

*Frase no jornal sobre pacientes com câncer: "As pessoas que se
saem bem criam um espaço na mente e no espírito onde estão bem,
e vivem a partir daquele lugar". É isso o que estamos fazendo.
A analogia de Tom é que um tornado destruiu nossa casa, e só
podemos viver em uma parte dela. É isso o que é viver com o
luto. Você vive naquele lugarejo onde consegue funcionar.*

— ANOTAÇÃO NO DIÁRIO, AGOSTO DE 1999

O teólogo C. S. Lewis começa *A anatomia de uma dor*, sua bela medi-
tação sobre a morte da esposa, com estas palavras: "Ninguém me
disse que o luto se parecia tanto com o medo".

Anos mais tarde, essas palavras ainda me tocam, com todo o peso dessa verdade inegável. A morte de qualquer ente amado, especialmente a
de um filho, mexe com a nossa base. Como Iris Bolton, uma sobrevivente do suicídio e autora, escreveu: "Eu pensei que fosse imortal, e que meus
filhos e minha família também fossem, que a tragédia acontecia apenas
com os outros". Precisamos acreditar nisso para sobreviver, e a verdade
nua e crua pode ser aterrorizante. Para mim, a incompreensão da maneira
como Dylan morreu aumentava esses sentimentos de instabilidade no cerne de minha identidade, pondo em xeque tudo o que eu acreditei ser verdade sobre a vida que vivi, sobre minha família e sobre mim mesma.

Uma das alunas com quem trabalhei quando ainda estava na faculdade comunitária compartilhou comigo uma das coisas mais difíceis sobre viver com sua deficiência. "Todos veem a deficiência primeiro. Para
eles, primeiro eu sou uma aleijada, antes de ser uma pessoa", ela me disse.

Na época, fui grata a ela pelo insight, pois sabia que aquilo me ajudaria em meu trabalho. Depois de Columbine, porém, eu sabia exatamente
o que ela queria dizer. Eu tinha certeza de que sempre seria vista como
a mulher que criara um assassino, e que ninguém — incluindo eu mesma
— jamais me veria de outra maneira.

. . .

Embora já tivesse cinquenta anos, nos meses após Columbine senti profundamente a perda de meus pais. Eu me sentia grata por eles não estarem vivos para presenciar o que minha vida se tornara, mas sentia falta, como uma criança, da simples segurança da presença deles.

Meu pai morreu quando eu tinha dezoito anos, mas eu já tinha trinta e oito quando perdi minha mãe, e contava com ela já bem depois de ter me tornado adulta. Em seu funeral, meus irmãos e eu nos referimos a ela como nossa estrela polar, um tributo a seu senso de doação irrepreensível ao tentar nos ajudar a encontrar nosso lugar no mundo, mesmo nas circunstâncias mais turbulentas. Imagino que seja por isso que, nos meses e anos após Columbine, eu sonhava com ela quase com tanta frequência quanto sonhava com Dylan.

Em um sonho que tive logo após a tragédia, era noite e um vento frio soprava. Eu estava procurando meu carro em um estacionamento enorme enquanto segurava Dylan, com mais ou menos dois anos de idade, nos braços. Eu tentava enrolar um cobertor ao redor dele para mantê-lo aquecido, conforme andava para cima e para baixo entre as fileiras procurando o carro, com um desespero cada vez maior e sacolas de compras grandes e pesadas, cheias de jornais, penduradas nos braços. Elas me atrapalhavam tanto para carregar Dylan que me preocupei que pudesse derrubá-lo no chão.

Quando ele começou a escorregar de meus braços, minha mãe deu um passo à frente e disse: "Me dê as sacolas. Cuide do seu filho". Uma a uma, ela ergueu as alças pesadas que cortavam meus pulsos e meus braços, me permitindo segurar Dylan com força e enrolar o cobertor bem apertado ao redor dele. Encontrei nosso carro e o coloquei em segurança na cadeirinha, enquanto minha mãe ficava ao lado, segurando as sacolas que tirara de mim. E então eu acordei.

O sonho revelou o caminho que eu deveria seguir. Os papéis nas sacolas representavam tudo que me afastava de meu luto: a preocupação com os processos judiciais, as questões financeiras, o medo de ver meu nome nos jornais, os milhares de cartas, contas, avisos e documentos que se amontoavam em nossa sala, em ondas enormes de medo e obrigação. Era fácil me sentir sufocada pelo constante assédio da imprensa, pela culpa e o ódio que o mundo me imputava, sem mencionar minha ansiedade constante de que algo terrível pudesse acontecer com Byron. Nossa situação financeira se revelou completamente desastrosa, tão complicada que parecia que nunca mais conseguiríamos sair do buraco.

Mas minha mãe tinha razão. Eu precisava focar no luto por Dylan e suas vítimas, e deixar todo o resto de lado.

Foi difícil. Mesmo que eu não estivesse incapacitada pelo luto, o mero peso administrativo do que estávamos enfrentando teria me deixado esgotada. Um mês depois da tragédia, Tom e eu ainda vagávamos como fantasmas pelos cômodos de nossa casa vazia, atordoados pela perda e pelo remorso, assombrados pelos mesmos pensamentos em círculos. *Sinto falta do Dylan. Como ele pôde fazer uma coisa tão horrível? Não consigo acreditar que nunca mais o verei. Como alguém que eu amei tanto pôde matar pessoas a sangue-frio? Outras crianças? Se eu soubesse, se tivesse dito as palavras mágicas, se tivesse dito seja lá o que fosse para impedi-lo. Como ele pôde ter feito uma coisa dessas?*

E então, sempre, sempre, a impossibilidade e a permanência da perda: *Como pode ser possível eu nunca mais sentir aquele rosto áspero contra o meu?*

Periodicamente, éramos sacudidos de volta a um tipo de energia frenética — se não por uma percepção renovada do que Dylan fizera, pelas várias formas como as ações dele destruiriam nosso lar, a vida e a família que leváramos vinte e sete anos para construir. Embora Gary Lozow tenha nos dado um desconto significativo sobre seus honorários advocatícios, a primeira conta que recebemos nos trouxe de volta à realidade em um choque. Não fazíamos ideia de como iríamos pagar. Naquele momento, minha mãe surgiu das cinzas para nos ajudar. Antes de morrer em 1987, quando os garotos eram pequenos, ela contratou seguro de vida para ambos. As duas apólices de Dylan foram pagas a nós depois da morte dele e cobriram exatamente o valor da primeira conta.

Mas aquilo foi somente uma gota no oceano, e haveria anos de contas pelos serviços legais à frente. Tom tentou encontrar um trabalho de consultoria no ramo de petróleo, mas havia poucas oportunidades, e aquelas que surgiam desapareciam rapidamente quando os potenciais contratantes descobriam que ele era o pai de um dos atiradores da tragédia de Columbine.

A companhia de seguros levou um tempo para decidir se cobriria ou não nossas despesas legais. Quando finalmente concordaram em pagar, descobrimos que não poderiam cobrir o trabalho de Gary. Isso foi devastador, uma vez que já começávamos a considerá-lo mais um amigo do que um advogado — um oásis de sanidade em meio à loucura. Recomeçar com estranhos foi emocionalmente difícil, mas nossos novos advogados, Frank Patterson e Gregg Kay, foram generosos e pacientes enquanto lhes mostrávamos nossas fotos de família e contávamos sobre nossa vida com Dylan. Eu precisava sentir que eles nos conheciam como família, que conheciam Dylan. Em pouco tempo passamos a nos sentir confortáveis com eles.

Mesmo com a ajuda deles, cada dia trazia uma montanha de papelada incompreensível. As decisões judiciais tornavam tudo mais aflitivo, pois não conseguíamos entender completamente suas implicações. Todo mundo estava processando alguém. Houve ações judicias contra a amiga de Dylan, Robyn, que comprara três das quatro armas; e contra Mark Manes, que lhes vendera a outra. Houve uma ação contra os fabricantes de armas e outra contra a companhia farmacêutica que produzia a medicação antidepressiva de Eric. Houve processos contra o gabinete do xerife, o condado e a polícia. No fim, trinta e seis ações judiciais foram movidas contra nós. Nossos advogados eram meticulosos e faziam o melhor que podiam para nos explicar o que estava acontecendo, mas a complexidade de nossa situação jurídica ia muito além de minha capacidade de compreendê-la.

Para ser sincera, embora os advogados estivessem muito preparados, meu sentimento era: *E daí?* Desde que os processos judiciais dessem dinheiro aos pais para cuidarem de um filho seriamente ferido, eu estava feliz por eles. Mas as ações judiciais não trariam um filho de volta. Não devolveriam Dave Sanders, o professor que fora morto, a sua família. Não nos dariam a oportunidade de fazer milhares de coisas de forma diferente, nem uma explicação sobre como o inimaginável acontecera. E não trariam Dylan de volta.

. . .

Ontem foi terrível. Depois de levar quatro horas e meia
para me levantar, o restante do dia não foi muito melhor.
Chorei, chorei e simplesmente não conseguia me controlar.
Conversei com S. à tarde e disse a ela que não poderia voltar a
trabalhar, depois de ter acabado de lhe dizer que poderia.

— Anotação no diário, maio de 1999

Um mês depois de Columbine, eu estava ao telefone com Susie, minha supervisora. Ela fora maravilhosa, falando comigo regularmente, de vez em quando entregando uma refeição ou uma planta com bons votos dos meus colegas de trabalho. (Anos de licença médica acumulados e dias de folga sem usar dentro do sistema estadual de faculdades comunitárias eram as únicas razões para eu ainda ter um trabalho.)

Eu estava chorando, como sempre. Susie me ouviu durante um tempo e então disse:

— Acho que você deveria voltar a trabalhar.

A ideia me fez ficar em silêncio. Voltar ao trabalho seria absurdo, impossível. Como eu poderia pensar em qualquer outra coisa que não em

Dylan e no desastre que ele criara? Como poderia deixar a segurança de minha casa e encarar as pessoas que nunca conheceram Dylan do jeito que eu o conhecia, do jeito que eu o amava?

— Não consigo — respondi.

Gentilmente, ela insistiu. Sim, teríamos de discutir os detalhes, mas seria bom para mim, e meus colegas precisavam de ajuda.

— E se eu lhe der um projeto que possa desenvolver em casa? Alguma coisa sem prazo para que você possa trabalhar no seu próprio ritmo?

Eu não tinha energia para protestar. Era mais fácil concordar do que recusar.

O pacote inócuo que Susie enviara mais tarde naquela semana ficou intocado por dias. Quando comecei, conseguia trabalhar algo como uma hora por dia — e em muitos dias nem isso. Voltar a trabalhar de verdade parecia algo absolutamente impossível.

No entanto, eu precisava me reconectar com uma parte de minha identidade que não tinha nada a ver com o papel de mãe de Dylan, e começar um projeto que poderia ser completado também tinha lá seu apelo. Nossa vida pessoal parecia monumental, imensurável. Nada nunca seria resolvido, compreendido ou terminado. Um projeto profissional, mesmo em minha condição gravemente comprometedora, poderia ser feito, e bem feito. Assim, me mantive no pequeno projeto, mesmo nos dias em que levava uma hora para escrever uma frase coerente.

No fim, percebi que não poderia fazê-lo adequadamente sem colaborar com os membros de minha equipe. Assim como minha supervisora esperava, o projeto me resgatou de volta para a vida, e eu comecei a fazer planos para voltar ao trabalho, em uma jornada de meio período.

Eu o fiz com receio. Era um trabalho relativamente novo para mim, e, embora eu mantivesse um relacionamento cordial com meus colegas, não conhecia nenhum deles muito bem. Eu me preocupava que não tivessem uma imagem do meu filho para contrapor à imagem dele que ecoava em todos os canais de televisão. Quanto a mim, bem, eu era a mãe de um assassino.

Eu não suportava pensar que minha simples presença pudesse traumatizar novamente meus colegas. A comunidade sofrera terrivelmente, e os tentáculos alcançaram meu local de trabalho. Os filhos e familiares de alguns de meus colegas estavam na escola e por pouco escaparam com vida. O marido de uma colega de trabalho, professor da escola, quase fora baleado. Seu amigo querido, Dave Sanders, morreu naquele dia. A filha de uma administradora estava na UTI, com transtorno de estresse pós-traumático. Cada dia trazia uma nova manchete sobre a investigação, os processos judiciais ou os muitos conflitos que fervilhavam por causa do acesso às informações. Mesmo que um colega não conhecesse alguém na escola, como poderia saber o que dizer quando nos cruzássemos pegando um café? Como eles poderiam saber trabalhar comigo?

Felizmente, o sistema de faculdades comunitárias para o qual eu trabalhava tinha uma líder maravilhosa no controle, uma presidente que compreendia a complexidade da situação. Ela queria me ajudar a ficar à vontade e, ao mesmo tempo, garantir que minha presença não fosse excessivamente incômoda às outras pessoas. Uma semana antes de eu voltar, ela enviou um memorando a todos os funcionários da faculdade. Qualquer um que estivesse preocupado em trabalhar comigo, ela escreveu, deveria procurá-la. Foi estabelecida uma política para ajudar os funcionários a lidar com a torrente de perguntas da imprensa, e um terapeuta ficaria disponível para qualquer um que precisasse de apoio. Embora fosse difícil ser o assunto de um memorando desse tipo, fiquei profundamente agradecida pelo bom senso dela.

Tive uma reunião com uma funcionária do departamento de recursos humanos para tomarmos medidas com relação a minha privacidade e segurança. Fiquei surpresa ao ouvi-la falar sobre isso como se minha experiência tivesse sido uma ocorrência comum, feito uma doença crônica ou um parente com Alzheimer. Pedimos à recepcionista que filtrasse minhas ligações e apagasse minha agenda do quadro de avisos. Uma administradora me ofereceu sua sala para que eu pudesse fazer ligações pessoais com a porta fechada. Tirei a plaquinha com meu nome do suporte de minha baia e a guardei na gaveta da escrivaninha.

Um ou dois dias antes de eu voltar, a presidente enviou mais um memorando, delicadamente sugerindo que meus colegas de trabalho dessem espaço suficiente para que eu pudesse encontrar meu equilíbrio. Ela gentilmente pediu às pessoas para não me sobrecarregarem com atenção, embora elas pudessem me apresentar condolências. Também fiquei agradecida por essa postura sábia.

Mesmo com tantas adaptações, meu primeiro dia de volta ao trabalho foi de extrema fragilidade emocional. Não havia espaço para mais nada em minha cabeça que não fosse Dylan e o horror do que ele e Eric fizeram. Torci para não encontrar ninguém no elevador quando cheguei — não tanto por me sentir envergonhada, mas porque uma única palavra de consolo ou toque gentil me faria chorar, e eu tinha a impressão de que, se perdesse o controle logo no início do dia, nunca mais seria capaz de retomá-lo.

Muitos de meus colegas tinham trabalhado em minha baia durante minha ausência, atendendo às ligações e fazendo o melhor para manter os projetos em andamento. Eu era uma intrusa naquele espaço. Papéis que eu não reconhecia estavam empilhados no canto; a senha de meu computador fora alterada. Pior ainda era o telefone preto em cima da mesa, monstruoso para mim. Durante muitos meses, uma onda de ansiedade me invadia toda vez que eu encontrava a luz vermelha de recados piscando naquele aparelho. Mas não havia recados naquela primeira manhã.

Em pouco tempo as pessoas começaram a aparecer na minha baia. Algumas ofereciam palavras de boas-vindas e solidariedade. Outras me davam um abraço rápido.

Cheguei atrasada para a grande reunião mensal de funcionários. Todas as cadeiras estavam ocupadas, então me juntei às pessoas encostadas na parede do fundo. Pela primeira vez desde a tragédia, eu estava em uma sala cheia de gente, e não conhecia todo mundo. Foi difícil não sentir que as pessoas estavam todas focadas em mim, embora fossem escrupulosamente cuidadosas para não me encarar.

Minha energia ainda estava baixa naqueles primeiros dias, e o simples fato de ficar em pé era cansativo. Alguns minutos depois de começar a reunião, eu me vi sem fôlego e fraca demais para permanecer em pé. Fiquei preocupada que me sentar no chão pudesse parecer antiprofissional, e a última coisa que eu queria era chamar atenção, mas estava a ponto de desmaiar. Então, escorreguei pela parede até o chão, arrumando minha saia sobre os joelhos o melhor que pude.

Acabei sentada, com as pernas cruzadas, atrás de uma fileira de cadeiras. Um de meus colegas fez contato visual e me ofereceu seu assento. Foi um gesto adorável — discreto o bastante para não me envergonhar, mas dizia que eu tinha sido notada e que ele se importava comigo. Balancei a cabeça. *Não, obrigada; estou bem. Fique onde está.* Passei o restante da reunião no chão, presente, mas não presente, observando a parte de trás dos joelhos das pessoas e ouvindo, embora não pudesse ver quem estava falando.

Pequenas vitórias, como dizem. Eu queria me esconder, mas estava lá.

. . .

Fiquei no trabalho das 9h às 14h30 e consegui participar de quatro reuniões. Lutei o tempo todo para parecer e agir normalmente.
Estava desanimada e exausta. Ao fim do dia, estava arrasada.
Tenho pensamentos grandes e sombrios, e pôr para fora ações, palavras e pensamentos normais é como tentar empurrar um elefante pelo buraco de uma agulha. Ninguém é capaz de

entender o que eu passei nem o que estou passando. Preciso de
todas as minhas forças apenas para ir e ouvir. Quando cheguei
ao carro depois do trabalho, fechei a porta e caí no choro.

— ANOTAÇÃO NO DIÁRIO, JUNHO DE 1999

Embora eu não tenha notado na época, voltar ao trabalho deu uma estrutura essencial à minha recuperação em muitos níveis.

Para começar, me permitiu sentir diretamente a compaixão e a solidariedade que as pessoas são capazes de expressar. Ser abraçada me fazia chorar, mas aprendi a aceitar as lágrimas e não resistir a elas. Era mais fácil me permitir sentir a dor do que reprimi-la. Meus colegas caminhavam no limite tênue entre me dar privacidade e demonstrar compaixão e pequenas bondades sempre que possível. Duvido que algum dia eles saibam como me ajudaram.

Mais tarde, no outono, houve uma feirinha de artesanato na sala de descanso, e eu comprei broches com temas natalinos para dar a alguns amigos. Fiz um cheque e abri a carteira para mostrar a identidade, mas a mulher no caixa me assegurou que não era necessário. "Claro", eu disse, guardando a carteira de motorista. "Por que alguém neste mundo fingiria ser eu?" Era o tipo de humor negro que me sustentava naqueles dias; do meu jeito estranho, eu estava tentando deixá-la à vontade. Mas havia pesar verdadeiro no rosto dela.

Ninguém com quem eu trabalhava falou com a imprensa, embora as ligações fossem constantes. Um repórter convenceu a recepcionista a deixá-lo falar com minha supervisora. Frustrado, ele a confrontou:

— Por que ninguém aí quer falar sobre Sue Klebold?

— Eles não falam porque são pessoas de bem — Susie lhe respondeu energicamente, e era verdade.

Durante as primeiras semanas depois de minha volta, eu só conseguia pensar em Dylan. Eu chorava durante a maior parte da longa viagem até o centro da cidade de manhã, agradecendo pelo tempo sozinha para me conectar com as lembranças, antes de tentar afastá-lo de minha mente para que eu pudesse funcionar ao longo do dia. A última coisa que eu fazia antes de sair do carro era olhar no espelho e enxugar as marcas deixadas pelas lágrimas em meu rosto.

Apesar da paciência de meus colegas e de meu grande esforço para me comportar de maneira profissional, eu estava um trapo. Estava paralisada pelo constrangimento de uma maneira que me fazia lembrar a adolescência. Tinha problemas intestinais crônicos como resultado do estresse, e ficava com medo de comer e sofrer uma crise sem ter um banheiro por perto. Eu fazia o que podia para diminuir meu nível de ansiedade — parei até de colocar o despertador para tocar, porque o som me deixava sobressaltada por uma hora depois —, mas era em vão.

Um amigo me disse uma vez que o cérebro em luto é como um modelo antigo de computador rodando um programa complexo demais para sua capacidade — ele range, gagueja e para diante dos cálculos mais simples. Exigia um enorme esforço ouvir o que os outros diziam. Meu poder de concentração estava longe de ser restaurado, e os pensamentos acelerados sobre minha situação pessoal e sobre Dylan me mantinham em meu próprio mundo.

Eu fazia muitas anotações, mas nenhum truque de produtividade compensaria o déficit. Meu rosto ferve quando me lembro da primeira reunião que conduzi depois da tragédia. Pedi a todos para formarem um círculo e se apresentarem, dizendo um pouco do que faziam. Quando a sala ficou em silêncio, eu, sem pensar, pedi para formarem o círculo e se apresentarem — de novo. Os olhares de canto e os movimentos desconfortáveis nas cadeiras me alertaram de meu erro, mas não havia nada a fazer exceto tropeçar em um pedido de desculpas.

Levei um bom tempo para voltar a ter uma agenda cheia. Da mesma forma que minhas caminhadas noturnas estavam me ajudando a reconstruir a força física, tive de recuperar minha capacidade emocional para ficar perto de outras pessoas. O trabalho era um tipo de reabilitação, um ambiente seguro em que eu podia reconstruir minha identidade e trabalhar minha experiência de luto única. As famílias das vítimas estavam sempre em minha mente, especialmente como deve ter sido difícil para elas tentar voltar a ter pelo menos uma sombra de vida normal depois do que Dylan fizera.

À medida que o tempo passava, minha angústia constante começou a me parecer quase cômica. Lenços de papel caíam dos blocos de anotações, dos calendários, das mangas e de meus bolsos quando eu me levantava. Alguém sempre podia contar comigo caso precisasse de um pacote de Kleenex. Alergia? Peça para a Sue.

Eu torcia por bondade e, na maioria das vezes, a recebia, mais do que achava que merecia. Mas nem todo mundo era gentil e compreensivo, e também não havia problema nisso. A negação na qual eu estivera vivendo — especialmente a crença de que Dylan fora coagido a participar, ou de que não cometera diretamente nenhum ato de violência — era uma reação natural, mas já não era apropriada. Estar de volta ao mundo significava confrontar a enormidade do que Dylan fizera.

Eu sentia o julgamento, a raiva e a dor de algumas pessoas com quem trabalhava. Amigos me contavam quando alguém falava mal de mim pelas costas. Algumas pessoas me evitavam ou me confrontavam indiretamente. Um desses incidentes sempre me vem à cabeça, não por ter sido o pior confronto ou o comentário mais devastador que alguém já fez, mas porque articulava exatamente o que eu temia que todos estivessem pensando, sem falar em meus piores medos sobre mim.

Acompanhei a visita monitorada de um programa vocacional que nosso escritório financiou em uma pequena escola de ensino médio na área rural nos arredores de Denver. Estar em uma escola cheia de adolescentes era difícil para mim, e lutei contra as lágrimas durante a visita inteira, especialmente quando entramos em um grande laboratório de computação, onde um grupo de alunos felizes e produtivos estava trabalhando.

Nós nos apresentamos ao professor de computação, um rapaz não muito mais velho que seus alunos, e o parabenizamos pelo sucesso do programa. Quando eu disse meu nome, ele me encarou com intensidade. Um dos membros de nossa equipe elogiou sua habilidade para manter tantas máquinas em boas condições de trabalho, e o professor respondeu: "Bem, você acaba conhecendo as máquinas. Depois de um tempo, é como ser um bom pai". Dito isso, ele se afastou da pessoa que fizera a pergunta para manter contato visual intenso comigo. "Quando se é um bom pai, você simplesmente meio que sabe o que seus filhos estão aprontando."

Essas experiências machucam, e eu as odiava. No entanto, por mais que quisesse fugir toda vez que o assunto Columbine vinha à tona, eu não podia passar a vida saindo de reuniões para evitar os comentários que não queria ouvir, ou simplesmente não ir às reuniões para nunca me encontrar em uma situação que pudesse me causar desconforto. Apesar do redemoinho de emoções no qual estava vivendo, eu não era a única a estar magoada. Tinha de encarar a magnitude das ações de Dylan, e aceitar que suas escolhas terríveis e violentas afetaram outras pessoas. Cada vez que eu me recuperava de um encontro incômodo, dava mais um passo na direção de aceitar a totalidade do que Dylan fizera. Se as pessoas me apoiavam ou me julgavam, estar de volta ao mundo me colocava ombro a ombro com a comunidade que meu filho tentou destruir.

Sempre levei em consideração as opiniões dos outros; de repente, a aprovação deles era fundamental. Eu tinha certeza de que meu próprio comportamento estava sendo avaliado, julgado e usado para explicar como Dylan podia ter matado e mutilado. Sempre levemente obsessiva pelo trabalho, entrei em um período de perfeccionismo intenso. Eu não cometia erros e não permitia mal-entendidos. Pegava cada erro de digitação, fazia cada projeto melhor do que precisava fazê-lo e sem tempo para desperdiçar. Não era suficiente ser competente ou normal; eu tinha de convencer os outros de que não havia causado a loucura demonstrada pelo meu filho. Se cometia um errinho, geralmente ficava alterada demais para continuar trabalhando. Toda vez que alguém me fazia uma pergunta, eu me sentia criticada. Dirigindo, tinha receio de, sem querer, machucar ou matar alguém por estar distraída, cimentando a convicção do mundo de que eu não merecia respirar.

Eu olhava para as fotos das famílias felizes em cima das mesas e me perguntava: *O que eles fizeram que eu não fiz?* Ao mesmo tempo, me sentia na defensiva e desesperada para mostrar às pessoas que Dylan tinha sido amado, que eu fora uma boa mãe — e que, apesar de nossa proximidade, eu não fazia ideia do que ele estava planejando nem suspeitava que ele fosse capaz de um ato tão bárbaro.

Obviamente, eu estava alocando aos outros todos os sentimentos negativos que tinha sobre mim mesma. Eu tinha criado um assassino sem saber, uma pessoa com um compasso moral tão falho que cometera uma atrocidade. Fui uma tola, uma idiota, uma imbecil. Eu nem tinha sido uma dessas mães descoladas que fumam maconha com os filhos ou os apresentam a namorados legais. Não, eu fui uma mãe do tipo "Todo mundo sentado junto para jantar", uma mãe do tipo "Quero conhecer os pais dos seus amigos antes de você passar a noite na casa deles". E que bem isso fizera?

Eu me lembro de levar Dylan na idade do jardim de infância de volta ao supermercado para que ele devolvesse um doce bem barato que pegara sem pagar, e como fiquei agradecida quando o gerente aceitou seriamente as desculpas de Dylan e tirou o doce das mãos dele, em vez de recompensar seu roubo deixando que ficasse com aquilo. Pensei em todas as vezes em que ligara para a mãe que receberia as crianças para dormir em sua casa, a fim de descobrir que filme estava planejando exibir. Mais de uma vez pedi uma seleção menos violenta. Por que eu me dei o trabalho de tentar estabelecer um cenário contextualizado para a violência, enquanto o mundo inteiro conseguia ver que eu falhei drasticamente em proteger meu filho e tantos outros desse cenário?

Durante vinte anos, assinar autorizações, planejar caças elaboradas aos ovos de Páscoa e garantir que meus filhos tivessem tênis que servissem fora a pedra de toque de minha vida, ao redor da qual eu encaixava meu trabalho, minha arte e meu casamento. Agora eu precisava perguntar: Qual era a razão de tudo isso?

É provavelmente impossível criar um filho sem ter arrependimentos. Depois de um caso de assassinato seguido de suicídio, a culpa e a autocrítica são companhias constantes e intoleráveis. Quando ia para casa depois do trabalho, à noite, eu olhava obsessivamente os álbuns de família. Havia as viagens à fazenda de gado leiteiro, ao museu de história natural, ao parque — as coisas comuns da infância feliz da classe média. Fiquei aliviada ao ver nas fotos quanto Dylan fora abraçado, acolhido, aconchegado ou, de alguma forma, tocado com amor. Eu sonhava acordada em agarrar estranhos na rua e mostrar os álbuns para eles. *Aqui*, eu queria dizer. *Está vendo? Não sou louca. Olhe só como éramos felizes!*

Mas a visão do braço de Dylan casualmente pendurado ao redor do pescoço de Tom enquanto ele fazia uma careta e gritava para mim atrás da câmera tocaria, mais uma vez, naquele aparentemente infinito rio de tristeza.

No antigo filme *À meia-luz*, o personagem de Charles Boyer está tentando enlouquecer a esposa, interpretada por Ingrid Bergman. Ele troca obras de arte e joias de lugar e coloca objetos na bolsa dela, dizendo que ela os roubara. E funciona: quando a esposa não consegue mais confiar na própria percepção da realidade, começa a ficar louca. Eu pensava bastante em *À meia-luz* nesses dias, enquanto tentava reconstruir uma identidade para mim mesma. Eu achava que tinha sido uma boa mãe. Eu amara e tivera orgulho de meu filho. Nada que vi quando Dylan estava vivo me fez pensar que ele estivesse sofrendo de problemas de qualquer magnitude. A dissonância cognitiva era intensa.

Quando se é um bom pai, você simplesmente meio que sabe o que seus filhos estão aprontando. O comentário do professor mexeu comigo mais do que os insultos de ódio — não por não acreditar nele, mas por acreditar.

. . .

> *Tom se pergunta se um dia nós o encontraremos de novo. Isso está sempre em sua mente. Ele diz que se sentiria confortado se soubesse que voltaria a vê-lo. Penso muito sobre onde Dylan está e se seus atos maléficos evitaram que descansasse em paz, sob os cuidados de Deus. Espero que exista um Deus misericordioso que reconheça que ele era uma criança.*
>
> — Anotação no diário, maio de 1999

Minha amiga Sharon perdeu um filho para o suicídio e implorou que eu procurasse um grupo de apoio a sobreviventes de suicídio — grupos criados para reunir e amparar familiares e/ou amigos de pessoas que se suicidaram.

Eu estava desesperada para estar entre pessoas que me ouviriam, seriam solidárias e não julgariam, mas não era capaz de me imaginar entrando em uma sala cheia de estranhos e falando sobre o que Dylan e Eric tinham feito. Além disso, como Gary Lozow apontara, se nossos processos judiciais fossem julgados, algum participante do grupo de apoio poderia vir a ser chamado para testemunhar. Eu achava que já tinha causado danos suficientes.

O isolamento era terrível. Meus níveis de ansiedade estavam nas alturas, e eu me sentia desconectada. Não nos comunicávamos com os Harris. A única pessoa no mundo que poderia ser capaz de entender o que eu estava passando era Tom, mas o abismo que se abriu entre nós nos primeiros dias após a tragédia continuava a aumentar.

Isso não é incomum, é claro. Embora as estatísticas sobre a possibilidade de divórcio depois da morte de um filho estejam provavelmente infladas, a maioria dos casamentos sofre uma enorme ruptura. Uma razão geralmente citada é que as mulheres e os homens passam pelo luto de forma diferente: eles tendem a ficar enlutados pela pessoa que o filho viria a se tornar, enquanto elas tendem a ficar de luto pelo filho de quem se lembram.

Esse abismo era verdadeiro para nós. Eu invocava incessantemente as lembranças de Dylan quando bebê, criança e adolescente, enquanto Tom se concentrava em tudo o que Dylan nunca faria porque estava morto. O foco no futuro de Dylan me incomodava, como se Tom estivesse pressionando nosso filho postumamente para suprir suas expectativas de pai. As coisas pelas quais brigávamos agora não me pareciam importantes. Fomos amarrados juntos, costas com costas, no centro dessa tempestade terrível, mas às vezes parecia pior estar com alguém do que estar sozinha.

Nossos mecanismos para lidar com o luto quase sempre estavam em conflito também. Eu sempre fui mais sociável e extrovertida, enquanto Tom preferia a solidão. A tragédia exacerbou nossos respectivos direcionamentos. Por mais que fosse estressante me expor ao ódio e ao julgamento, minha reaparição no mundo também me expôs à bondade e à generosidade. Interagir com outras pessoas também significava que minha negação não poderia se entrincheirar. Uma conversa desagradável poderia magoar meus sentimentos e me fazer recuar temporariamente, mas no fundo eu acreditava que manter contato com o mundo exterior estava me ajudando a entrar em acordo com a realidade.

No entanto, enquanto eu me esforçava para voltar ao mundo lá fora, Tom se tornava cada dia mais fechado. Eu queria escancarar as portas, e Tom queria se isolar. E cada vez mais eu permitia que ele fizesse isso.

• • •

> *Cantei canções tristes e chorei durante todo o percurso até o trabalho.*
> *Eu mal conseguia caminhar. Me movia em câmera lenta. As palavras*
> *"Às vezes me sinto como se estivesse quase morto" descrevem como*
> *eu me sentia. Cheguei ao trabalho, me sentei à mesa e chorei.*
> *Pensei em ir para casa, porque não estava a fim de trabalhar,*
> *então percebi que em casa seria pior. De algum modo relaxei e,*
> *no fim, o peso se foi e eu comecei a me concentrar no trabalho.*
>
> — ANOTAÇÃO NO DIÁRIO, AGOSTO DE 1999

Minha existência se dividiu em dois hemisférios: o tumulto opressivo da minha vida pessoal e a ordem silenciosa do trabalho.

Minha concentração aumentou. De vez em quando, por um minuto ou dois, ou cinco ou quinze, eu ficava absorta o suficiente para esquecer com o que estava me digladiando. Esses momentos, quando aconteciam, eram um presente. Eles não só me davam trégua como me conectavam com a pessoa que eu fora antes da tragédia: alguém capaz e confiável, que fazia a diferença.

Assim como nossos amigos começaram a se abrir para nós com relação a seus traumas e transgressões da adolescência, meus colegas de trabalho começaram a compartilhar suas experiências pessoais de perda e vergonha. Mais uma vez, percebi que havia uma vasta e contínua fonte de dor e sofrimento no mundo, da qual eu agora, irrevogavelmente, fazia parte.

O filho de um colega de trabalho estava cumprindo pena por tentativa de assassinato. Outro compartilhou em primeira mão sua experiência com a depressão, pensamentos suicidas e internação em um hospital psiquiátrico. Ouvir essas histórias era uma honra e uma lição. Quando meus colegas me confiavam suas próprias histórias de dor, isso me lembrava de que minha crise, tão enorme e inescapável quanto parecia, era apenas a *minha* crise. Outras pessoas sofriam. Elas passaram por coisas terríveis e continuaram a vida.

Era bom ser capaz de oferecer conforto, também, por menor que fosse. Eu não tinha nada profundo a dizer. Além disso, quem queria conselhos vindos da mãe de um assassino? Mas eu podia dar conforto só de ouvir.

Como escrevi em meu diário:

> *Aprendi duas coisas importantes. A primeira, que há muitas pessoas boas e*
> *amáveis por aí. E a segunda, que há muitas pessoas que sofreram demais e*
> *continuam seguindo com força e coragem. Essas são as que, um dia, conseguem*
> *dar apoio a outras. Espero poder ser útil para alguém, algum dia.*

Seria uma longa jornada.

O desnudamento de minha identidade me mostrou como eu fora, a vida inteira, apegada ao ego. Sempre quis ser amada, e sentia enorme prazer em ser um membro produtivo de minha comunidade. Escolhi um trabalho com o qual pudesse ajudar os outros; me sentir bem com o que estava fazendo sempre foi mais importante do que ganhar toneladas de dinheiro. Eu tinha muito orgulho de meus filhos, da família que Tom e eu construímos e do fato de ser uma boa mãe. Depois de Columbine, nada disso podia mais ser verdade. E eu não era só uma péssima mãe, mas a pior que já existira, abertamente odiada na primeira página do jornal da cidade. Longe de ser amada e respeitada, o melhor que eu podia esperar era que as pessoas ao redor conseguissem encontrar um pouco de compaixão, além de horror e julgamento.

O desafio para mim era ainda mais profundo. Eu nunca seria capaz de superar realmente o que Dylan fizera. Assim como uma marca no gado, os eventos na Escola de Ensino Médio de Columbine, e o papel de meu filho neles, tornaram-se uma parte indelével de quem eu era. Para sobreviver, eu teria de encontrar uma maneira de viver nessa nova realidade.

Tirando acabar com minha própria vida, não havia nada que eu pudesse fazer com relação ao que o restante do mundo pensava. Minha nova e maior esperança era simplesmente a integração: a velha Sue com a nova.

10

O FIM DA NEGAÇÃO

Neste momento, tudo o que eu quero é morrer. Tom fica dizendo que gostaria de nunca ter nascido. Dylan era muito amado, mas não se sentia amado. Acho que ele não amava nada nem ninguém. Como isso aconteceu? Eu não conhecia o garoto que vi [naqueles vídeos] hoje. Meu relacionamento com Dylan, em minha cabeça e em meu coração, mudou.

— ANOTAÇÃO NO DIÁRIO, OUTUBRO DE 1999

Em outubro, seis meses depois de Columbine, o departamento de polícia concordou em compartilhar as evidências que tinha coletado. Eles convidaram Tom e a mim para ver a apresentação do material.

Minha reação a essa notícia foi complicada. Após meses de especulação, rumores e equívocos, foi um alívio saber que finalmente teríamos a verdade. Ao mesmo tempo (e pela mesma razão), fiquei petrificada. Como escrevi uma semana antes:

A reunião vai exigir mais coragem do que consigo juntar. Só conseguirei ter minha própria ideia do que realmente aconteceu até conversar com os investigadores. Não quero que eles destruam o Dylan que estou mantendo em minha mente.

Dois dias antes do horário marcado para irmos até lá, Gary Lozow ligou. O departamento de polícia lhe dissera que apresentaria evidências em vídeo como parte do relatório deles, e queria nos alertar de que assistir às gravações talvez fosse "mais doloroso que o 20 de abril".

Gary presumiu que eles estavam se referindo aos vídeos das câmeras de segurança. Tom disse que se recusaria a assistir a cenas do massacre. Eu não podia acreditar que estávamos discutindo uma coisa dessas. Se tivesse de ver Dylan matando pessoas, eu enlouqueceria.

Na noite anterior à reunião, Tom e eu fizemos uma lista de perguntas. Ainda estávamos convencidos de que Dylan tinha relutado em participar ou se envolvera acidentalmente em algo maior do que ele era capaz de entender na época. Tínhamos ouvido rumores de que material de treinamento militar sobre técnicas de lavagem cerebral fora encontrado na casa dos Harris, o que realimentara nossa ideia de que Dylan fora mais uma vítima da tragédia. Era plausível; o sr. Harris tinha formação militar. Eu fantasiava que poderíamos ter um velório público.

Mas isso durou apenas um momento. Eu estava a caminho de entender que construíra uma ideia frágil. A negação fora um mecanismo de defesa — na verdade, talvez um mecanismo de salvação — para mim. À medida que o tempo passava, porém, ficava cada vez mais difícil mantê-lo. Muito do que foi falado na imprensa estava errado, o que reforçava nosso ceticismo. Mas sabíamos que Dylan participara da compra das armas, e havia muitos relatos, feitos por testemunhas críveis, de Dylan atirando nos alunos e das coisas odiosas que ele dissera. As fendas em meu sistema de crenças estavam começando a aumentar.

Como suspeitei, a reunião no departamento de polícia as faria explodir.

. . .

Hoje é realmente o fim da minha vida como eu a conhecia. Se eu descobrir coisas terríveis amanhã, coisas que precisarei carregar comigo a partir de agora, olharei para trás, para o dia de hoje, e lembrarei dele como o fim de tempos melhores. Trabalhamos em nossas perguntas esta noite. Byron me deu um forte abraço para me ajudar a encarar o dia de amanhã. Espero que amanhã não destrua a memória do garoto que eu amei. Não sei do que se trata esse vídeo ao qual querem nos fazer assistir.

— Anotação no diário, outubro de 1999

Na manhã do dia 8 de outubro, fomos ao departamento de polícia. Tínhamos conhecido a investigadora-chefe, Kate Battan, e outro investigador, Randy West, quando nos interrogaram no escritório de nossos advogados, logo após o massacre. Eles estiveram conosco durante nossa visita à biblioteca da Escola de Ensino Médio de Columbine. Eram gentis e profissionais em suas interações conosco, e eu não poderia ser mais agradecida por isso do que naquele dia.

Depois dos cumprimentos, Tom e eu nos sentamos em duas das cadeiras dispostas em fileiras, em uma sala arrumada para uma apresentação formal. Pensei nos Harris e nas outras famílias de Columbine. Sentar nas mesmas cadeiras, em horários diferentes, parecia o mais próximo que poderíamos estar uns dos outros.

Apontando várias localizações no diagrama da escola, que tinham colocado sobre um cavalete, Kate e Randy começaram a contar a história do que Dylan e Eric fizeram na manhã do dia 20 de abril de 1999. Era a primeira vez que Tom e eu ouvíamos de uma fonte oficial o que acontecera naquele dia, e nos dias que levaram àquele.

O material a seguir é explícito, e tomar a decisão de incluí-lo aqui não foi fácil. As vítimas dessa tragédia e suas famílias passaram por sofrimentos e dificuldades além da conta, e não quero que uma descrição do evento reavive o trauma pelo qual passaram. Também há evidências de que descrever a maneira como esses crimes foram cometidos pode fornecer o mapa da rota a ser seguido por outros indivíduos perturbados, embora eliminar as imagens explícitas e a linguagem dramática e minimizar detalhes diminua a probabilidade de contágio.

Dito isso, é importante, para mim, reconhecer os atos hediondos cometidos por Dylan e Eric antes da morte deles. Pelo fato de este livro ser tão focado em meu amor por Dylan, é essencial também que eu reconheça a maldade em seus últimos momentos no mundo. Na prática, não minimizo a magnitude do que Dylan fez para me confortar, e nunca, jamais perco de vista como me sentiria se ele fosse uma das pessoas inocentes brutalmente assassinadas ou feridas naquele dia. Minha intenção aqui é honrar esses jovens preciosos e o professor querido pelo que eles eram.

Kate começou a falar. O massacre foi cuidadosamente planejado.[1] Os garotos colocaram pequenas bombas como chamariz em um campo a mais ou menos cinco quilômetros da escola, esperando que a explosão distraísse o pessoal da emergência. Eles dirigiram até Columbine e entraram no prédio por volta das onze e quinze da manhã, com duas mochilas de camping contendo bombas de propano. Do lado de fora, Eric passou por Brooks Brown, que o lembrou de uma prova que ele perdera. "Não faz mais diferença", Eric respondeu. "Brooks, eu gosto de você agora. Saia daqui. Vá para casa." Dylan e Eric colocaram as bombas no refeitório e voltaram ao carro para esperar. Quando essas bombas não explodiram, conforme o planejado, os garotos voltaram juntos, subiram até o topo dos degraus na entrada oeste da escola e começaram a atirar, ainda do lado de fora.

Kate não compartilhou conosco os detalhes horrendos do que os garotos disseram nem a maneira cruel como trataram algumas pessoas, ou o ponto em que as balas e os fragmentos dos escombros entraram no corpo das vítimas. Ela fez o melhor que pôde para restringir as imagens e os ruídos, fixando-se, em vez disso, nos fatos cronológicos de quem atirou em quem, quais armas foram usadas e em que lugar da escola cada indivíduo fora ferido. Intencional ou não, eu vi aquilo como um ato de misericórdia e fiquei agradecida.

O FIM DA NEGAÇÃO

137

Eric atirou em Rachel Scott, matando-a instantaneamente, e em Richard Castaldo, que foi atingido várias vezes e ficou paralisado do peito para baixo. Em seguida, atirou em Daniel Rohrbough, Sean Graves e Lance Kirklin, que estavam subindo a encosta em direção a eles, matando Daniel e ferindo os outros dois. Cinco estudantes estavam sentados no gramado do lado oposto à entrada oeste. Eric atirou neles. Michael Johnson foi atingido, mas correu e escapou com vida. Mark Taylor levou vários tiros e sobreviveu porque fingiu estar morto. Os outros três estudantes correram.

Dylan desceu os degraus em direção ao refeitório. Ele atirou em Lance Kirklin e passou por cima de Sean Graves em seu percurso para entrar no prédio. Eric, ainda do lado de fora, atirou em vários estudantes sentados perto da porta do refeitório, deixando Anne Marie Hochhalter paralisada. Sem atirar em ninguém nem investigar as bombas no refeitório, Dylan se juntou a ele, e os dois atiraram em um grupo distante de alunos, que escaparam por cima da cerca de alambrado para os campos de futebol. Ninguém foi atingido.

Patti Nielson, uma professora, foi em direção à saída, para interromper o que pensou ser um projeto de vídeo ou uma pegadinha. Assim que ela se aproximou da entrada oeste, os garotos atiraram nas portas, ferindo um estudante, Brian Anderson, com estilhaços de vidro e atingindo Nielson no ombro. A professora correu até a biblioteca e mandou os estudantes se esconderem embaixo das mesas. Ela se deitou sob o balcão de atendimento e ligou para a emergência.

O guarda armado da escola de Columbine, Neil Gardner, chegou ao estacionamento. Eric atirou nele, e Gardner disparou de volta, mas não o atingiu. Gardner e outro policial da delegacia do condado de Jefferson também trocaram tiros com Eric um pouco depois, mas ninguém foi atingido.

Os garotos entraram no prédio. Eric tinha atirado quarenta e sete vezes com seu rifle. Dylan atirara três vezes com seu revólver e duas com a espingarda. Eles também jogaram bombas caseiras.

Eric e Dylan caminharam pelo corredor, jogando bombas caseiras e atirando aleatoriamente. Stephanie Munson foi atingida por uma bala. E então Dave Sanders, que dava aulas de administração na escola, retirara um grande número de estudantes do refeitório e se certificara pessoalmente de que estivessem em segurança, deu a volta, procurando mais pessoas para avisar. Ele e um estudante viram Dylan e Eric e se viraram para avisar os outros. Ambos os garotos atiraram pelo corredor na direção de Dave Sanders; ainda não se sabe quais dos tiros o mataram. Rich Long, outro professor, arrastou-o para dentro da sala de aula, onde dois alunos, Aaron

Hancey e Kevin Starkey, prestaram os primeiros socorros durante três horas. Apesar dos esforços deles, Dave morreu naquela tarde, ainda esperando para ser retirado dali.

Dylan e Eric jogaram duas bombas caseiras por cima do corrimão, dentro do refeitório no piso de baixo; essas explodiram. Jogaram uma bomba caseira no corredor da biblioteca, que também explodiu. Em seguida entraram na biblioteca. Eric atirou na mesa sob a qual Evan Todd estava se escondendo; o garoto foi atingido, mas não seriamente ferido. Dylan atirou e matou Kyle Velasquez, que estava escondido embaixo de uma mesa de computador. Os garotos recarregaram as armas e começaram a atirar pela janela em direção aos funcionários de resgaste que ajudavam os alunos do lado de fora. Dylan então atirou embaixo de uma mesa, ferindo Daniel Steepleton e Makai Hall. Eric atirou embaixo de uma carteira escolar sem olhar, matando Steven Curnow, depois feriu Kacey Ruegsegger. Ele caminhou até outra carteira e matou Cassie Bernall. Dylan atingiu Patrick Ireland enquanto ele estava ajudando Makai Hall.

Embaixo de outro conjunto de mesas, Dylan encontrou Isaiah Shoels, Matthew Kechter e Craig Scott, o irmão mais novo de Rachel Scott. Dylan gritou ofensas racistas para Isaiah antes de Eric matá-lo. Dylan então matou Matthew Kechter. Eric jogou um cartucho de gás carbônico na mesa onde Makai, Daniel e Patrick estavam. Makai conseguiu lançá-lo para longe antes de explodir.

Eric começou a atirar ao acaso. Dylan atirou em um balcão de vidro e em seguida na mesa mais próxima, onde atingiu Mark Kintgen. Atirou de novo, ferindo Lisa Kreutz e Valeen Schnurr. Em seguida, matou Lauren Townsend.

Eric se abaixou para caçoar de duas garotas embaixo da mesa, depois atirou em Nicole Nowlen e em John Tomlin. Quando John tentou fugir, Dylan o matou. Eric então atirou em Kelly Fleming, matando-a instantaneamente. Atingiu Lauren Townsend e Lisa Kreutz de novo, e feriu Jeanna Park.

Os garotos foram recarregar as armas em uma mesa. Eric notou John Savage, um garoto que Dylan conhecia. John perguntou a Dylan o que eles estavam fazendo, e ele respondeu: "Ah, só matando gente". John perguntou se eles iriam matá-lo. Dylan o mandou sair. John correu.

Eric atirou e matou Daniel Mauser. Em seguida, tanto Dylan quanto Eric atiraram embaixo de outra mesa, ferindo Jennifer Doyle e Austin Eubanks, e matando Corey DePooter. Os dois encontraram e fizeram piada com Evan Todd, que estava ferido.

Eric tinha quebrado o nariz com o recuo da espingarda e estava sangrando muito. Os garotos caminharam até a entrada da biblioteca. Dylan atirou dentro da sala de descanso, atingindo a TV. Depois jogou uma cadeira em cima do balcão da biblioteca, onde a professora Patti Nielson estava escondida.

Em seguida os dois saíram da biblioteca. Depois disso, trinta sobreviventes ilesos e dez feridos evacuaram a área. Patrick Ireland e Lisa Kreutz continuaram no prédio; ele estava inconsciente, e ela não conseguia se mexer. Patti Nielson e duas funcionárias da biblioteca se trancaram nas salas próximas.

Durante os trinta e dois minutos seguintes, Eric e Dylan andaram a esmo pela escola, disparando aleatoriamente e soltando bombas caseiras. Kate Battan chamou nossa atenção para o número de pessoas, provavelmente de duzentas a trezentas, que ainda estavam no prédio. Muitos professores e funcionários ficaram para avisar e proteger os alunos que permaneciam por lá. Durante a apresentação, Kate reiterou que foi extraordinário ninguém mais ter sido morto. Os garotos voltaram ao refeitório e tentaram detonar as bombas de propano que haviam deixado ali mais cedo. Olharam pelas janelas das salas de aula, fazendo contato visual com os estudantes ainda escondidos lá, mas não entraram nem atiraram. Não fizeram mais nenhum estrago. Voltaram ao refeitório e entraram na cozinha. Em seguida retornaram à biblioteca, onde, mais uma vez, atiraram pelas janelas nos policiais do lado de fora, antes de se matar. Deixaram as maiores bombas dentro de seus carros, preparadas para explodir por volta do meio-dia. Elas não detonaram.

Patrick Ireland recobrou a consciência e engatinhou até as janelas da biblioteca, por onde se jogou e caiu nos braços de dois membros da SWAT que estavam no teto de um caminhão blindado. Lisa Kreutz, com múltiplos ferimentos de tiro, foi retirada depois, assim como quatro pessoas escondidas na sala de descanso.

Um professor, William "Dave" Sanders, estava morto, assim como doze estudantes: Cassie Bernall, Steven Curnow, Corey DePooter, Kelly Fleming, Matthew Kechter, Daniel Mauser, Daniel Rohrbough, Isaiah Shoels, Rachel Scott, John Tomlin, Lauren Townsend e Kyle Velasquez. Vinte e quatro outros estudantes foram feridos, três deles enquanto tentavam fugir.

Fiquei completamente anestesiada à medida que as informações detalhadas sobre o massacre caíam sobre nós. Era como um documentário violento e depravado ao qual eu nunca, jamais teria assistido, em condições normais.

Um fato único tinha vindo à tona, sem nenhuma ambiguidade: *Dylan fizera aquilo.*

O evento fora planejado com muita antecedência, e Dylan participara do planejamento. O ataque fora cuidadosamente programado e estrategicamente arquitetado. Dylan tinha matado e ferido pessoas deliberadamente. Ele as ridicularizara enquanto imploravam por suas vidas. Usara palavras de ódio e xingamentos racistas. Não demonstrara misericórdia, remorso ou consciência. Ele matara um professor. Assassinara crianças a sangue-frio.

Eu estava, e sempre estarei, assombrada pela maneira como aquelas vidas terminaram.

Pela primeira vez em meses, meus olhos estavam secos. Eu não só era incapaz de compreender o que ouvira como não conseguia sentir nada. Cada crença que eu criara para sobreviver fora destruída. O bloco de anotações com nossas perguntas permaneceu fechado em meu colo.

À medida que os detalhes começaram a ser absorvidos, aconteceu uma das revelações mais chocantes e aterrorizantes: a destruição planejada tinha uma dimensão muito maior. O ataque fora realmente uma tentativa frustrada de explodir a escola inteira. As enormes bombas de propano que os garotos colocaram no refeitório foram programadas para explodir quando o local estivesse cheio de alunos. Por causa de um erro de cálculo, elas não detonaram. Kate disse que, se tivessem explodido, uma parede de fogo teria engolido o refeitório lotado, deixando centenas de estudantes presos. O teto talvez tivesse caído, trazendo todo o segundo andar abaixo, para dentro do refeitório.

O horror do que aconteceu, portanto, não era nada em comparação com o que os garotos planejaram. Eu mal conseguia respirar ao pensar naquilo. Por mais catastrófica que tenha sido a tragédia, era para ter sido muito, muito pior. Com certeza, aquilo era o que o meu filho planejara.

Retomando o controle, Tom os pressionou por mais informações. O maior mistério ainda não tinha sido explicado: Qual era o estado mental de Dylan? Por que ele estava lá? Que ideias e sentimentos causaram a participação dele naquela atrocidade?

Nós acreditávamos que Dylan não deixara absolutamente nenhum vestígio que pudesse explicar suas ações. Os investigadores já haviam nos dito que ele apagara o disco rígido de seu computador, e tiraram do quarto dele tudo que pudesse nos dar alguma pista do estado mental de Dylan. Procuramos sem parar por um bilhete. Pedi aos amigos dele que procurassem, quando nos visitaram; eles abriram capas de CD e fuçaram dentro dos livros. Nenhum de nós encontrou nada.

Assim, Tom e eu ainda estávamos nos agarrando a um último fio de esperança. Era óbvio que Dylan participara ativamente do massacre, mas será que o tinha feito por livre e espontânea vontade? Não era possível que tivesse sofrido lavagem cerebral, estivesse drogado ou tivesse sido coagido? Kate balançou a cabeça e disse que a polícia tinha certeza de que Dylan participara por livre e espontânea vontade. Quando perguntamos como eles podiam saber, ela contou que os garotos tinham deixado uma fita de vídeo.

Era a evidência em vídeo sobre a qual fomos avisados. Embora eles tivessem feito aulas de produção de vídeo juntos, nunca me ocorrera que Dylan e Eric pudessem ter criado o próprio filme deles. A notícia de que o fizeram gerou uma onda de terror e medo em minhas entranhas. Ainda assim, era impossível estar preparada para o que vi quando Kate colocou a fita no aparelho e apertou play.

. . .

Mais uma vez, minha vida ruiu. Se eu não tivesse visto, não teria acreditado. Meus piores medos se materializaram. Fico pensando no ódio louco dele e em sua intenção de morrer. Ele mentiu para nós e para seus amigos. Estava tão longe de sentir alguma coisa. Fico tentando entender como aquele filho doce e amado chegou a esse ponto. Estou tão furiosa com Deus por ter feito isso com meu filho.

— ANOTAÇÃO NO DIÁRIO, OUTUBRO DE 1999

Os "Vídeos do Porão"* mostravam Dylan e Eric conversando com a câmera em vários lugares e horários nas semanas anteriores ao tiroteio. Muitos foram gravados no quarto de Eric, no porão, o que explica o nome que receberam da imprensa.

Não fazíamos ideia de que esses vídeos existiam, mas, assim que a fita começou a rodar, percebi que teria de deixar de lado todas as minhas presunções sobre a vida do meu filho, sobre as ações que levaram à sua morte e às atrocidades que ele cometeu.

Meu coração quase se partiu quando vi Dylan e ouvi sua voz pela primeira vez. Ele parecia e soava exatamente como eu me lembrava, o garoto de quem eu sentia tanta saudade. Dentro de segundos, no entanto, as palavras que ele estava dizendo entraram em foco e meu cérebro vacilou. Levantei-me da cadeira, me perguntando se teria tempo de chegar ao banheiro antes de vomitar.

Ele e Eric estavam ridículos, fazendo poses, se exibindo um para o outro e para a plateia invisível. Eu nunca vira aquela expressão de supe-

---

* "Basement Tapes", como ficaram conhecidos originalmente. (N. do E.)

rioridade arrogante no rosto de Dylan. Meu queixo caiu quando ouvi a linguagem que estavam usando — abominável, odiosa, racista, palavras depreciativas, palavras jamais proferidas ou ouvidas em nossa casa.

A dinâmica entre os garotos era evidente, e foi uma revelação. A adrenalina percorria meu corpo, tornando difícil me concentrar, mas a informação nos vídeos era tão importante que eu não queria nem piscar.

Na primeira gravação, vimos Eric agir como um mestre de cerimônias, apresentando os tópicos que queria registrar em vídeo, enquanto Dylan dava apoio com desdém. À primeira vista, Eric parece o calmo, o são, enquanto Dylan está enfurecido ao fundo. É óbvio que a fúria de Dylan é um componente crucial na dinâmica. Vez após outra, Eric o encoraja a "sentir o ódio", e Dylan obedece, lembrando-se de tudo o que pode para se colocar em um estado de fúria e permanecer nele. O nível a que ele chega é absurdo, como quando se lembra de alguns episódios de seus dias no jardim de infância.

Os psicólogos que analisaram os vídeos chegaram a conclusões parecidas: Eric contava com a raiva depressiva e reprimida de Dylan para alimentar e dar combustível a seu sadismo, enquanto Dylan usava os impulsos destrutivos de Eric para tirá-lo de sua passividade. Levaria anos para que eu filtrasse o que ouvi na fita e compreendesse o papel da raiva na autodestruição de Dylan.

Durante as horrendas bravatas, as palavras chocantes e cheias de ódio que saíam de sua boca, eu era capaz de ver a familiar timidez adolescente de Dylan, a mesma vergonha desengonçada que ele demonstrava toda vez que Tom pegava a câmera para fazer um filme caseiro. Eu queria saltar para dentro da tela, socá-lo e gritar com ele — e, também, voltar no tempo, para abraçá-lo e dizer que ele era muito amado, que não estava sozinho.

Não me lembro mais da ordem em que os segmentos passaram. Em um deles, os garotos estão sentados em duas cadeiras de frente para a câmera, comendo e tomando bebida alcoólica de uma garrafa. Eles listam as pessoas que querem ferir e descrevem o que gostariam de fazer com elas. (Como Kate apontou, nenhuma das pessoas mencionadas nos vídeos foi ferida no ataque.) Em outro segmento, Dylan segura a câmera enquanto Eric veste roupas elegantes e exibe armas. Eles falam sobre manter o plano em segredo. Eric mostra o cuidado que teve para esconder as armas, para que seus pais não as encontrassem.

Kate fez um comentário a essa altura, em nosso benefício. Essa parte do vídeo chamou a atenção, ela disse, mesmo daqueles que trabalhavam na aplicação da lei. Os investigadores não tinham conseguido descobrir um dos esconderijos de Eric na busca inicial na casa dos Harris; precisaram voltar depois de ter visto o vídeo. Ela acrescentou que, quando os membros da equipe foram para casa, vasculharam os quartos de seus próprios filhos como nunca haviam feito antes.

Dylan fala sobre esconder em nossa casa a espingarda recém-comprada. Ele serrara o cano da arma, deixando-a menor e mais fácil de ser ocultada — isso sem mencionar a ilegalidade da posse. Ele descreve sua tensão ao segurar a arma embaixo do sobretudo e se enfiar no quarto sem que ninguém suspeitasse de nada. Nunca soubemos se a arma foi guardada em nossa casa ou em algum outro lugar. Pode ter sido guardada na cabeceira da cama, em formato de caixa; o interior não poderia ser acessado a não ser que a cama fosse desmontada. Assistindo ao vídeo, eu me senti impotente. Mesmo que tivéssemos continuado a busca no quarto dele, como fizemos regularmente durante seis meses depois de ele ter sido preso, no segundo ano do ensino médio, provavelmente nunca teríamos olhado ali.

A certa altura da gravação, Dylan faz um comentário depreciativo sobre o meu lado da família e outro sobre seu irmão mais velho, Byron. Estávamos de luto fazia seis meses, e ninguém tinha enfrentado o peso do ódio do mundo com mais bravura que Byron. Nosso filho mais velho tinha se colocado à frente e carregado as terríveis responsabilidades que recaíram sobre ele com graça e coragem admiráveis. Era irônico. Dylan tinha tão pouco para reclamar ou com que estar furioso que se apegava a picuinhas do relacionamento com o irmão ou com parentes que raramente via para manter aceso o ódio que Eric precisava que ele mantivesse.

Em outro trecho, Dylan reclama para Eric que eu o obriguei a participar do Sêder de Pessach, a Páscoa judaica. No fim de semana em que eles gravaram o vídeo, eu decidira fazer um jantar tradicional de Pessach e convidar um vizinho para se juntar a nós; pedi a escala de trabalho de meus dois filhos, assim poderia planejar de acordo. Dylan respondeu de maneira que achei imatura e egoísta. Ele não queria participar. A pessoa mais jovem à mesa tem de ler parte da cerimônia, e ele achava isso constrangedor.

Eu lhe pedi para reconsiderar. "Sei que esse feriado não quer dizer nada para você, mas tem significado para mim. Vamos ter um bom jantar. Pode fazer isso por mim?" Quando ele concordou, eu disse que estava grata por aquilo. E lá estava ele no vídeo, reclamando com Eric pela obrigação de comparecer ao jantar.

Eric, que está brincando com uma arma enquanto Dylan fala, fica imóvel ao ouvir a palavra "Pessach". Ele não sabia que minha família era judia. Quando Dylan percebe que deixou isso escapar, começa a se esquivar.

Ele parece ter medo da reação de Eric e diz que eu não sou judia de verdade — só um quarto, ou um oitavo. Eu não sabia se ele estava preocupado em ser julgado ou em levar um tiro.

Eric finalmente quebra a tensão, oferecendo uma palavra de consolo a Dylan. Assistindo àquilo, pensei: *Seus idiotas! Toda essa conversa sobre odiar a tudo e a todos e vocês nem sabem do que estão falando. É tudo invenção da cabeça de vocês, para sustentar o ódio.* O que mais me cortou o coração foi o fato de que, por um momento ali, Dylan pareceu quase se dar conta disso.

A certa altura dos vídeos, Eric sugere que cada um diga algo sobre os pais. Nesse ponto, Dylan baixa os olhos para a mão e diz, de modo quase inaudível: "Meus pais têm sido bons para mim. Não quero falar sobre isso". Nenhum dos dois estabelece uma conexão entre as ações que estão planejando e a dor que causarão às pessoas que os amam. Em outra gravação, chegam a ponto de anunciar que nem seus pais nem seus amigos têm responsabilidade sobre o que está prestes a acontecer, como se esclarecer esse mínimo detalhe pudesse resolver as coisas para as famílias quando tudo estivesse terminado.

O último segmento era o mais curto. E também o mais difícil para mim. Nele os garotos fazem uma pausa para dizer palavras de adeus antes de ir para a escola pôr o plano em prática. Os suprimentos estão empilhados ao redor, como se eles estivessem saindo para uma expedição. Eric diz a sua família como devem ser distribuídas suas posses.

Dylan não emite uma só palavra raivosa nem fala de ódio ou vingança. Não faz menção à morte e à destruição por vir. Não há nada das bravatas dos vídeos anteriores. Ele também não chora; seu tom é seco, resignado. Seja lá o que pretende fazer com os colegas, ele irá à escola para tirar a própria vida. Ele afasta o olhar da câmera, como se estivesse falando somente consigo mesmo. Então diz baixinho: "Só sei que eu vou para um lugar melhor. Eu não gosto muito da vida..."

Ao ver isso, tive de morder o lábio para evitar gritar: *Pare! Pare! Não vá. Não me deixe! Não faça isso. Não machuque aquelas pessoas. Me dê uma chance de ajudá-lo! Volte.* Mas, seja lá onde estivesse, Dylan não podia mais ouvir.

· · ·

Tufekci: "Não consigo ver nenhum tipo de benefício em divulgar esses vídeos, apenas a possibilidade de grande dano".

— Notas de uma conversa com a socióloga
Zeynep Tufekci, fevereiro de 2015[2]

O FIM DA NEGAÇÃO

Anos depois, Tom e eu lutaríamos para garantir que os chamados Vídeos do Porão não fossem mostrados ao público.

Encontramos muita resistência. As pessoas acreditavam que estávamos escondendo alguma coisa ou protegendo a reputação de Dylan. (Como comentei secamente com Tom na primeira vez em que ouvimos essa acusação em particular: "Acho que esse cavalo já saiu da baia".) Fui até mesmo desafiada por alguns dos sobreviventes de suicídio: "Não acha que mostrar esses vídeos ao público ajudaria as pessoas a entenderem por que isso aconteceu?"

A resposta foi: "Não, não acho". Continuo achando que não; e meus motivos estão intimamente relacionados a muitos dos problemas mais amplos e globais acerca de suicídio e violência no âmago deste livro: especificamente, o medo real de que outro adolescente perturbado possa usar os vídeos como um mapa ou um modelo para planejar seu próprio tiroteio na escola.

Dylan e Eric foram, em certos lugares, vangloriados como heróis de uma causa. Tom e eu tínhamos recebido cartas assustadoras de adolescentes alienados expressando admiração por Dylan e pelo que ele fizera. Adultos que sofreram bullying na infância escreveram para nos contar que se identificavam com os garotos e com as ações deles. Garotas nos inundaram com cartas de amor. Garotos deixaram recados em nossa secretária eletrônica chamando Dylan de deus, um herói. Uma conhecida que trabalhava em uma unidade correcional para jovens me disse que alguns dos garotos presos davam vivas enquanto assistiam à cobertura da destruição da escola pela televisão. Um projeto de vídeo que Dylan e Eric fizeram vazou na mídia e se tornou um grito de guerra para adolescentes que sofriam bullying.

Essas informações me deixavam mais triste e enojada do que a mais crítica das mensagens de ódio. Se os vídeos fossem a público, nunca seríamos capazes de controlar quem os veria. (Até mesmo escrever sobre a cronologia dos eventos na escola e descrever os vídeos, como fiz neste capítulo, me deixa nervosa, e eu não o teria feito sem a autorização expressa de pessoas que estudam essas questões.) Não poderíamos, em sã consciência, mostrar aqueles vídeos. Já havia estrago suficiente.

Isso não era mera superstição de nossa parte. À medida que os anos passaram, nosso medo de que as ações de Dylan e Eric pudessem servir de inspiração para outros adolescentes transtornados se confirmou várias vezes. Materiais relacionados a Columbine foram encontrados entre as posses do atirador Seung-Hui Cho, de Virginia Tech, e nos pertences de Adam Lanza, da Escola de Ensino Fundamental Sandy Hook. Uma investigação feita pela ABC News, publicada em 2014,[3] encontrou "pelo menos 17 ataques e outros 36 supostos planos ou ameaças sérias contra escolas desde o ataque à Escola de Ensino Médio de Columbine que podem ser relacionados ao massacre de 1999".

Sabemos, sem a menor sombra de dúvida, que a exposição ao suicídio ou ao comportamento suicida pode influenciar outras pessoas vulneráveis a fazerem uma tentativa.[4] Mais de cinquenta estudos pelo mundo conectaram fortemente a cobertura de suicídios pela mídia com o aumento da incidência de suicídios similares ou imitados. É o chamado "contágio suicida", também conhecido como efeito Werther, termo cunhado pelo sociólogo David Phillips nos anos 1970. O próprio nome evidencia há quanto tempo se conhece o fenômeno: no século XVIII, um grupo de jovens imitou o protagonista do romance de Goethe *Os sofrimentos do jovem Werther*, cometendo suicídio como ele fez, de calça amarela e jaqueta azul.

O reconhecimento do efeito Werther pela mídia tem, inquestionavelmente, salvado vidas. Talvez você tenha notado que as mortes por suicídio, especialmente as de adolescentes, raramente são divulgadas pela imprensa. Isso não é um acaso; os veículos de comunicação estão seguindo as orientações estabelecidas pelos Centros de Controle e Prevenção de Doenças e pelo Instituto Nacional de Saúde Mental — ambos sugerem que limitar a cobertura desses eventos pode salvar vidas.

As orientações recomendam que os veículos de comunicação evitem cobertura repetitiva, atraente ou sensacionalista e não ofereçam explicações simplistas sobre o suicídio. O método não deve ser discutido em detalhes. O bilhete suicida não deve ser reproduzido. Fotografias do local da morte, dos memoriais e de familiares em luto podem causar comoção e devem ser evitadas.

Ao concordar em divulgar casos de suicídio não como crimes notórios, mas como parte de um enorme problema de saúde pública, os membros das grandes redes de comunicação têm salvado vidas. As duas áreas de exceção são o suicídio de celebridades e o assassinato seguido de suicídio. Não sou tão ingênua a ponto de acreditar que um dia verei um mundo onde não haja cobertura jornalística da morte de figuras muito conhecidas, como Robin Williams, ou de um evento como o massacre na Escola de Ensino Fundamental Sandy Hook. Por mais trágicos que sejam esses eventos, também são notícia. Mas há muitas formas pelas quais mesmo esse tipo de evento pode ser divulgado com mais responsabilidade, e há um forte argumento para fazê-lo. Acredito, pessoalmente, haver um argumento convincente para mudar a maneira como cobrimos o assassinato seguido de suicídio.

O FIM DA NEGAÇÃO

147

Um corpo crescente de pesquisas sugere que o aumento no número de assassinatos em massa nos Estados Unidos está intrinsecamente ligado — ao lado da ampla disponibilidade de armas de alta capacidade, da falta de conhecimento e de apoio aos problemas de doença cerebral — à maneira como a mídia cobre esses eventos.[5] E, se tal cobertura pode conter ou instigar o contágio, então eu concordo com os especialistas no assunto, como os drs. Frank Ochberg e Zeynep Tufekci, sobre ser imperativo instituir um novo conjunto de orientações para a cobertura jornalística do assassinato seguido de suicídio.

Já existe, obviamente, uma diferença profunda entre a maneira como esses eventos são cobertos pelas organizações de notícias de primeira linha e o que acontece nos cantos mais obscuros e profundos da internet — ou até mesmo nos noticiários a cabo, com vinte e quatro horas de programação para ser preenchidas. Meg Moritz,[6] jornalista e professora que analisou de perto a cobertura jornalística de Columbine, me lembrou de que os jornalistas em questão geralmente tomam decisões em segundos, em circunstâncias nada favoráveis. Mesmo assim, é razoável esperar que empresas legítimas de notícias sigam as orientações das melhores práticas.

Muitas dessas orientações têm a ver com o que *não* fazer. Não mostre fotos do atirador, particularmente aquelas em que ele aparece com armas, ou vestido com o traje que escolheu para executar o massacre. Não mostre as armas utilizadas nem outras provas. Não repita incessantemente o nome do atirador; em vez disso, refira-se ao "assassino" ou ao "criminoso". Não exiba na programação ou publique vídeos que ele tenha gravado (como os Vídeos do Porão) nem manifestos postados em suas contas de rede social. Não compare o assassino com outros, particularmente dando ênfase ao número de pessoas que ele matou. Tufekci acredita que números — quantos mortos e quantos feridos, o número de balas disparadas — e fotos são particularmente inflamativos, uma vez que dão condições de comparação. Não faça sensacionalismo com a violência ou a contagem de corpos — "O maior número de mortos e feridos na história do país!" Não simplifique demais as motivações por trás do ato.

Mais importante: não faça dos assassinos heróis, sem querer. Parece óbvio; no entanto, quando um evento desse tipo acontece, o que se vê são descrições detalhadas (e, eu diria, fetichistas) das armas usadas, de como os assassinos as esconderam, o que fizeram e o que comeram no fatídico dia, exatamente o que estavam vestindo. Os nomes deles se tornam conhecidos. Sabemos quais são suas comidas, seus games, filmes e bandas favoritos. Em algum momento esses detalhes vêm à tona, é claro; vazamentos acontecem e a internet é a internet. Mas, se essas imagens e esses detalhes aceleram e inspiram violência, então não deveriam ser repetidos infinitamente na CNN.

O dr. Frank Ochberg[7] é psiquiatra, pioneiro em ciência do trauma e presidente emérito do Centro Dart de Jornalismo e Trauma da Universidade de Columbia. Quando fala aos jornalistas sobre trauma, ele os aconselha a expandir a discussão em torno dos eventos traumáticos, em vez de alardeá-los. Que detalhes nos ajudarão de verdade a desvendar os eventos que aconteceram? Para quais instituições podemos direcionar as pessoas? Como podemos inserir essa tragédia em um contexto maior de saúde mental?

Uma grande melhoria seria simplesmente evitar tirar conclusões precipitadas, especialmente simplificando demais as causas. Os atiradores de escola não matam "por causa" de um vídeo violento ou de música techno, e as pessoas não cometem suicídio porque perderam o emprego ou levaram um fora da namorada. Muitos artigos que li após a morte de Robin Williams expressavam choque pelo fato de um homem tão rico e querido sentir que não havia razão para viver. Obviamente, dinheiro e popularidade não protegem as pessoas de doenças cerebrais mais do que as causam.

Ao simplificar demais a causa do suicídio, criamos o risco de sugerir que uma rejeição amorosa ou um obstáculo no trabalho seja uma razão para considerar a morte. Uma demissão ou o fim de um namoro podem contribuir para a melancolia de alguém, mas as pessoas terminam namoros e são demitidas o tempo todo; esses eventos em si não explicam por que alguém comete suicídio. Do mesmo modo, há evidências de que videogames violentos dessensibilizam as crianças para a realidade da violência e são particularmente perigosos para crianças vulneráveis, que estão sofrendo com doenças cerebrais ou outros fatores correlatos. Mas os atiradores de escola não saem matando porque jogaram *Grand Theft Auto* ou *Doom*.

Tenho esperança de que as recomendações que fiz aqui não sejam vistas como pré-censura ou ameaça contra a liberdade de expressão, mas como um chamado para o jornalismo ético. (Em um ato que respeito profundamente, o romancista Stephen King pediu a seu editor para retirar o romance *Fúria* das livrarias, depois que vários atiradores de escola mencionaram alguns trechos dele.) A icônica foto de Columbine é uma imagem congelada da câmera de segurança, mostrando Dylan e Eric em trajes paramilitares completos, brandindo suas armas no refeitório da escola. Toda vez que a vejo — especialmente quando ela acompanha um artigo que tem a intenção de apresentar uma abordagem mais construtiva —, tenho de me controlar para não atirar a revista do outro lado da sala.

O FIM DA NEGAÇÃO   149

Com certeza há precedentes para mudar a maneira como a imprensa divulga eventos, com foco no bem maior. Um bom repórter nunca sonharia publicar o nome de uma vítima de abuso sexual ou os movimentos específicos de uma tropa. Da mesma forma, talvez logo se torne impensável publicar a foto do assassino logo acima do número de pessoas que ele matou e feriu, em vermelho-sangue.

Algumas redes de notícias começaram a se abrir para essas necessidades. Em 2014, uma rede canadense conservadora tomou a decisão de não divulgar o nome nem mostrar a fotografia de um homem que atirou em cinco policiais, matando dois.[8] O editorial que publicaram explicou a decisão: "É fácil falar sobre a vida do assassino, varrer sua página desordenada do Facebook, especular sobre o motivo, mas fazer isso poderia, de fato, estimular a percepção de que seus atos hediondos são de alguma forma justificados". Não tenho uma opinião tão bem formada com relação a esconder o nome dos assassinos quanto muitos analistas de mídia têm; deixo essa recomendação para alguém mais qualificado. De qualquer forma, é notável que a cobertura profunda do evento não foi, de forma alguma, comprometida porque não relataram tais detalhes.

Em muitos países da Europa, os conselhos nacionais de noticiários monitoram a cobertura e penalizam as infrações. Isso provavelmente é impossível nos Estados Unidos, e pode não ser desejável (embora eu gostaria que houvesse uma maneira de punir o *National Enquirer,* que publicou fotografias vazadas da cena do crime de Columbine, incluindo uma foto de Dylan e Eric mortos na biblioteca). Essas discussões acontecem nas melhores redações de jornais todos os dias, sobre sensibilidade, contágio e trauma. Acredito que, com o tempo e com a educação, as agências de notícias venham a adotar essas orientações voluntariamente, pela simples razão de que é a coisa certa a ser feita. Enquanto isso, quando vir uma cobertura que ache irresponsável, você pode (assim como eu faço) escrever um e-mail para o veículo que divulgou a notícia, ou fazer suas objeções serem ouvidas nas mídias sociais.

O medo do contágio foi o maior motivo pelo qual Tom e eu brigamos tanto para manter lacrados os Vídeos do Porão, mas não foi o único. Tirando seja lá quais fossem os comportamentos destrutivos que outro adolescente alienado pudesse aprender, eu tinha horror de pensar que os amigos e familiares das pessoas que sofreram perdas pudessem ser novamente traumatizados, sem querer, simplesmente porque estavam folheando uma revista na fila do supermercado ou sentados perto de uma televisão num bar, assistindo a programas esportivos.

Eu também tinha receio de que a divulgação dos vídeos pudesse continuar a alimentar a fantasia confortável de que o mal se apresenta de uma forma que só um tolo não consegue reconhecer. Para mim, a tragédia de Columbine era a prova de quanto essa fantasia pode ser perigosa. Quem visse Dylan nos vídeos pensaria: *Esse garoto é louco, está praticamente fervendo de ódio. Ele está planejando cometer atos violentos de verdade e se suicidar. Seus pais devem ser completos idiotas. É impossível eles terem vivido na mesma casa com essa pessoa e não saberem que ela era perigosa.*

Tudo o que posso dizer é que eu teria pensado assim também.

Não havia como divulgar os vídeos com responsabilidade. Nem havia uma razão convincente para fazê-lo. Um batalhão de investigadores profissionais e psicólogos analisou-os e não foi capaz de chegar a um acordo quanto ao motivo pelo qual Dylan e Eric cometeram aquela atrocidade. O que a população em geral poderia aprender?

Eu sempre acho que seria muito mais instrutivo — e assustador — mostrar o vídeo que fizemos de Dylan na tarde de sua formatura, três dias antes do massacre, sorrindo e jogando alegremente pequenas bolas de neve no pai atrás da câmera. Para mim, a naturalidade com a qual pessoas desesperadas conseguem mascarar seus verdadeiros sentimentos e intenções é de longe a mensagem mais importante.

Os vídeos continuaram lacrados. Os teóricos da conspiração se enfureceram, mas não havia nada a esconder. Simplesmente não havia nada que valesse a pena ser exibido.

. . .

Minha relação com Dylan em minha cabeça e em meu coração mudou. Estou tão brava com ele agora. Eu me pergunto o que fiz como mãe para levá-lo a se sentir tão magoado, tão bravo, tão desconectado.

— Anotação no diário, outubro de 1999

Ao sair do departamento de polícia depois de ver os Vídeos do Porão, eu estava em completo estado de choque. No estacionamento, cambaleei em direção ao carro, enrolando as palavras como uma bêbada. O horror do que acabáramos de ver — sem falar que a tragédia poderia ter sido muito mais severa, e a violência perpetrada, substancialmente pior — praticamente me fez ficar de joelhos.

Nos dias e meses após aquela reunião, meu mundo se escancarou novamente. Ver os Vídeos do Porão finalmente me forçou a enxergar meu filho do jeito que o restante do mundo o via. Não é à toa que acharam que ele fosse um monstro.

Há um giroscópio dentro de cada um de nós, buscando o equilíbrio e mantendo nossa direção. Durante meses depois de ver os Vídeos do Porão, nenhuma modulação era possível. Eu mal conseguia dizer se estava em pé ou de cabeça para baixo.

Uma vez que emergi do estado de choque e comecei a sentir alguma coisa de novo, fui consumida pela raiva. Eu estava furiosa com o que Dylan fizera com tantas pessoas inocentes e com o que poderia ter feito a tantas outras mais. Eu mantivera viva em meu coração sua doce memória durante todos aqueles meses, mas ele destruíra aquela memória e tudo o mais. No Dia de Ação de Graças, a única coisa em que eu podia pensar para agradecer era que as bombas não explodiram. A cadeira vazia de Dylan era uma lembrança das outras famílias, a poucos quilômetros de distância, com suas próprias cadeiras vazias. Segurei a mão de Byron enquanto ele agradecia pela comida e por nós, mas não havia possibilidade de mais conversa, ou de comer algo além de uma garfada perfunctória. Quando Byron pediu licença para sair da mesa depois de miseráveis quinze minutos e se levantou para levar seu prato até a cozinha, Tom e eu começamos a chorar.

Meus problemas digestivos pioraram naquele outono. Quando fui fazer meu checkup ginecológico anual, o médico ficou muito assustado com minha aparência e meu humor. Eu o conhecia havia anos; ele fizera o parto de Dylan, e eu fiquei grávida na mesma época que sua esposa, então tínhamos frequentado a mesma aula de cuidados com o bebê. Como médico e amigo, ele foi incisivo: eu precisava encontrar um terapeuta.

Isso era mais verdadeiro do que ele supunha. Devido às restrições legais, eu nunca fizera parte de nenhum grupo de apoio. Ainda que meus amigos e colegas tivessem sido maravilhosos ao me permitir compartilhar as lembranças de Dylan, meu luto e meus questionamentos, como eu poderia conversar com eles sobre o que vira naqueles vídeos? Os processos judiciais impossibilitavam isso, para começar. E agora, quando alguns de meus questionamentos tinham sido respondidos, a vergonha e a fúria encobriam todo o resto.

Desesperada, marquei uma consulta com o terapeuta que vira logo após os ataques. Eu sempre suspeitara de que ele não tinha o treinamento adequado para lidar com as complicações de minha situação, e aquela consulta foi a gota-d'água. Depois de lhe contar o que tínhamos visto e ouvido nos vídeos, tudo o que ele conseguiu fazer foi se sentar em um silêncio estupefato. Finalmente, ele confessou não estar preparado e que não sabia como ajudar. E me perguntou se eu permitiria que ele consultasse outro terapeuta. Embora estivesse grata por sua honestidade e ajuda, concordamos que eu não voltaria ao seu consultório.

Pedi recomendações a meu médico, aos amigos, a um pastor e a um rabino. Gary Lozow me ajudou a selecionar os candidatos. Foi um pro-

152   O ACERTO DE CONTAS DE UMA MÃE

cesso desanimador. Uma das terapeutas mal podia esperar para desligar o telefone quando eu me apresentei. Ela não queria se envolver com as muitas ações judiciais ao redor de nossa família. Alguns demonstraram um interesse mórbido nos detalhes do caso, enquanto outros confessaram que simplesmente não estavam preparados para aquela tarefa. Continuamos procurando e encontramos alguém que também tinha perdido um filho, o que fez toda a diferença. Quando olhei nos olhos dela, eu me senti em casa.

Na verdade, fiquei cega de raiva com Dylan só por alguns dias depois de assistir aos vídeos. Eu precisava deixar isso de lado. A raiva bloqueia o sentimento de amor, e o amor continuava vencendo.

· · ·

Foi minha nova terapeuta quem me ajudou a enxergar por que aquele dia no departamento de polícia me devastara tão completamente. Eu tive de recomeçar o processo de luto. O Dylan por quem eu chorava desaparecera, substituído por alguém que eu não reconhecia.

Assim como o retrato de Dorian Gray, a imagem que eu tinha de Dylan em minha mente ficava mais feia a cada vez que eu olhava para ela. A representação à qual eu me agarrara por todos aqueles meses — acreditando que ele fora um participante desinformado ou coagido, ou que agira em um momento de loucura — se foi. O rosto diabólico que eu vira nos vídeos era um lado dele que eu não reconhecia, um lado que eu nunca vira, durante toda a sua vida. Depois de assistir aos vídeos, era realmente muito difícil não dizer: "Aquele demônio — isso é o que ele era".

Com a ajuda da terapeuta, descobri que não havia conforto duradouro ao enxergar Dylan como um monstro. No fundo, eu não conseguia conciliar aquilo com a caracterização do Dylan que eu conhecera. O resto do mundo poderia explicar o que ele fez: ou ele nascera um demônio — uma semente ruim — ou fora criado sem direcionamento moral. Eu sabia que estava longe de ser tão simples assim.

Depois de assistirmos aos Vídeos do Porão, abri uma caixinha dentro da gaveta de minha escrivaninha onde guardo alguns suvenires valiosos. Entre eles havia um pequeno cavalo de origami. Revirei a caixa procurando pelo cavalinho, toda hora tirando-o dali para examiná-lo, como se suas dobraduras pudessem conter a resposta às minhas perguntas.

Quando Dylan tinha mais ou menos nove anos, tive uma infecção horrível nos olhos, que persistiu apesar das várias idas ao médico. Dylan ficara preocupado, checando meus olhos para ver se tinham melhorado. Ele sempre foi uma criança fisicamente carinhosa, e eu ainda tenho a memória sensorial de sua mão no meu ombro enquanto perscrutava ansiosamente meus olhos. Enquanto eu ainda estava me recuperando, descobri um pequeno cavalo alado feito de dobraduras, cuidadosamente colocado sobre minha escrivaninha, com um bilhete escrito em sua letra infantil: "Espero que o meu Pégaso da Cura faça você melhorar. Eu fis ele especialmente pra você. Com amor, Dylan".

Como eu poderia conciliar o querubim com cachos de cabelo dourado, que costumava gargalhar enquanto me dava beijos estalados no rosto, e o homem — aquele assassino — na tela? Como a pessoa que fizera o Pégaso da Cura para mim poderia ser a mesma do vídeo? Eu precisava sintetizar minha própria experiência de ser a mãe daquele garoto e, ao mesmo tempo, reconhecer a pessoa na qual ele se tornara no fim da vida.

Não havia mais nenhuma forma de negar o terrível fato de que meu filho planejara e cometera atos de crueldade apavorantes. Mas a criança de bom coração que fizera aquele Pégaso; o garoto amável e tímido incapaz de resistir a ajudar com um quebra-cabeça de mil peças; o jovem cuja risada, parecida com um latido, pontuava os episódios de *Mystery Science Theatre 3000* a que assistíamos juntos — ele também foi real. Quem era aquele que eu amara, e por que o amei?

Uma amiga uma vez me mandou um e-mail com os seguintes dizeres, e eu os achei tão apropriados que mergulhei no livro para ler mais: "Tenha paciência com tudo o que não está resolvido em seu coração", Rainer Maria Rilke escreve em sua quarta carta a um jovem poeta. "Tente amar as próprias perguntas, como se fossem salas fechadas ou livros escritos em uma língua estrangeira. Não procure agora respostas que não lhe podem ser dadas, porque ainda não as pode viver. E tudo tem de ser vivido. Viva agora as perguntas. Aos poucos, sem o notar, talvez dê por si um dia, num futuro distante, a viver dentro da resposta."

Um dia meu coração se abriria totalmente para meu filho de novo, quando eu conseguisse chorar não só por suas vítimas, mas também por ele. Eu descobriria o sofrimento profundo pelo qual Dylan passou, talvez durante anos, o qual eu desconhecia totalmente. O transtorno de ansiedade e o transtorno de estresse pós-traumático pelos quais passei depois de Columbine me apresentariam em primeira mão as formas como uma crise de saúde cerebral pode distorcer o discernimento de uma pessoa. Nada disso justifica ou atenua o que Dylan fez. No entanto, o melhor entendimento das doenças cerebrais, que agora acredito o terem acometido, me permitiu ficar de luto por ele novamente.

Esse processo levaria anos. A princípio tive de viver o questionamento, e tudo que não tinha resposta dentro de meu coração. Assistir àqueles vídeos foi o primeiro passo. Por mais terrível que tenha sido a experiência, fui obrigada a aceitar que Dylan tivera participação ativa e voluntária no massacre. Mais adiante, eu precisaria juntar os fragmentos contraditórios que tinha coletado para entender como Dylan fora capaz de esconder tanto um lado dele de Tom e de mim, bem como dos professores, de seus amigos mais próximos e dos pais deles.

E eu estava determinada a fazê-lo, não só para ter um contexto para meu próprio luto e horror, mas também para compreender o que eu poderia ter feito diferente.

PARTE II
RUMO AO ENTENDIMENTO

Dylan, aos catorze anos, jogando pôquer
com meu irmão e minha irmã.
Família Klebold

11

NAS PROFUNDEZAS DO DESESPERO

Ultimamente, quando me apresento em uma conferência, eu digo: "Meu filho cometeu suicídio". E depois completo: "Ele era um dos atiradores na tragédia de Columbine".

Já estou acostumada com os queixos caídos. Quase sempre a pessoa diz: "Nunca pensei nisso dessa forma, mas acho que *foi* um suicídio, não foi?"

Não me surpreende que as pessoas tenham essa reação. É claro que têm; eu era a mãe de Dylan, e essa também foi a minha reação. Tanto a percepção de que ele cometeu suicídio como as implicações desse entendimento vieram aos poucos, mas o significado dessa percepção continua a ser sentido.

Como provavelmente devem ter notado a esta altura, há muito tempo eu desisti de esperar que uma única peça do quebra-cabeça se encaixasse no lugar certo e finalmente revelasse por que Dylan e Eric fizeram o que fizeram. Gostaria que os vetores que apontaram os garotos na direção da catástrofe fossem inequívocos. Também sou cautelosa com relação às muitas explicações imediatas que surgiram após a tragédia. A cultura da escola e o bullying "causaram" Columbine? Os videogames violentos? Pais negligentes? A paramilitarização da cultura popular americana? Essas são peças de um quebra-cabeça maior, com certeza. Mas nenhuma delas, mesmo em uma combinação que amplie seus efeitos individuais, jamais foi suficiente para explicar o tipo de ódio e violência que os garotos demonstraram.

Sou até um pouco comedida ao falar sobre "os garotos" dessa forma, como se as motivações deles fossem compartilhadas. Dylan e Eric planejaram o massacre juntos e agiram juntos, mas eu acredito — assim como a maioria dos investigadores que examinaram as provas — que eles eram pessoas diferentes, que participaram disso por razões muito diversas.

Assim, ainda que provavelmente não haja uma única resposta, uma peça do quebra-cabeça revela mais para mim do cenário geral do que qualquer outra: Dylan estava passando por uma depressão ou algum outro tipo de crise de saúde cerebral que contribuiu para seu desejo de cometer suicídio, e seu desejo de morrer teve um papel intrínseco em sua participação no massacre.

Eu tenho ciência de que essa é uma afirmação controversa. Com certeza não tenho a intenção de sugerir que os problemas de saúde cerebral de Dylan o tornaram capaz das atrocidades que ele perpetrou. Fazê-lo seria insultar as centenas de milhões de pessoas ao redor do mundo que vivem com depressão ou outros distúrbios de humor. Estigma e ignorância querem dizer que muitas pessoas que estão passando por problemas não buscam a ajuda da qual precisam desesperadamente. A vergonha vinculada a pedir ajuda em uma crise de saúde cerebral não é apenas trágica como também fatal, e eu não tenho nenhuma vontade de contribuir para isso.

Tampouco acredito que uma crise de saúde cerebral seja necessariamente uma explicação para o que Dylan fez. A combinação automática de violência e "loucura" não é só dolorosa para as pessoas que estão sofrendo; é incorreta. De acordo com o dr. Jeffrey Swanson,[1] que passou sua carreira estudando a interseção entre doença mental e violência, uma doença mental séria, por si só, é um fator de risco para a violência em apenas quatro por cento dos incidentes. É só quando a doença mental aparece em combinação com outros fatores de risco — principalmente abuso de drogas e álcool — que os números aumentam. (Dylan estava bebendo no fim de sua vida, algo que Tom e eu não sabíamos.)

A maioria das pessoas que vivem com transtornos de humor não é, de forma alguma, perigosa para os outros. Mas, como Swanson destaca, *há* certa superposição entre os transtornos mentais e a violência, e eu não acredito que seja produtivo para ninguém tirarmos o assunto da pauta.

Há, em particular, uma superposição entre problemas de saúde cerebral e tiroteios em massa. Em 1999, estimulados pelo tiroteio da Escola de Ensino Médio de Columbine, o Serviço Secreto Americano e o Departamento de Educação lançaram a Iniciativa Escola Segura, um estudo de trinta e sete ataques a escolas, na esperança de prevenir outros casos no futuro. Os pesquisadores descobriram que "a maioria dos agressores mostrava algum histórico de tentativas ou pensamentos suicidas, ou um histórico de depressão e desespero profundos".[2] Dessa forma, o acesso a avaliações de saúde cerebral e a tratamentos é decisivo para prevenir a violência — bem como o suicídio, distúrbios alimentares, abusos de drogas e de álcool e uma gama de outros perigos que ameaçam os adolescentes. O maior acesso a esses recursos pode não ser "a" resposta, mas está bem perto de ser uma.

Observe que eu uso os termos "doenças cerebrais" e "saúde cerebral" ao longo do livro, em vez dos mais comumente usados "doenças mentais" e "saúde mental". Essa decisão foi o resultado de uma conversa que tive com o dr. Jeremy Richman,[3] um neurologista cuja filha, Avielle Rose Richman, foi uma das crianças assassinadas por Adam Lanza na Escola de Ensino Fundamental Sandy Hook, em Newtown, Connecticut. O dr. Richman e sua esposa, Jennifer Hensel, cientista e escritora na área de medicina, fundaram a Fundação Avielle em homenagem à filha, na esperança de tirar o estigma das pessoas que buscam ajuda, desenvolver um conceito de "checkup de saúde cerebral" e identificar diagnósticos bioquímicos e comportamentais com o objetivo de detectar aqueles em risco de adotar comportamentos violentos.

Em nossa conversa, o dr. Richman explicou: "*Mental* é algo invisível. É um conceito que vem com todo o medo, a cautela e o estigma das coisas que não entendemos. Mas sabemos que há manifestações que são reais, físicas, dentro do cérebro, que podem ser representadas por imagens, medidas, quantificadas e compreendidas. Precisamos transferir o conhecimento para o mundo visível da saúde cerebral e da doença cerebral, que é tangível".

A ênfase que coloco neste capítulo sobre o suicídio de Dylan pode parecer insensível, como se eu acreditasse que a morte dele fosse mais importante do que as mortes que ele causou — o que não é, de forma alguma, como me sinto. Eu simplesmente quero dizer que passar a entender a morte de Dylan como suicídio abriu as portas para uma nova maneira de pensar sobre tudo o que ele fez. Eu realmente acredito que Dylan perdeu o acesso às ferramentas que lhe permitiam tomar decisões racionais, e espero, neste capítulo, discutir algumas das razões com reflexão e sensibilidade. Sou eternamente grata aos especialistas de altíssimo nível que se disponibilizaram a me ajudar a entendê-las.

Houve sinais de que Dylan cometeria um crime, especialmente um de magnitude tão devastadora? Não. Mesmo agora, não acredito que tenha havido. Ambos os garotos "vazaram" para os amigos o seu plano, fazendo revelações de precisão e especificidade variadas. Nunca vazaram nada para nós.

No entanto, isso não quer dizer que eu estivesse impotente, pois houve sinais naquele ano de que Dylan estava deprimido. Eu agora acredito que, se Tom e eu estivéssemos preparados, na época, para reconhecer esses sinais, e se tivéssemos sido capazes de intervir no que dizia respeito à depressão de nosso filho, teríamos pelo menos uma chance de lutar para evitar o que veio em seguida.

Compreender a morte de Dylan como suicídio veio quase como uma ideia secundária para mim. Mas, para Dylan, o desejo de se matar foi onde tudo começou.

O ACERTO DE CONTAS DE UMA MÃE

. . .

Numa tarde, poucos meses depois da tragédia, eu estava folheando um jornal e tomando uma xícara de chá na sala de descanso. Nosso escritório recebia uma variedade de jornais especializados, e analisá-los me ajudava a me sentir conectada com um mundo maior, que não fora arrasado pelo meu filho. Eu tinha parado de ler os jornais e revistas convencionais, por medo de dar de cara com algum comentário sobre a nossa família vindo de um "amigo próximo" que nunca conhecemos, ou com um editorial mentiroso sobre nosso excesso de indulgência com Dylan ou a falta de valores morais de nossa família. Quaisquer notícias sobre a investigação, as ações judiciais ou as vítimas das quais eu precisava saber chegavam através de nossos advogados, amigos ou familiares.

Deparei com um artigo sobre prevenção de suicídio de jovens. No primeiro parágrafo, o autor dizia algo do tipo: "Há uma tentação de olhar para as influências externas, como videogames violentos e leis frouxas de controle de armas de fogo, como explicação para a tragédia de Columbine. Mas, entre todos os outros mortos e feridos, dois jovens se suicidaram naquele dia".

Essas palavras me fizeram parar. Eu estava tão focada nos assassinatos que eles cometeram que, estranhamente, não tinha levado em consideração o significado da morte de Dylan por suicídio.

Intelectualmente, claro, eu sabia que Dylan morrera por suas próprias mãos; a autópsia relatara isso. Eu dera outro pequeno passo na direção de conceituar a morte de Dylan como suicídio durante uma teoria da conspiração, de vida curta, porém popular, surgida depois do tiroteio: que Eric matara Dylan. (Na internet essa teoria segue bem, obrigada.) Toda vez que alguém levantava essa questão comigo, eu respondia que não tinha importância. Quer Dylan tivesse puxado o gatilho, quer tivesse sido assassinado por Eric (ou por um policial, de acordo com outra teoria conspiratória que pairou no ar naqueles dias), ele fora responsável por sua própria morte.

Ainda assim, até ler aquele artigo de jornal, eu tinha certeza de que o suicídio de Dylan havia sido um ato impulsivo, uma reação à "pegadinha que deu errado" — e não parte de um plano de longa data.

Depois de ler o artigo, eu não tinha mais tanta certeza. Não foi exatamente uma revelação súbita — a situação era muito complexa, e eu estava horrorizada e confusa demais. Mesmo assim, algo dentro de mim mudou. Aquele artigo de jornal, do nada, criou uma fenda em mim, uma abertura para um entendimento que eu não me permitira ter: seja lá o que mais ele pretendesse, Dylan foi à escola para morrer.

NAS PROFUNDEZAS DO DESESPERO

. . .

Minha ex-chefe e boa amiga Sharon, uma sobrevivente do suicídio, tratou a morte de Dylan como suicídio desde o princípio. Uma vez que eu não podia me juntar a um grupo de apoio, ela me trouxe pilhas de livros. Para ela, era óbvia a intenção de Dylan de se matar, e ela percebeu muito antes de mim que aquilo era uma parte importante do quebra-cabeça.

A presença e as palavras de Sharon eram um alívio, mas a pilha de livros e panfletos sobre suicídio que ela me trouxe ficou intocada durante meses. Mesmo que eu conseguisse me concentrar o bastante para ler mais do que uma ou duas frases, não conseguia enfocar a intenção de Dylan de se ferir: eu só pensava em por que e como ele fora à escola para ferir outras pessoas. Minha ignorância era enorme e, assim, eu não conseguia imaginar que Dylan estivesse deprimido ou com pensamentos suicidas. Robyn me contara que, depois de dançar com ela no baile de formatura, Dylan lhe dera um beijo na testa. Esse era o comportamento de uma pessoa depressiva?

Depois de ver o artigo na sala de descanso, comecei a ler a pilha de livros que Sharon me trouxera,[4] e o que eu encontrei ali me surpreendeu demais. Sempre me achei uma mulher esclarecida e sensível. Mas, assim como muitas pessoas, eu tinha comprado, sem pensar, a ideia da maioria dos mitos mais comuns (e danosos) sobre suicídio. Abrir aqueles livros foi o primeiro passo do trabalho de uma vida para educar a mim mesma e aos outros — e ficar em paz, de verdade, com o que acontecera de errado em nossa própria casa e nossa própria família.

Os sobreviventes geralmente comentam quanto a possibilidade de suicídio lhes parecia remota antes de perderem alguém dessa forma; a pergunta real é por que continuamos insistindo que seja raro, quando, na verdade, é exatamente o oposto. Nos Estados Unidos, uma pessoa se suicida a cada treze minutos — quarenta mil por ano.[5] Isso pode ser qualquer coisa, menos insignificante.

De acordo com os Centros de Controle e Prevenção de Doenças, o suicídio é a terceira maior causa de morte entre pessoas de dez a catorze anos, e a segunda na faixa de quinze a trinta e quatro.[6] Assim, além de acidentes e homicídios, nada mata mais os jovens neste país do que o suicídio — nem o câncer, nem doenças sexualmente transmissíveis. Um estudo de 2013 analisou quase seis mil e quinhentos adolescentes.[7] Um em cada oito já havia considerado o suicídio, e um em cada vinte e cinco tinha tentado se matar, embora apenas metade deles estivesse em tratamento.

Mais de um milhão de pessoas nos Estados Unidos tentam o suicídio a cada ano — o que quer dizer três tentativas *por minuto*. Muitas delas o fazem sem nenhum sinal de alerta, uma indicação de que nosso padrão de práticas em relação ao tema tem uso limitado.

Mesmo depois de dez anos como ativista de prevenção ao suicídio, ainda acho esses números — e a ignorância do público em geral sobre eles — impressionantes. Eu ensinei Dylan, assim como tinha ensinado seu irmão antes dele, a se proteger de raios, picadas de cobra e hipotermia. Eu lhe ensinei a passar fio dental, usar filtro solar e a importância de conferir o ponto cego no retrovisor. Quando ele virou adolescente, nós conversávamos o mais abertamente possível sobre os perigos da bebida e das drogas, e eu o eduquei para ter um comportamento sexual ético e seguro. Nunca me passou pela cabeça que o perigo mais grave que Dylan enfrentaria não viria de uma fonte externa, mas de dentro dele.

No íntimo, eu acreditava que os que estavam ao meu redor eram imunes ao suicídio porque eu os amava, ou porque tínhamos um bom relacionamento, ou porque eu era uma pessoa observadora, sensível e carinhosa que poderia mantê-los a salvo. Eu não estava sozinha ao acreditar que o suicídio só pudesse acontecer em outras famílias, mas estava errada.

Quase tudo o que eu sabia sobre suicídio estava errado. Achei que soubesse que tipos de pessoas tentam se matar e por quê — elas eram egoístas e covardes demais para encarar seus problemas, ou estavam presas ao impulso de morrer. Caí no clichê cultural de que as pessoas que cometem suicídio são fracassadas — ou fracas demais para lidar com os desafios da vida, ou precisavam de atenção, ou estavam tentando punir as pessoas ao redor. Esses, eu aprendi, são mitos criados ao pensar sobre o suicídio sem realmente tentar entrar na mente suicida.

O pensamento suicida é um sintoma de doença, de algo a mais que deu errado. A maioria dos suicídios não é impulsiva, decisões tomadas de última hora. Em vez disso, a maioria dessas mortes é resultado da perda de uma batalha da pessoa contra seu próprio pensamento conturbado. Um suicida é alguém que não é mais capaz de tolerar o próprio sofrimento. Mesmo que não queira realmente morrer, ele sabe que a morte acabará com aquele sofrimento de uma vez por todas.

Sabemos que há uma correlação inequívoca entre o suicídio e as doenças do cérebro. Estudos do mundo todo sugerem que a grande maioria — de noventa a noventa e cinco por cento — das pessoas que cometem suicídio tem um sério distúrbio de saúde cerebral, geralmente depressão ou transtorno bipolar.[8]

Muitos dos pesquisadores com quem conversei acreditam que (com exceção das decisões de acabar com a vida relacionadas a doenças crônicas) a ideação suicida é fundamentalmente incompatível com uma mente saudável. A dra. Victoria Arango é uma neurobióloga clínica da Universidade de Columbia que tem dedicado sua carreira a estudar a biologia do suicídio. Esse trabalho a levou a acreditar que há uma vulnerabilidade biológica (e possivelmente genética) para o suicídio, sem a qual a pessoa é incapaz de fazer uma tentativa. Atualmente ela está trabalhando para identificar mudanças específicas no cérebro das pessoas que cometem suicídio. "O suicídio é uma doença cerebral", ela me disse.[9]

O dr. Thomas Joiner, cujos livros são tanto meticulosamente pesquisados como maravilhosamente pessoais e cheios de compaixão, escreve como psicólogo e como sobrevivente do suicídio do pai. Sua teoria do suicídio, um diagrama de Venn com três círculos sobrepostos, redefiniu a área.[10]

Ele afirma que o desejo de se matar surge quando as pessoas vivem com dois estados psicológicos simultâneos durante um período de tempo: a frustração de não pertencer ("Eu sou sozinho") e a sensação de ser um fardo ("O mundo seria melhor sem mim"). Essas pessoas estão em risco iminente quando caminham para superar o instinto de autopreservação e, assim, tornam-se capazes de se suicidar ("Não tenho medo de morrer").

O desejo de suicídio, assim, vem dos dois primeiros. A habilidade para executá-lo vem do terceiro. Ao longo dos anos, esse insight se provaria importante para mim.

. . .

Finalmente comecei a ler algumas páginas do diário dele. Ele já expressava pensamentos depressivos e suicidas uns bons dois anos antes de sua morte. Eu não podia acreditar. Tivemos todo o tempo para ajudá-lo e não o fizemos. Eu li suas palavras e chorei, chorei. É como se fosse o bilhete suicida que nunca recebemos. Um dia triste e de cortar o coração.

— ANOTAÇÃO NO DIÁRIO, JUNHO DE 2001

Desde o dia em que a tragédia aconteceu, estávamos desesperados por informações sobre o estado mental de Dylan quando ele morreu. Ele não deixara nada para trás, de propósito, e os policiais responsáveis esvaziaram seu quarto, tirando tudo o que era importante, então havia muito pouco para analisar. Depois de quase dois anos, passamos a aceitar que nunca saberíamos pelo que ele tinha passado durante seus últimos meses de vida. Então, em 2001, o escritório de Kate Battan ligou. O departamento de polícia tinha escritos de Dylan em sua posse e se ofereceu para compartilhar as cópias conosco.

Esses manuscritos são sempre chamados de "diários", mas na verdade eram páginas soltas, compiladas pelos investigadores depois do fato.

Grande parte delas foi arrancada dos cadernos de escola de Dylan, embora algumas das folhas em que ele escreveu fossem antigos folhetos de propaganda ou outros pedaços de papel, os quais ele, depois, enfiou em pastas e livros. A pilha de páginas fotocopiadas tinha uns dois centímetros. Algumas anotações eram apenas uma frase, outras eram páginas e páginas.

O que eu descobri nos escritos de Dylan foi uma revelação. Eu não fazia ideia de que ele expressava pensamentos e sentimentos por escrito, assim como eu, e isso me fez sentir próxima a ele. As anotações em si me cortaram o coração. Sei como esse tipo de registro pode ser enganador. Sempre escrevo páginas e páginas quando estou triste, assustada ou brava, ao passo que, em dias melhores, só rabisco uma ou duas linhas. Também sei que as pessoas podem escrever coisas nos diários que não têm planos reais de executar: "Juro que vou matar o Joe se ele não devolver meu cortador de grama". Mesmo com essa consciência, a angústia — sua depressão, senso de isolamento, anseio e desespero — salta das páginas.

Ele fala em se cortar, um sinal de sofrimento severo. Escreve sobre suicídio já nas primeiras páginas. "Pensar em suicídio me dá a esperança de que estarei em meu lugar, para onde quer que eu vá depois desta vida... que finalmente não estarei em conflito comigo mesmo, o mundo, o universo... minha mente, corpo, todos os lugares, tudo está em PAZ... eu... minha alma (existência)", e várias vezes depois disso: "ahhh meu deus quero tanto morrer, taaanto... tão triste, desolado, sozinho e sem salvação eu sinto que estou... não é justo, NÃO É JUSTO!!! Vamos resumir minha vida... a existência mais triste na história de todos os tempos". Ele fala pela primeira vez em suicídio dois anos antes de Columbine, e muitas vezes depois disso.

Há desespero e raiva, mas pouca violência, especialmente nas páginas antes de janeiro de 1999. Além da tristeza, a emoção mais exprimida nos diários de Dylan — e de longe a palavra que mais aparece — é "amor". Há páginas inteiras cobertas de corações enormes desenhados a mão. Ele escreve, dolorosa e eloquentemente, sobre seu desejo não alcançado e desesperado pelo amor romântico e por compreensão. "Tempos sombrios, tristeza infinita", ele escreveu. "Quero encontrar o amor." Ele preenche páginas com detalhes de sua paixão cega e aflita por uma garota que nem sabe que ele existe.

Os dois estados psicológicos que Joiner menciona como componentes do desejo de morrer — a frustração de não pertencer e a sensação de ser um fardo — são dolorosamente aparentes, embora ele mantivesse tanto sua dor como sua paixão intimamente guardadas. Durante anos, eu rejeitei a percepção pública de Dylan como um pária, porque ele tinha amigos próximos (não apenas Eric, mas também Zack e Nate) e porque participava de um círculo mais amplo de garotos e garotas. Mas — e é vital que todo sobrevivente de suicídio entenda isso sobre a pessoa que morreu — os diários revelaram um enorme precipício entre a percepção que tínhamos sobre a realidade dele e a percepção do próprio Dylan sobre isso.

Ele tinha amigos, mas não a sensação de pertencer ao grupo. Em uma das anotações no diário, Dylan lista a "família legal" entre as coisas boas de sua vida, mas a imensidão do nosso amor por ele não foi capaz de penetrar a nuvem de desolação que o encobria. Ele se achava um fardo, embora nós nunca tenhamos sentido, nem uma vez, que ele o fosse. (Tom e eu nos preocupávamos abertamente sobre como pagaríamos os custos da faculdade dele, o que me assombra até hoje.) Ele expressa raiva diante de um mundo no qual ele não se encaixa, onde não é compreendido. No início a raiva é direcionada, na maior parte, a si mesmo. Aos poucos, vai se direcionando aos outros.

. . .

Achei que pudesse ser útil esclarecer alguns pontos.
1. Nada que você fez ou deixou de fazer levou Dylan a agir como agiu.
2. Você não "falhou em ver" o que Dylan estava passando — ele era profundamente fechado e escondeu deliberadamente o próprio mundo interior não só de você, mas de todas as pessoas na vida dele.
3. No fim da vida dele, o funcionamento psicológico de Dylan tinha se deteriorado a tal ponto que ele não estava mais pensando com clareza.
4. Apesar dessa deterioração, seu antigo eu sobreviveu o suficiente para poupar ao menos quatro pessoas durante o ataque.

— E-MAIL DO DR. PETER LANGMAN, 9 DE FEVEREIRO DE 2015[11]

Que Dylan estava profundamente deprimido não se discute. Um diagnóstico póstumo é, obviamente, impossível, ainda que alguns especialistas acreditem que o problema pudesse ter sido mais sério.

Os diários dele são difíceis de entender, e não só porque a letra cursiva de Dylan era muito ruim. No fim da vida, ele escreveu coisas do tipo: "Quando estou em minha forma humana, sabendo que vou morrer, tudo tem um toque de trivialidade". Um relato como esse dá a entender que, pelo menos parte do tempo, ele não se sentia humano. Era como se ser humano estivesse fora do seu alcance: "feito um humano, sem a possibilidade de SER humano".

Dylan era inteligente e bem-educado, um aluno de redação acima da média. Mesmo assim, nos diários ele geralmente faz escolhas estranhas de palavras. Às vezes os termos que ele usa são neologismos — palavras que ele criava, como "depressionistas" e "perceptidão". A maneira como constrói as sentenças também é incomum — como na passagem sobre a qual já falei: "tão triste, desolado, sozinho e sem salvação eu sinto que estou". Essa não é a escrita estenográfica de alguém que escreve um diário; há quase uma monotonia melódica nas muitas repetições, que fazem lembrar os livros do dr. Seuss.

Essa foi uma das primeiras coisas que o dr. Peter Langman notou.[12] O dr. Langman é um psicólogo especialista em atiradores de escola e autor de vários livros, incluindo *Why Kids Kill: Inside the Minds of School Shooters*. Nossas conversas, durante o processo de escrita deste livro, foram muito difíceis para mim; também me trouxeram insights e um pouco de alívio. Com sua permissão, tenho confiado seriamente nas interpretações dele para dar sentido aos escritos de Dylan.

O dr. Langman me disse que, a princípio, tinha a intenção de deixar Dylan de fora do livro *Why Kids Kill*, porque não tinha certeza das motivações dele.[13] Havia contradições demais: como aquela criança, conhecida por ser tímida e gentil, se transforma em um assassino cruel? Então, em 2006, o departamento de polícia divulgou ao público alguns dos escritos de Dylan, oferecendo uma janela para a disparidade entre como ele se apresentava ao mundo, como se comportava quando estava com Eric e como ele mesmo se via.

O dr. Langman acredita que as primeiras descrições de Dylan como tímido, extremamente envergonhado e autocrítico podem indicar que ele sofria de uma forma branda de transtorno de personalidade esquiva.[14] Pessoas com TPE são tímidas além do que se considera uma introversão normal. Quando Dylan entrou na adolescência, os fatores estressantes na vida dele se tornaram insuportáveis, e ele progrediu para o transtorno de personalidade esquizotípica.

Os esquizotípicos geralmente parecem "esquisitos" para outras pessoas. (Dylan era muitas vezes descrito como "bobalhão" por aqueles que não o conheciam bem.) Podem ser paranoicos ou especialmente sensíveis ao desdém, como Dylan era. Frequentemente usam palavras incomuns e uma sintaxe estranha ou incoerente, como Dylan em seus escritos. Eles se fecham em um mundo em que realidade e fantasia nem sempre são distinguíveis. Não são delírios completos, mas uma confusão no limite entre o que é real e o que não é. Essa confusão é cada vez mais evidente nos diários: na verdade, Dylan se sentia profundamente inferior, e assim, de acordo com o dr. Langman, criou uma fantasia na qual ele era um ser divino. Mais para o fim de sua vida, a fantasia predomina.

Eu não sei o que pensar do diagnóstico do dr. Langman. Não sei o que é pior: saber que Dylan estava sofrendo de um sério distúrbio ou saber que eu não reconheci um problema tão grave enquanto ele estava vivendo sob o mesmo teto que eu. Há pouco consolo em qualquer uma das duas opções.

Com a ajuda do dr. Kent Kiehl, que estuda a estrutura do cérebro dos criminosos na Universidade do Novo México, os diários de Dylan foram analisados de maneira independente. O relator não encontrou nenhuma evidência de transtorno do pensamento formal, mas chama atenção para

> temas persistentes e recorrentes de depressão, ideação suicida e alienação [...] e crescente dissociação da noção de si antes do início da depressão. À medida que sua dor e seu senso de alienação pioram, o mesmo ocorre com sua desumanização dos outros. [...] Essa identificação grandiosa, a desumanização dos outros, a perda de capacidade emocional a não ser a experiência da dor e a promessa da ruptura com a dor formam o contexto de um mundo interior delirante que leva aos planos suicidas e homicidas discutidos no diário.

O relator também aponta "temas limítrofes importantes" em todo o diário.

O relatório termina:

> Tendo somente o diário como fonte, não é possível fazer um diagnóstico definitivo, mas depressão grave com episódios psicóticos temporários e/ou transtorno de personalidade limítrofe com episódios psicóticos temporários são os diagnósticos mais convincentes com base neste diário.

No fim, realmente não importa o diagnóstico que Dylan pudesse ter. Ninguém questiona a depressão dele, ou a capacidade que essa doença tem de confundir o processo de tomada de decisão de uma pessoa. De fato, nove entre dez atiradores de escola que o dr. Langman cita em seu livro mais recente, *School Shooters: Understanding High School, College, and Adult Perpetrators*, sofriam de depressão e pensamentos suicidas.[15] Ainda que uma séria depressão fosse a única coisa acontecendo, Dylan não estava, como o dr. Langman afirmou para mim, "pensando com clareza".

. . .

Kay Redfield Jamison escreve, no brilhante livro *Quando a noite cai: entendendo a depressão e o suicídio*: "A maioria dos suicídios, embora, obviamente, nem todos, pode ser evitada. A lacuna entre o que sabemos e o que fazemos é fatal".[16] No caso de Dylan, claro, a decisão de morrer foi fatal não só para ele, mas para muitos outros.

Mesmo quando uma pessoa não fala sobre a intenção de se matar, geralmente há sinais de que ela está com problemas.[17] Alguns eventos, tais como uma tentativa de suicídio anterior ou problemas com a lei, podem expor as pessoas a um risco maior. Há, geralmente, indicações comportamentais, como isolamento social e aumento da irritabilidade.

Se esses sinais de alerta forem percebidos e reconhecidos pelo que realmente são, um tratamento pode ajudar. Porque — e isso foi difícil de ouvir quando minha perda era recente, embora hoje me dê muita esperança — *o suicídio é evitável*. Todos os especialistas com quem conversei enfatizaram o amplo leque de tratamentos bem-sucedidos para distúrbios de humor, se as pessoas puderem ser convencidas a tirar vantagem deles e a permanecer neles.

Nem todo suicídio é evitável — ainda. (Ed Coffey, médico e vice-presidente do Sistema de Saúde Henry Ford, em Detroit, é o pioneiro em um programa chamado Cuidado Perfeito contra a Depressão, que propõe um objetivo de suicídio zero.[18] Quando questionado se reduzir o suicídio a zero é uma meta realista, ele é conhecido por responder: "Que número você escolheria? Oito? Esse número inclui a minha mãe ou a sua irmã?") Transtornos de saúde cerebral podem ser perniciosos. Às vezes eles progridem, e vencem; no entanto, podemos dizer a mesma coisa sobre o câncer: mesmo com tratamentos de altíssimo padrão, algumas pessoas morrem da doença. Isso quer dizer que devemos levantar as mãos em desespero? Ou nos comprometemos com a detecção e prevenção prematuras, com um tratamento melhor e mais personalizado — a descobrir doenças no estágio I ou II, em vez de no estágio IV?

Às vezes sinto inveja das famílias que fizeram tudo o que podiam para conseguir um tratamento efetivo para um ente querido, mesmo se, no final, perderam a batalha. Meu filho sofreu sozinho com sua doença. Eu não suspeitei de que Dylan estivesse deprimido até ler seus escritos e descobrir que ele pensava em suicídio e desejava a paz e o conforto da morte. Seus amigos mais próximos, garotos com quem ele conviveu todos os dias durante anos, não sabiam quanto ele estava desesperado. Alguns se recusam a acreditar nessa caracterização até hoje. Mas eu era a mãe dele. Eu deveria saber.

Dylan poderia ter cometido suicídio mais tarde em sua vida; isso eu não tenho como saber. Eric poderia ter planejado e executado uma versão do plano para destruir a escola, sozinho ou com outro adolescente.

Ele poderia ter passado pela crise sem violência, ou ido em frente e cometido um ato de terror em outro lugar e em outra época.

O que eu sei é que Dylan mostrou sinais de depressão, sinais que Tom e eu notamos, mas não fomos capazes de decodificar. Se soubéssemos o suficiente para entender o que aqueles sinais significavam, acredito que poderíamos ter evitado a tragédia de Columbine.

12

DINÂMICA FATAL

Constatação definitiva: "Não acho que
Columbine teria acontecido sem Eric".
— ANOTAÇÃO DE UMA CONVERSA COM O DR. FRANK OCHBERG, JANEIRO DE 2015

Os diários de Dylan também lançaram luz sobre seu relacionamento com Eric — em particular sobre a terrível interdependência, fatal para eles e para tantos outros.

No verão de 1997, Zack, amigo de Dylan, começou a sair com Devon, que depois se tornou sua namorada. Nate também começou a sair com uma garota. Para nós, isso foi quase imperceptível — Dylan ainda passava algum tempo sozinho com Zack, e também saía com ele e a namorada. Mesmo assim, considerou o novo relacionamento de Zack uma traição. Esse é mais um exemplo da nítida separação entre a realidade de Dylan e a maneira como ele percebia essa realidade.

No verão em que Zack conheceu Devon e se apaixonou por ela, Dylan e Eric começaram a passar mais tempo juntos. O nome de Eric aparece com mais frequência. Dylan escreve sobre suicídio muitas vezes naquele verão, assim como fez mais vezes antes, mas não há comentários homicidas no diário dele até aquele outono. Mesmo depois de ele e Eric terem começado a fazer planos, Dylan revela um segredo nessas páginas mais íntimas: ele acredita que estará morto pelas próprias mãos antes de os dois terem a chance de pôr os planos em prática. Depois de falar sobre as tentações do suicídio durante quase dois anos, Dylan finalmente diz adeus, em junho de 1998: "Esta é provavelmente a minha última anotação. Eu me amo em segundo lugar, bem perto da [removido] meu eterno amor. Adeus".

A anotação seguinte, datada de 20 de janeiro de 1999, começa com a frustração dele por ainda estar vivo: "Essa merda de novo. De volta à escrita, vivendo como a porra de um zumbi". Mais adiante, ele menciona o plano com Eric como uma possível solução para o que sente: "Eu odeio esse êxtase irracional. Estou preso na humanidade. Talvez dar uma de 'NBK' (meu deus) com Eric seja uma forma de me libertar". (NBK — *Natural Born Killers*, ou *assassinos por natureza*, em homenagem ao filme de Oliver Stone com o mesmo título — era a sigla que os garotos usavam para se referir ao plano de atacar a escola.)

Depois disso, os diários se tornaram visivelmente mais sombrios e mais desesperados. Os pensamentos de Dylan são mais dispersos e difíceis de entender à medida que ele passa a acreditar que o plano de Eric representa uma rota de fuga. A ambivalência dele está presente até o tiroteio.

No fim da vida, Dylan estava conectado a somente duas emoções: raiva e desespero. Quaisquer sentimentos que pudessem reconectá-lo aos outros de maneira positiva estavam além de seu alcance. Ele acreditava que a morte era a única fuga possível para sua dor; simplesmente não havia nada mais em sua caixa de ferramentas emocionais. Para usar a linguagem de Joiner, ele se via profundamente alienado de todos no mundo. Para usar minhas próprias palavras, Dylan era amado, mas não se sentia amado. Ele era valioso, mas não se sentia valioso. Ele tinha muitas, muitas opções, mas a de Eric era a única que conseguia enxergar.

. . .

Uma noite, provavelmente quando estava no segundo ano do ensino médio, Dylan me disse:

— O Eric é louco.

Respondi:

— A vida toda você vai conhecer pessoas difíceis, e fico feliz que tenha bom senso para reconhecê-las quando as vê.

Eu lhe disse que seu pai e eu confiávamos muito em sua capacidade de fazer boas escolhas, com ou sem seus amigos.

Nossa confiança era descabida, mas nenhum de nós fazia ideia das dificuldades com as quais Dylan estava lidando. Eu não tinha a menor suspeita de que a situação pudesse ser realmente perigosa. Nem tinha qualquer noção do que ele quis dizer com "louco". Eric demandava mais do que os outros amigos de Dylan, e eu tinha visto uma prova de seu temperamento volátil em um jogo de futebol. O problema, no entanto, era muito mais sério.

Assim como Dylan, Eric mantinha diários — escritas particulares em que ele revela seus pensamentos e sentimentos mais íntimos. São quase ilegivelmente sombrios, cheios de imagens e desenhos sádicos, fantasias de estupro, esquartejamento e cenas de destruição em massa, incluindo, mais de uma vez, a total extinção da raça humana. O dr. Langman escreve: "O diário de Dylan é notavelmente diferente do de Eric, tanto em conteúdo como em estilo. Enquanto o de Eric é repleto de arrogância narcisista e ódio sanguinário, o de Dylan é focado na solidão, depressão, conflitos e na preocupação em encontrar amor. Eric desenhava figuras de armas, suásticas e soldados. Dylan desenhava corações. Eric ansiava por sexo e fantasiava sobre estupro; Dylan buscava o amor verdadeiro".

Baseados em seus diários, muitos dos especialistas com quem conversei sentem-se confortáveis em dizer que Eric tinha os traços e as características de um psicopata. Assim como no caso de Dylan, um verdadeiro diagnóstico póstumo é, obviamente, impossível. (De qualquer forma, uma vez que o cérebro adolescente ainda está se desenvolvendo, um diagnóstico formal de psicopatia só é possível depois que o indivíduo faz dezoito anos.) Mesmo assim, Eric certamente satisfaz um grande número de características diagnósticas associadas ao transtorno de personalidade.

A psicopatia é caracterizada pela pouca empatia e pelo comportamento provocador.[1] Mais importante, os psicopatas (também chamados de sociopatas; alguns especialistas diferenciam os dois, a maioria não) não têm consciência, a parte da mente que nos faz sentir culpa. Eles mentem sem remorso e geralmente são manipuladores muito habilidosos. Há alguns psicólogos e psiquiatras que acreditam que os psicopatas podem ser tratados com sucesso. Aqueles com os quais conversei não estão convencidos disso. Nem todo psicopata é um criminoso ou um sádico, mas, se vai nessa direção, como Eric fez, pode se tornar altamente perigoso.

Um estudo de 2001 sobre adolescentes atiradores de escola,[2] originado, em parte, do massacre da Escola de Ensino Médio de Columbine, resultou em duas descobertas interessantes. A primeira é que vinte e cinco por cento dos trinta e quatro atiradores adolescentes observados atuaram em dupla. Nisso eles são diferentes dos assassinos adultos enlouquecidos, que geralmente agem sozinhos. O dr. Reid Meloy, psicólogo forense e especialista em violência direcionada e abordagem a ameaças, foi o autor do estudo. Ele me disse que essas duplas letais demonstram que é absolutamente essencial para os pais prestar atenção às dinâmicas entre os filhos e seus amigos.[3] A segunda descoberta do estudo: tipicamente, um dos adolescentes era um psicopata, e o outro era sugestionado, dependente e depressivo.

Essa parece ter sido a dinâmica entre Dylan e Eric. No anuário escolar de Eric, Dylan se vangloria de praticar bullying, mas, na privacidade de seus diários, revela a vergonha e a culpa e promete a si mesmo que não fará de novo. É bem parecido com a postura nos Vídeos do Porão. Havia disparidades distintas entre o que Dylan sentia, como ele se comportava perto de Eric e o que ele fazia.

O dr. Langman acredita que a ambivalência de Dylan possa ter se estendido para o próprio massacre. Em pelo menos quatro ocasiões na escola — sempre fora do campo de visão e audição de Eric —, Dylan deixou as pessoas em paz. As provas sugerem dois incidentes durante o ataque, quando Eric foi atrás de Dylan, talvez para ter certeza de que ele ainda estava comprometido. Isso não me traz consolo — Dylan cometeu atrocidades, ponto-final. Mas saber sobre a ambivalência dele me arrasou. Em minhas anotações depois da conversa com o dr. Langman, escrevi:

Chorando demais para fazer mais anotações... Eu me obriguei a aceitar Dylan como um assassino sádico, mas ainda não me reconciliei com um Dylan que estava tentando contra-atacar sua própria "maldade" com momentos de bondade. Acho que só conheci esse Dylan quando Langman falou sobre isso, o que me deu um Dylan diferente por quem me enlutar.

Essa ambivalência também me fez sentir mais culpada do que eu já estava. A dra. Marisa Randazzo dirigiu a pesquisa do Serviço Secreto sobre tiroteios nas escolas e (como Marisa Reddy) foi uma das autoras do reconhecido estudo federal dos tiroteios em escolas conduzido em conjunto pelo Serviço Secreto dos Estados Unidos e pelo Departamento de Educação. Tanto a dra. Randazzo como o dr. Meloy me disseram que, quando adolescentes problemáticos descobrem que têm outras opções além do homicídio e do suicídio para resolver os problemas que os assolam, geralmente tiram vantagem dessas outras opções.

Dylan fez esforços para se afastar do relacionamento com Eric. Meu sentimento de culpa sobre isso, em particular, me enche de desespero. Depois de os dois terem se encrencado no segundo ano, Dylan fez uma tentativa de se distanciar e pediu minha ajuda. Desenvolvemos um rápido plano interno: se Eric ligasse convidando-o para fazer alguma coisa, ele diria: "Preciso perguntar à minha mãe" e balançaria a cabeça para mim. Eu diria, alto o bastante para ser ouvida do outro lado da linha: "Sinto muito, mas você não pode sair hoje, Dylan. Você prometeu que limparia seu quarto/faria a lição/jantaria conosco".

Na época, fiquei feliz pelo fato de Dylan querer distância. Eu dizia a meus filhos que eles sempre poderiam me usar como desculpa em uma emergência. Estava pensando particularmente em beber e dirigir, mas isso se aplicava a qualquer situação insegura. Assim, eu estava satisfeita não só por Dylan ter aceitado minha oferta de longa data, mas por ele ter encontrado uma maneira de se separar do amigo sem ferir os sentimentos de Eric.

Depois de ver a dinâmica entre Eric e Dylan nos Vídeos do Porão, me peguei revisitando aquele episódio sob uma nova luz. Se Dylan não queria sair com Zack, Nate, Robyn ou qualquer outro de seus amigos, simplesmente lhes dizia: "Nah, não posso neste fim de semana. Preciso escrever uma redação". Era só com Eric que ele precisava de minha ajuda. Nunca me questionei sobre aquilo ou pensei em perguntar a Dylan: "Por que você simplesmente não diz não?" Pedir minha ajuda parecia um sinal de bom senso, mas depois percebi que era uma indicação de algo muito mais perturbador. Era um sinal que eu não enxerguei até ser tarde demais.

Durante uma de nossas conversas, Frank Ochberg disse: "Dylan não tinha o perfil de um assassino, mas tinha vulnerabilidade para se envolver com um". Os investigadores do FBI descobriram que Eric tinha tentado fisgar outros garotos com um plano de destruição em massa, inclusive Zack e Mark Manes.

Eles não morderam a isca. Dylan, sim.

. . .

Randazzo: "Geralmente há uma linha tênue entre suicidas e homicidas. A maioria dos suicidas não é homicida, mas muitos daqueles que são homicidas estão ali por causa da ideação suicida".

— ANOTAÇÃO DA ENTREVISTA COM A
DRA. MARISA RANDAZZO, FEVEREIRO DE 2015

O especialista em justiça criminal Adam Lankford,[4] autor de *The Myth of Martyrdom*, estuda a ideação suicida de homens-bomba e atiradores em massa. Ele escreve que os atiradores, assim como os homens-bomba, compartilham três características principais: problemas de doença mental que geraram o desejo de morrer, um profundo senso de vitimização e o desejo de ganhar fama e glória por meio do assassinato.[5]

Em um estudo, ele pesquisou quase duzentos atiradores violentos envolvidos em eventos de 1966 a 2010. Quase metade cometeu suicídio como parte do ataque.[6] Outros podem ter tido a intenção de morrer, mas foram detidos antes de ter a chance de fazê-lo. Verdadeiramente suicidas ou não, os atiradores em massa têm menos de um por cento de chance de escapar das consequências de suas ações. Planejar um evento com uma chance tão desastrosamente baixa de fugir ou sobreviver implica o que Lankford chama de "indiferença à vida".

De acordo com especialistas em abordagem a ameaças, os atiradores em massa quase sempre seguem uma rota distinta nos tiroteios.[7] Reconhecer a sinalização dessa rota é a chave para prevenir tais eventos. O caminho geralmente começa com o desejo de morrer.

Durante muito tempo, o assassinato seguido de suicídio foi visto como um subgrupo do assassinato, não do suicídio. Alguns casos de assassinato seguido de suicídio correspondem ao primeiro modelo, no qual o suicídio é um "plano B", utilizado apenas quando outras opções de fuga fracassam. Mas uma mudança de entendimento do suicídio e um olhar mais cuidadoso sobre os dados revelaram que muitos casos de assassinato seguido de suicídio, se não a grande maioria, têm sua gênese em pensamentos suicidas. Em outras palavras, como o dr. Joiner escreve: "Se puder ser demonstrado que o suicídio é fundamental no assassinato seguido de suicídio, então a prevenção ao primeiro é também a prevenção ao segundo".[8]

No caso de Columbine, pelo menos, acredito que isso seja verdade. Durante anos busquei a peça faltante, o pedaço da personalidade de Dylan que lhe permitiu fazer o que fez. Com o que aprendi, acredito agora que o terceiro segmento do diagrama de Venn do dr. Joiner — a capacidade de cometer suicídio — forneça parte dessa resposta.

Em seus escritos, Dylan se conforta com a ideia da morte. Mas não parece ter a capacidade de se suicidar sozinho.

Como o dr. Joiner aponta, as pessoas precisam se tornar insensíveis à violência e ao medo da dor para serem capazes de machucar a si mesmas. (Ele é da opinião de que é por isso que as taxas de suicídio são maiores nas populações rotineiramente expostas — portanto habituadas — à dor e ao horror, tais como médicos, soldados e pessoas com anorexia.) Nosso instinto natural de sobrevivência está permanentemente ligado, e a maioria das pessoas tem de se esforçar para ignorá-lo de vez em quando.

Dylan não conseguia — sozinho. Ele fala sobre suicídio, mas ele mesmo não apresenta um plano para fazê-lo. Sua escrita sobre isso, assim como sobre a maioria das coisas, é abstrata. A paralisia é evidente em todo o diário. Ele quer um emprego para trabalhar com computadores, mas não é capaz de conseguir um nem de manter o que consegue. Ele fala, várias e várias vezes, sobre a garota por quem é apaixonado, mas não há evidência de que tenha feito qualquer avanço em direção a ela. Ele agoniza sobre as cartas que escreve para ela, mas não entrega. De fato, não há evidência de que os dois jamais tenham se falado.

A mesma coisa parece ser verdadeira com relação ao suicídio, e ele busca a ajuda de Eric: "Logo... ou eu vou cometer suicídio, ou vou conseguir a [nome da garota removido] & aí vai ser NBK pra gente". Dylan parece ter "necessidade" do plano homicida de Eric para conseguir fazer o que mais quer: cometer suicídio. O dr. Joiner sugere que planejar com Eric o ataque pode ter sido parte do modo como Dylan ensaiou a própria morte.[9] As preparações o ajudaram a se dessensibilizar.

Durante anos depois do ataque, resisti a culpar Eric pela participação de Dylan. Eu acreditei, e até certo ponto ainda acredito, que, fosse qual fosse o poder que Eric exercesse sobre ele, Dylan ainda era responsável pelas escolhas que fazia. A certa altura, pelo menos, ele esteve distante e sensato o bastante para me dizer que Eric era "louco", e ambivalente o bastante para tentar pedir ajuda para se distanciar do relacionamento.

Tendo em vista o que aprendi sobre psicopatia, eu agora penso diferente. Acho a violência e o ódio que borbulham nos diários de Eric quase ilegivelmente sombrios, mas a escrita dele é clara, enquanto a de Dylan não é. Como o dr. Langman afirma: "A escrita de Dylan é confusa, desorganizada, cheia de sintaxe errada e palavras inapropriadas. Os *pensamentos* de Eric são perturbadores; o *processo* de pensamento de Dylan é perturbado. A diferença está no que Eric pensa e em como Dylan pensa".[10]

Sabemos que Eric era extremamente persuasivo. Seu orientador no Diversion, liberando-o mais cedo do programa, escreveu no fim de seu relatório: "muy facile [sic] hombre", o que meus amigos falantes de espanhol traduzem como uma caracterização carinhosa, na linha do "cara muito legal". O halo brilhante de Eric pode ter alcançado Dylan, cujas notas não eram boas o bastante para justificar sua liberação antecipada do Diversion. Vários psicólogos com quem conversei me disseram que psicopatas podem ser assustadoramente carismáticos e encantadores — que são rápidos em encontrar o ponto fraco e habilidosos em fazer as coisas funcionarem. Não tenho certeza de que Dylan, especialmente em um estado debilitado, estivesse na posição de se afastar desse relacionamento.

A dra. Randazzo entrevistou vários futuros atiradores de escola, interceptados antes de conseguir executar seus planos terríveis. Ela descreve tanto a ambivalência como a visão limitada deles: "Quando chegam àquele ponto de desespero, estão buscando uma saída. Não conseguem ver qualquer outra opção. Eles simplesmente não se importam".[11] Saber disso em nenhum momento diminui a culpa de Dylan, mas pode nos levar mais perto de uma explicação sobre como ele chegou até ali. O dr. Dwayne Fuselier, psicólogo clínico e supervisor responsável pela equipe do FBI durante a investigação em Columbine, me disse: "Acredito que Eric foi à escola para matar as pessoas e não se importava se morresse ou não, enquanto Dylan queria morrer e não se importava se outros também morressem".[12]

13

ROTA PARA O SUICÍDIO
O SEGUNDO ANO DE DYLAN

Dylan com a família em um restaurante da região,
aproximadamente três semanas antes de Columbine.
Família Klebold

> *A reunião de quatro horas com o advogado foi perturbadora. Quanto mais conversávamos, mais percebíamos que aquele filho "perfeito" não era tão perfeito assim. Quando acabamos, sentimos que nossa vida foi não só inútil, mas também destrutiva... Queríamos acreditar que Dylan era perfeito. Nós nos permitimos aceitar isso e realmente não enxergamos os sinais de sua raiva e sua frustração. Não sei se poderei me olhar no espelho novamente. Sinto tanto remorso.*
>
> — Anotação no diário, maio de 1999

No segundo ano do ensino médio, Dylan se meteu em encrenca. Não uma nem duas vezes, mas algumas, em uma série de eventos que foram se agravando.

Isso faz deste capítulo, para mim, o mais difícil de escrever, porque sei que a maioria das pessoas dirá: *Ei, Sue: esse menino estava desmoronando e você simplesmente ficou parada, sem fazer nada. Que porcaria estava pensando?* Os sinais de que Dylan estava passando por problemas não eram claros nem gritantes, mas nós os observamos — e os interpretamos erroneamente.

Veja bem, a esmagadora maioria das crianças, mesmo que esteja passando por desafios de doença cerebral, não vai se envolver em um tiroteio na escola. Se você mora com um adolescente, porém, há uma chance razoável de que ele esteja passando por distúrbios cerebrais. Estima-se que um em cada cinco crianças e adolescentes tenha uma disfunção de saúde mental diagnosticável.[1] Apenas vinte por cento deles são identificados.[2] É por isso que os pais geralmente descobrem problemas de saúde cerebral nos adolescentes depois de esses problemas resultarem em violência, crime e autoflagelo. Apesar de sua prevalência e do perigo que impõem, as doenças cerebrais nos adolescentes geralmente não são detectadas, mesmo por professores cuidadosos, orientadores e pediatras bem-intencionados, nem pelos pais mais vigilantes.

Se não tratado, mesmo o distúrbio de saúde cerebral mais leve pode tirar dos trilhos a vida de um jovem e impedi-lo de alcançar seu potencial completo, uma tragédia por si só. Uma doença como a depressão também pode ter consequências muito mais sérias, na medida em que estabelece muitas das armadilhas que capturam as crianças na adolescência: abuso de drogas e álcool, dirigir bêbado, pequenos crimes, distúrbios alimentares, automutilação, relacionamentos abusivos e comportamentos sexuais de alto risco estão entre elas.[3]

Em 1999, eu não sabia a diferença entre a tristeza e a letargia às quais sempre chamei de depressão e a depressão *clínica*, descrita por muitos dos que sofrem com isso como um sentimento de vazio. Eu não fazia ideia de que quase vinte por cento dos adolescentes passam pela experiência de um episódio de depressão, ou que a experiência de um episódio os coloca em um risco maior de outro episódio.[4] (Um relatório recente dos Centros de Controle e Prevenção de Doenças coloca esse número perto dos trinta por cento.)[5]

Eu não sabia que a depressão se manifesta de forma diferente nos adolescentes e nos adultos. Enquanto os adultos podem parecer tristes e com a energia baixa, os adolescentes (especialmente os garotos) tendem a se isolar e a mostrar um aumento da irritabilidade, autocrítica, frustração e raiva. Dores inexplicáveis, reclamações, distúrbios do sono e teimosia/implicância são sintomas comuns de depressão em crianças mais novas.[6]

Eu também não sabia que os sintomas de depressão nos adolescentes são muitas vezes mascarados por outras mudanças de comportamento e desenvolvimento pelas quais estão passando, o que pode ser um dos motivos de o diagnóstico ser tão tardio. Os pais podem não ficar alarmados com um adolescente que dorme até tarde nos fins de semana, ou com um "bom de garfo" que começa a afastar o prato — "eca, que nojo" —, embora mudanças no padrão de sono e apetite possam ser sintomas de depressão. O diagnóstico é ainda mais complicado porque muitas crianças depressivas não mostram nenhum desses sinais.

A depressão de Dylan não foi diagnosticada nem tratada. Nisso ele estava sozinho. A grande maioria dos adolescentes depressivos não tem a ajuda da qual precisa, mesmo quando sua condição interfere no relacionamento com amigos, com a família e com os trabalhos escolares, e aumenta dramaticamente o risco de terem problemas com a lei ou cometerem suicídio. No caso de Dylan, obviamente, ambos aconteceram.

Tom e eu não sabíamos que Dylan estava passando por uma fase turbulenta. Naquele ano, a família toda foi acometida por problemas de saúde e preocupações financeiras. Tom e eu passamos um bom tempo nos preocupando com Byron, que se mudara para seu próprio apartamento. As dificuldades gerais do ano contribuíram para que falhássemos em ver o que estava bem à nossa frente.

Há outra razão para Tom e eu não termos reagido com mais veemência quando a vida de Dylan saiu dos trilhos no segundo ano: *ele parecia estar de volta aos trilhos.* No fim daquele ano, e durante o último ano do ensino médio, depois do estrago e das decepções dos meses anteriores, Dylan parecia querer provar para nós que estava retomando o controle de sua vida.

Digo isso não como desculpa, mas porque é um refrão bastante comum entre pais que perderam filhos para o suicídio. "Ele estava tão melhor!", dizem aqueles pais chocados — assim como Dylan parecia para nós.

Para usar um clichê, achamos que ele tivesse ficado apavorado pela gravidade do problema no qual se envolveu no ano anterior. Infelizmente, a linha de chegada para onde estava se dirigindo com tanta clareza não era, como acreditávamos, uma vida independente em um dormitório na Universidade do Arizona enquanto se esforçava para obter o diploma em ciência da computação, como ele tanto queria. Em vez disso, era um plano que acabaria com sua própria vida, e com a vida de tantos outros.

. . .

As coisas têm sido muito felizes neste verão... Dylan
está todo animado e se divertindo com os amigos.

— Anotação no diário, julho de 1997

180 O ACERTO DE CONTAS DE UMA MÃE

O verão entre o primeiro e o segundo anos do ensino médio de Dylan foi tranquilo. Houve, no entanto, um incidente perturbador, e envolvia Eric Harris.

Dylan não jogava futebol desde o jardim de infância, mas resolveu se juntar ao time em que Eric jogava naquele verão. Eles lhe deram uma chance, embora Dylan fosse inexperiente e tivesse pouca habilidade. Ficamos satisfeitos por saber que ele estava se juntando ao time, já que o futebol não forçaria o braço que ele machucara arremessando no beisebol. Além disso, admirávamos sua vontade de tentar um esporte que não jogava havia anos.

Dylan não era um grande atleta — ele era forte, mas lhe faltavam agilidade e coordenação para controlar os braços longos e desengonçados. Ele não jogava futebol particularmente bem, mas praticava com vontade. Quando o time chegou às finais, Tom e eu fomos assistir. Dylan jogou mal, e o time perdeu.

Ainda suados, Eric e Dylan vieram até onde estávamos com os Harris. Antes de nós o cumprimentarmos pelo esforço, Eric começou a gritar. Cuspindo, ele descontou sua raiva em Dylan, esbravejando sobre seu fraco desempenho. Os pais e os garotos de ambos os times, que estavam batendo papo, ficaram em silêncio, olhando.

Os pais de Eric o puxaram de lado e o retiraram do campo enquanto Tom, Dylan e eu nos afastávamos devagar, chocados pela humilhação, em direção a nosso carro. Eu não conseguia ouvir o que os Harris estavam dizendo a Eric, mas pareciam tentar acalmá-lo. Dylan caminhou entre Tom e mim, em silêncio e impassível.

Fiquei chocada com aquela exposição repentina e desproporcional e com a intensidade do ódio de Eric. A profunda falta de reação de Dylan também me alarmou; ele devia estar chateado, embora não revelasse nada. Meu coração doía por ele. Eu queria abraçá-lo, mas ele tinha quinze anos e estava rodeado pelo time. Eu não poderia envergonhá-lo ainda mais.

Assim que entramos no carro, eu disse:

— Cara! Que babaca! Não posso acreditar no Eric!

Quando Tom ligou o carro, Dylan olhou fixamente pela janela, com uma expressão vazia no rosto. A calma dele diante do surto de Eric não parecia natural, e eu tinha esperança de que ele se permitisse sentir raiva ou humilhação enquanto nos afastávamos, mas ele não o fez.

Eu o pressionei, querendo que ele desabafasse.

—Você não ficou chateado com ele por agir daquele jeito? Eu ficaria muito magoada se um amigo me tratasse assim.

Dylan ainda estava olhando pela janela, e sua expressão não mudou quando me respondeu:

— Nah. O Eric é assim mesmo.

Tom, eu podia perceber, estava furioso. Dylan, por sua vez, parecia distante, como se já não estivesse nem aí. Quão frágil devia ser o ego de Eric, para ficar tão irritado por perder um jogo de futebol idiota? Fiquei mais envergonhada por ele do que por Dylan; o ataque de raiva fez Eric parecer uma criancinha.

Durante o trajeto até em casa, entrei no modo mãe-resgate. Como se soubesse alguma coisa, sugeri várias maneiras para Dylan melhorar suas habilidades no futebol. Achei que provavelmente estivesse piorando sua humilhação, mas não conseguia parar. Eu lhe disse que, se aprendera alguma coisa em meus anos de sempre ser a última escolhida para o time na escola, era que os melhores jogadores tendem a ir atrás da bola como se a vida deles dependesse daquilo. As pessoas que venciam eram geralmente aquelas que mais queriam a vitória.

Dylan não disse nada e eu mudei de assunto. No jogo seguinte, o último da temporada, ele nos surpreendeu ao jogar melhor do que nunca, tentando ganhar controle da bola. Eles perderam, mas o treinador de Dylan elogiou sua evolução, e ele pareceu mais em paz consigo mesmo. Bobamente, achei que meu conselho tivesse ajudado um pouco, e Tom e eu ficamos satisfeitos ao ver que Eric não deu mais nenhuma demonstração de falta de espírito esportivo.

Tom ficou furioso pelo fato de Eric ter gritado. Ele nunca o perdoou completamente, mas não proibiu o relacionamento entre os meninos. Dylan, nós achamos, podia se cuidar. Em retrospecto, obviamente, eu gostaria que tivéssemos sido mais enérgicos na separação dos dois.

...

Perdas e outros eventos — sejam prenunciados ou reais — podem levar a sentimentos de vergonha, humilhação ou desespero e servir como gatilhos para o comportamento suicida. Gatilhos incluem perdas, tais como o término de um relacionamento ou uma morte; fracassos acadêmicos; problemas com autoridades, tais como suspensão escolar ou dificuldades jurídicas; bullying; ou problemas de saúde. Isso é especialmente verdadeiro para jovens já vulneráveis pela baixa autoestima ou por transtornos mentais, como a depressão. A ajuda está disponível e deve ser buscada.[7]

— ASSOCIAÇÃO AMERICANA DE SUICIDOLOGIA

Assim que Dylan começou o segundo ano do ensino médio, a família toda foi bombardeada por problemas.

Os primeiros meses da tentativa de independência de Byron foram difíceis de ver. Eu me tranquilizava pensando no testemunho de Erma Bombeck* sobre seus filhos: eles viviam como hamsters. Mesmo assim, eu me preocupava. Pelo menos eu sabia que ele estava fazendo duas ou três refeições decentes por semana. Ele geralmente vinha nos visitar no domingo à noite, para o jantar, e sempre ia embora com uma sacola cheia de sobras apetitosas.

A alimentação de Byron e suas habilidades de manutenção doméstica eram nossas menores preocupações com ele. Naquele outono, nosso primogênito passou por uma crise após outra. Primeiro, um carro bateu no dele enquanto ele estava parado num cruzamento. Seus ferimentos foram leves; mesmo assim, foi assustador, e o carro de Byron sofreu perda total. Ele continuava a passar por uma sucessão de empregos menores. Geralmente os largava por razões triviais, como não querer acordar cedo ou usar uniforme. Quando tinha dinheiro para pagar as contas, às vezes se esquecia de fazê-lo.

Eu tinha uma crença profunda na bondade de Byron, assim como na de Dylan. "Ele vai conseguir", eu muitas vezes assegurava a Tom. Mas, quando cada ligação trazia notícias de um novo contratempo, até eu comecei a me perguntar se um dia Byron se estabilizaria.

Eu estava passando por minhas próprias mudanças. Em setembro, depois de um longo período de agitação política na universidade onde eu trabalhava, comecei em um novo emprego, coordenando um programa de subsídio para ajudar pessoas com deficiência no sistema de faculdades comunitárias a desenvolver habilidades no computador. Eu tinha de ir ao escritório somente quatro vezes por semana, mas tive uma redução significativa no salário. O programa também tinha um tempo determinado, o que aumentava o grau de incerteza. Meu trajeto de ida e volta demorava quase uma hora mais do que antes, e fiquei um pouco incomodada por saber que levaria tanto tempo para chegar até meus filhos caso eles precisassem de mim.

O fator mais estressante de nossa vida, no entanto, foi o declínio rápido e alarmante da saúde de Tom. Durante anos ele reclamara de dor nas articulações: joelhos duros, pescoço dolorido, dores agudas que ele descrevia como agulhadas geladas nos dedos dos pés. Ele passou por períodos de fraqueza inexplicável e uma série de enxaquecas assustadoras, como pequenos derrames, que o deixavam temporariamente incapaz de

---

* Popular humorista e colunista norte-americana que tinha como um de seus temas mais caros a vida de mãe e dona de casa. (N. do E.)

enxergar ou falar. O diagnóstico de artrite reumatoide, bem na época em que Dylan entrou no ensino médio, explicou a dor crônica. A artrite reumatoide é degenerativa, assim Tom estava com medo de que sua saúde continuasse a piorar, deixando-o inválido e incapaz de trabalhar.

Uma manhã, no café, enquanto estava erguendo uma caixa de suco de laranja, um tendão rompeu no braço de Tom. Nós dois olhamos para seu dedão, estupefatos. Não era mais um dedo normal: estava pendurado, solto da mão. Tom é um touro, alguém para quem nenhum projeto é desafiador demais, um homem que acharia natural trabalhar dezoito horas por dia batendo um martelo, que amassaria cimento até os joelhos sangrarem — e fora vencido por meio litro de suco. Ele estava perdendo o controle.

A dor constante, combinada à incerteza, significava que ele não poderia trabalhar por muitas horas, como se espera de um geofísico. Isso aumentou ainda mais nossa ansiedade financeira, especialmente diante dos custos da faculdade de Dylan, que se aproximavam. Tom cortou projetos pela casa, embora nossa reforma ainda precisasse de muita coisa. E ele não podia mais sair para suas adoradas corridas noturnas, que sempre foram seu principal meio de ficar em forma e uma maneira de aliviar o estresse.

Nós todos poderíamos ter nos beneficiado de uma válvula de escape melhor. Entre nossas preocupações com dinheiro, a piora na doença de Tom, meu novo emprego e a instabilidade de Byron, eu me sentia como um capitão mantendo o navio em curso em meio à tempestade, enquanto protegia minha tripulação em desespero. Na maioria das noites, eu caía na cama tão exausta que mal era capaz de escovar os dentes, e muitas vezes ficava acordada, com receio de que nossa família não ficasse bem.

Problemas como esses — especialmente preocupações com dinheiro e um dos pais passando por uma crise de saúde — são fatores de risco para depressão e suicídio em adolescentes, e uma combinação deles aumenta o risco significativamente.

Nós percebemos que Dylan estava mais mal-humorado que de costume. Tínhamos uma família gentil, de modo geral. Não éramos do tipo de bater a porta ou gritar, e nossos filhos eram proibidos de dar respostas mal-educadas ou falar palavrões na nossa frente ou na frente de qualquer adulto. Mesmo durante o pior de nossos conflitos com Byron, eu ficava orgulhosa por sempre podermos conversar civilizadamente uns com os outros. Sendo um adolescente, Dylan sempre arrumava uma maneira de demonstrar seu ressentimento ou irritação. Se eu lhe pedisse para diminuir a velocidade quando estava dirigindo, ele me agraciava com um suspiro lento e profundo e dirigia como uma vovozinha por alguns quilômetros para ter certeza de que eu entendera o ponto. "Por favor, poderia trocar seus lençóis antes de sair?", eu perguntava, e ele revirava os olhos quase imperceptivelmente enquanto dava meia-volta para fazê-lo.

Eu não gostava desse comportamento, mas aceitava. Muitas outras mães estavam lidando com coisas muito piores no departamento do desrespeito. Com Dylan, havia momentos de doçura que evitavam que nos preocupássemos demais. Quando eu me preocupava com suas alterações de humor ou com sua irritabilidade, ele saía alegremente para fazer coisas comigo, ou se juntava a Tom e a mim para o jantar e nos fazia rir até nos esquecermos de nossas preocupações. Ele não era o tipo de filho com quem se ficava preocupado por muito tempo.

Até se tornar um. Porque naquele ano, como se tudo que estava acontecendo com Tom e Byron e com nossas finanças não fosse suficiente, o único membro da família que sempre parecia passar pela vida sem grandes dificuldades começou a ter seus próprios problemas.

. . .

Dylan fez dezesseis anos em setembro. Quando Tom e eu sugerimos uma festa, ele reclamou: "Gente, não quero fazer disso uma grande coisa". Mas o aniversário de dezesseis anos é um marco, e Tom e eu queríamos marcá-lo para Dylan.

Nossa tradição familiar era ir a um restaurante da escolha do aniversariante. Naquele ano, Dylan escolheu uma churrascaria com o tema de um filme clássico dos anos 1940. Byron não conseguiu ninguém para substituí-lo no trabalho. Ao mesmo tempo em que detestávamos que ele perdesse a comemoração do aniversário do irmão, estávamos satisfeitos ao ver sua ética no trabalho e apoiamos sua decisão de não comparecer. Além disso, Tom e eu tínhamos planejado uma surpresa: embora Zack, o amigo de Dylan, também tivesse de trabalhar naquela noite, combinamos que Eric e Nate nos encontrariam no restaurante.

Dylan ficou muito surpreso ao ver seus amigos. Tão surpreso que levou metade da noite para se soltar e começar a aproveitar. Eu o entendia. Ele era sensível ao menor dos desconfortos sociais, embora Nate e Eric nos achassem muito menos embaraçosos do que ele mesmo. Dylan sabia de nossa intolerância com grosseria e chatices para comer, e provavelmente estava preocupado com a maneira como os amigos se comportariam. Ao longo da noite, porém, ele relaxou e, com bom humor, nos agradeceu por desconsiderarmos seus protestos e o surpreender. Mas a viagem de montanha-russa estava prestes a começar.

Mais tarde naquele mês, ele acordou no meio da noite com dores de estômago terríveis. Ficamos preocupados e o levamos ao pronto-socorro, onde descartaram apendicite e tudo o mais. Intrigados, os médicos o liberaram, e ele pareceu se recuperar completamente. Eu descobriria depois que sintomas somáticos inexplicáveis, particularmente dores abdominais, podem ser um sinal de depressão.[8]

Então, dois dias depois, no início de outubro de 1997, Tom recebeu uma ligação da escola. Dylan fora suspenso. A notícia foi um choque. Era a primeira vez que um de nossos filhos tinha sido punido na escola.

O interesse de Dylan por manutenção de servidores e administração de redes levou um dos professores a perguntar se ele e seu amigo Zack ajudariam na manutenção do sistema de computadores da Escola de Ensino Médio de Columbine. Fuçando no sistema, os garotos descobriram uma lista de combinações dos armários. Dylan abriu e fechou um ou dois para ver se a lista estava atualizada, em seguida transferiu a informação para um disco, que compartilhou com Eric. Zack foi um pouco além e deixou um bilhete dentro do armário do ex-namorado de sua namorada. Os garotos foram pegos, e o orientador da escola nos informou que Dylan seria suspenso por cinco dias.

Tom e eu achamos que a punição foi desnecessariamente dura. Dylan merecia uma consequência disciplinar por seu envolvimento; ele não tinha o direito de fuçar nos arquivos da escola. Mas ele apenas abrira os armários para ver se conseguia, e os fechou sem tocar em nada. Tom, em particular, achou que a punição não servia para mostrar aos garotos por que aquilo era errado, e os alienava da escola quando, para eles, seria melhor se sentirem ligados a ela. Nós dois tínhamos esperança de que a escola considerasse uma advertência ou um período probatório em vez de uma punição, e marcamos uma reunião com a diretora.

Não foi uma boa reunião. Não havia nada no estatuto que contemplasse o que os garotos tinham feito. Na falta de uma política escrita, a diretoria decidira tratá-los como se eles tivessem levado uma arma para a escola.

Fiquei chocada. O que eles fizeram era mais parecido com espiar dentro do banheiro das garotas, ou um ato de desonestidade acadêmica, como plágio ou cola. Eu não estava minimizando a transgressão (nem achava que não havia problemas em espiar no banheiro feminino). No entanto, os garotos *não levaram* uma arma para escola, nem nada desse tipo.

Perguntamos se a diretoria poderia considerar outro tipo de punição. Os garotos poderiam doar tempo extra para cuidar de equipamentos da escola ou limpar o depósito. A diretora nos disse que o superintendente distrital estava ciente do ocorrido e queria que fosse tratado com muita severidade; poderíamos conversar com o professor de computação se tivéssemos mais perguntas. Sendo eu mesma uma administradora, percebi a necessidade dela de assinar logo os papéis para poder passar para o próximo problema.

Enquanto esperávamos o professor de computação, tive um momento a sós com Dylan. Eu queria que ele entendesse as consequências do que tinha feito. Ele gostava do professor, e eu disse que aquilo poderia ter provocado a demissão dele ou causado a eliminação do programa. Não houve desafio ou cinismo no rosto de Dylan, só tristeza. Fiquei satisfeita ao ver que ele entendeu. O professor, ao se juntar a nós, parecia estremecido, porém gentil e, acima de tudo, preocupado com Dylan. Houve pedidos de desculpas gerais. O que veio depois, no entanto, foi mais doloroso para Dylan do que a suspensão: o professor disse que ele não poderia mais ajudar com os computadores da escola.

Ao sairmos da escola, Dylan parecia anestesiado. Perguntei se ele achava que ficaria bem; ele me disse que sim. Ele estava fazendo química avançada, trigonometria, história mundial, francês, computação e redação — uma carga de matérias bem pesada, e eu lhe perguntei como acompanharia tudo durante a suspensão. Ele disse que poderia conseguir as lições com os amigos. Quando Dylan perguntou o que eu estava pensando, eu disse a verdade: "Eu não entendo a decisão e não concordo com ela, mas vou apoiá-la. Isso será resolvido rapidamente se nós obedecermos às regras, e não quero piorar uma situação que já está ruim indispondo você com as pessoas que administram a escola". Ele assentiu, para mostrar que entendera.

Tom ficou em casa com Dylan a maior parte do tempo durante a suspensão. Em uma conversa, Dylan reclamou que a diretoria da escola favorecia os atletas, inventando desculpas para eles enquanto pegavam pesado com outros por delitos menores. Na mente de Dylan, a escola era um lugar onde as coisas "não eram justas". Mesmo assim, ele pareceu levar a suspensão sem problemas, e, passados os cinco dias, nós três chacoalhamos a poeira e continuamos a vida.

Em outubro, Dylan tirou a carteira de motorista. Fiquei nervosa com ele dirigindo por aí sem um adulto no carro, mas ele estava aliviado por não depender mais de nós ou dos amigos para ter carona. O hobby de Tom era encontrar carros velhos e desgastados a preço de banana. Assim que sentiu que Dylan poderia dirigir com responsabilidade, ele comprou um BMW preto por quatrocentos dólares. O carro tinha um vidro quebrado e estava um pouco danificado por dentro, sem falar que estava a anos-

-luz de conseguir passar nos testes de emissão de poluentes do Colorado, mas os dois não se intimidaram com a quantidade de trabalho que seria necessária e se divertiram com o fato de o carro ter dezesseis anos — exatamente a idade de nosso filho. Dylan concordou em pagar pelo combustível e pelo seguro.

Depois de Dylan receber a carteira de motorista, eu disse a minha irmã que foi como se ele tivesse criado asas. A maioria de seus amigos ainda estava no subúrbio que tínhamos deixado para trás quando nos mudamos para o pé das montanhas. Do ponto de vista da segurança, preferíamos que Dylan passasse a noite com eles a vê-lo dirigir à noite até em casa pela estrada do cânion, mas eu não gostava de me sentir tão distante de nosso filho. Tom me lembrava de que eu precisava deixá-lo crescer.

Ele, Nate, Eric e Zack iam ao boliche, jogavam bilhar ou iam ao cinema. De vez em quando havia festas supervisionadas. Criar adolescentes não era novidade para nós, e Dylan encarava a enxurrada de perguntas ao sair de casa: "Aonde você vai? Quem estará lá? Quem vai dirigir? Haverá bebidas? Os pais estarão em casa? Deixe o número do telefone conosco". Muitas vezes nós checávamos, e Dylan sempre estava exatamente onde dissera que estaria. Na única vez em que ele veio para casa depois do horário combinado, tinha ido resgatar um amigo em um pequeno acidente de trânsito.

Tom e eu sentimos que Dylan estava se afastando de nós naquele ano. Ele largara o trabalho na pizzaria para procurar emprego na área de computação, mas não encontrara, e não estava fazendo produção musical para nenhuma peça de teatro da escola naquele fim de ano. Era bom tê-lo em casa à noite, mas eu me preocupava que ele tivesse muito tempo ocioso nas mãos, e achava que ele passava horas demais no computador. O isolamento, é claro, pode ser um sinal de depressão em adultos e adolescentes, mas Tom e eu não identificamos o desejo de Dylan por privacidade como um sinal de alerta. Quando ele ficava no quarto, estava falando com amigos ao telefone ou pelo computador. Ele não estava se isolando dos outros; ao contrário, sua vida social tinha decolado.

O sentimento incômodo com o qual iniciamos o outono continuou à medida que os dias ficaram mais frios. Um de meus professores favoritos na Liga de Estudantes de Arte morreu repentinamente de ataque cardíaco. A esposa de meu irmão foi hospitalizada, e minha irmã, que lutara durante anos com problemas de saúde, não estava bem de novo. A saúde de Tom continuava a se deteriorar. Em novembro ele fez uma cirurgia para corrigir o tendão rompido no braço e marcou outra no ombro para janeiro. Ele ainda não podia trabalhar muito, e nossas preocupações financeiras se intensificaram.

Uma amiga me consolou com uma citação de Winston Churchill: "Se você está passando pelo inferno, continue em frente". Porém as más notícias continuavam chegando. Recebemos uma ligação de Byron do pronto-socorro; ele precisou levar pontos em três lugares depois de enfrentar um racista ex-skinhead. Naquela noite, finalmente me permiti reconhecer meu desespero com a situação de Byron. Obviamente eu estava orgulhosa dele por se manter fiel a seus princípios, mas suas decisões o faziam se meter em encrencas, e nada que fizéssemos — terapia, apoio, amor exigente — parecia ajudar.

O Dia de Ação de Graças foi um raro momento de luz em uma temporada escura. Oito membros de minha família estendida vieram ficar conosco, uma alteração radical na vida tranquila que costumávamos levar. Meu irmão, minha irmã e eu sempre fomos próximos. Falamos rápido demais, rimos muito alto; conseguir ser ouvido é como tentar entrar em uma bifurcação na rodovia. Dylan achou o caos um pouco intenso, mas eu adorava ter minha família por perto.

Meu pai possuía cinemas de bairro — meu primeiro emprego foi como vendedora de pipoca na lanchonete do cinema —, e nós somos apaixonados por filmes antigos. Também amamos livros e música. E, sem nenhuma surpresa, gostamos de brincar de charadas. Dylan geralmente preferia jogar pôquer com os adultos, mas naquele ano não resistiu aos apelos e se juntou a nós para uma ou duas rodadas de charadas. Fiquei muito orgulhosa de quanto ele era engraçado e inteligente, e encantada que sua timidez inata não o impedisse de entrar no jogo.

Não havia como saber que, dentro de poucos meses, tudo cairia por terra, e Dylan, mais uma vez, seria a maior preocupação de nossa família.

. . .

No início de janeiro de 1998, Dylan contou a Tom sobre sua frustração com alguns garotos na escola que estavam "realmente pedindo". Os garotos eram do primeiro ano, e Tom resistiu à tentação de rir: Dylan tinha um metro e noventa e três e estava no segundo ano. Nosso filho nos disse que queria juntar alguns caras para confrontar os garotos. Tom e eu dissemos para ele não lhes dar a satisfação de uma reação. Fiquei preocupada que alguém pudesse se machucar, e Tom temia que Dylan ficasse em maus lençóis por estar se metendo com alunos mais novos.

Dylan não conseguiu esquecer o assunto. Sem o nosso conhecimento, ele e Eric juntaram alguns amigos, confrontaram os calouros e os mandaram encontrá-los em um lugar longe da escola, mas os mais novos nunca apareceram. Tom e eu soubemos a respeito da quase briga depois do fato.

Dylan acreditava que havia lidado efetivamente com a situação, mas nós ficamos chateados e dissemos isso a ele. *Pelo menos*, pensei, *ninguém ficou ferido*.

Mais tarde naquele mês, recebi uma ligação de Judy Brown, mãe de Brooks, amigo de Dylan. Brooks e Eric se envolveram em uma briga na escola, e Eric jogara uma bola de neve no carro de Brooks, estragando o para-brisa. Judy estava furiosa e se lançou em um discurso longo contra Eric, o que me deixou perplexa. A mim parecia que os garotos compartilhavam a responsabilidade pelo incidente, e não entendi o impulso dela de se envolver quando eles mesmos o resolveram. A ferocidade de seu ódio por Eric me pareceu uma reação além do normal.

Não muito tempo após minha conversa com Judy, Tom recebeu outra ligação da escola. Quatro meses depois da suspensão por hackear as combinações dos armários, Dylan tinha deliberadamente riscado com uma chave a porta do armário de alguém. Ele recebeu uma advertência e devia setenta dólares à escola pela nova porta. Tom foi até lá para fazer um cheque. Ele perguntou à diretora sobre os alunos do primeiro ano, certo de que Dylan não teria atacado sem ter sido provocado. A mulher reconheceu que havia um grupo de calouros particularmente "brigões", agindo como se fossem "donos do lugar", mas garantiu a Tom que a diretoria estava lidando com isso.

Conversamos com Dylan naquela noite. Tom estava irritado com ele pela destruição de patrimônio e irritado com a escola por cobrar tanto dinheiro para repintar a porta de um armário. Dylan deu a Tom o dinheiro que tinha à mão e prometeu pagar o restante da dívida fazendo trabalhos extras. Eu disse a Dylan que ele não podia deixar que o comportamento arrogante dos outros o tirasse do sério.

Eu não sei de quem era o armário que Dylan riscou, ou se era simplesmente o que estava mais próximo quando seu surto destrutivo veio à tona. Li, nos anos seguintes, que o rabisco dizia "Bichas"[9] — um insulto que, também segundo o que li, era frequentemente usado contra Dylan e Eric nos corredores de Columbine —, mas não ouvimos isso da escola.

Não é, obviamente, inacreditável que um garoto mais novo possa fazer bullying com um mais velho. Eu simplesmente nunca imaginei que alguém pudesse fazer isso com Dylan. Minha ideia do tipo de aluno alvo de bullying era um estereótipo tão irrealista quanto minha ideia do tipo de pessoa que comete suicídio. O jeito como ele se vestia e usava o cabelo era para diferenciá-lo dos populares, riquinhos e arrumadinhos, mas não era ultrajante. Também acreditávamos que a altura de Dylan pudesse ser intimidante, porque ele nos disse que era. Uma vez, durante o segundo ano do ensino médio, Dylan disse algo a Tom sobre "odiar os atletas". Tom perguntou se eles o estavam perturbando, e nosso filho respondeu, confiante: "Eles não me incomodam. Tenho um metro e noventa e três. Mas fazem da vida do Eric um inferno".

Desde a tragédia, muito tem sido escrito sobre a cultura da Escola de Ensino Médio de Columbine e o lugar que Dylan ocupou nela. Regina Huerter, diretora do programa de recuperação de jovens Diversion no escritório do promotor público do distrito de Denver, compilou um relatório em 2000,[10] e Ralph W. Larkin confirmou de forma independente muitas de suas descobertas no livro de 2007, muito bem documentado, *Comprehending Columbine*.[11] Ambos os pesquisadores descobriram que a Escola de Ensino Médio de Columbine era academicamente excelente e profundamente conservadora; isso nós sabíamos. Mas eles também descrevem uma escola com uma extensa cultura de bullying — em particular por parte de um grupo de atletas que atormentavam, humilhavam e atacavam fisicamente os alunos na base da pirâmide social. Larkin também aponta o proselitismo e a intimidação por parte dos estudantes evangélicos, uma elite moral autointitulada que via os que se vestiam de maneira diferente como diabólicos e os perseguia.

Essa pesquisa se alinha com muitas das histórias que ouvimos depois da tragédia, de alunos que sofriam abuso físico e psicológico nas mãos de seus colegas de classe. Uma história em particular chama atenção. Quando Tom foi ao departamento de polícia no outono de 1999 para tirar o carro de Dylan do depósito de veículos apreendidos, um funcionário do condado lhe ofereceu condolências e contou que alguns estudantes haviam ateado fogo no cabelo de seu filho quando este frequentou a Escola de Ensino Médio de Columbine. O garoto, que sofreu queimaduras sérias no couro cabeludo, não permitiu que o pai fosse até a diretoria porque temia que isso piorasse a situação. Tremendo de raiva enquanto falava, ainda que o incidente já não fosse recente, o pai enfurecido disse a Tom que queria destruir a escola "tijolo por tijolo".

Aproximadamente cinco anos depois do massacre, conversei com um orientador da Escola de Ensino Médio de Columbine. Ele me disse que, depois de um incidente de bullying que veio a público um pouco antes, a escola implementara uma supervisão mais cuidadosa do corpo estudantil, incluindo professores nos corredores entre uma aula e outra e no refeitório durante o almoço. Mas concordamos que é impossível controlar o que milhares de estudantes estão fazendo no campus — ou saber o que fazem uns com os outros no estacionamento da lanchonete mais próxima. Apesar de a diretoria dizer que foram adotadas medidas para conter os conflitos entre os estudantes, seus esforços não foram suficientes. Para muitas pessoas, a Escola de Ensino Médio de Columbine era um lugar hostil e assustador mesmo para os alunos mais populares, o que Dylan e seus amigos não eram. Um de nossos vizinhos nos contou a reação de seu filho adulto à tragédia, um refrão que ouvimos muitas vezes: "Estou surpreso que não tenha acontecido antes".

Tanto Huerter como Larkin dizem que os professores faziam vistas grossas para os ataques e até mesmo para a violência nos corredores, ou porque não levavam isso a sério — "Crianças são sempre crianças" — ou porque tomavam o partido dos atletas populares que praticavam bullying. Eles citam ocasiões nas quais a direção da escola declinou de tomar uma atitude mesmo depois de ter sido informada de incidentes específicos. Isso não era tão surpreendente quanto é hoje. O bullying não estava no radar cultural em 1999: não havia leis federais contra ele, nem códigos obrigatórios de conduta escolar, nem livros mais vendidos do *New York Times* sobre "rainhas da escola" e insultos que magoam. A crueldade entre colegas certamente não era vista como um problema sério de saúde pública, como a entendemos hoje em dia.

Tom acredita, assim como Larkin, que a cultura de Columbine era tóxica, e o desejo de vingança motivou os ataques que os garotos perpetraram na escola. Muitos especialistas discordam: apesar da alegação de Larkin de que as bombas de propano que Dylan e Eric colocaram no refeitório foram posicionadas embaixo das mesas em que os atletas geralmente se sentavam, eles não focaram nos jovens populares nem nos atletas durante o ataque, nem em ninguém em particular. (Dos quarenta e oito atiradores abordados no livro do dr. Langman, *School Shooters: Understanding High School, College, and Adult Perpetrators*, apenas um teve como alvo específico alguém que praticava bullying.)[12] Além disso, quase não há menção a bullying nos diários de Dylan. Ao contrário, ele parece ter inveja dos atletas pelo conforto social deles e pela facilidade com as garotas.

Eu, pessoalmente, fico no meio-termo. O bullying, por mais severo que seja, não é desculpa para retaliação física nem violência, muito menos assassinato em massa. Mas eu acredito que Dylan tenha sofrido bullying e que, ao lado de muitos outros fatores, e talvez em combinação com eles, o bullying provavelmente teve alguma participação no que ele fez. Dados o temperamento e as características intrínsecas da personalidade de Dylan, é fácil entender por que sofrer bullying poderia ser especialmente doloroso para ele. Ele odiava estar errado e não gostava de perder. Era extremamente tímido e autocrítico. (Autocrítica incessante é, aliás, mais um sinal de depressão.) Ele gostava de se sentir autoconfiante e queria ser visto como alguém que estava no controle. Essa noção de si mesmo poderia ser gravemente destruída a cada incidente. E, aparentemente, os incidentes eram comuns.

Um dia Dylan chegou em casa com a camiseta respingada de ketchup. Ele se recusou a me contar o que tinha acontecido. Só disse que tivera "o pior dia de sua vida". Eu pressionei, mas Dylan minimizou o fato e eu deixei para lá. *Crianças têm suas diferenças,* pensei. *Seja lá o que for, vai acabar passando — e, se não passar, eu vou descobrir.* Há relatos de que o incidente foi mais sério do que eu jamais poderia imaginar: um grupo de garotos ao redor de Dylan e Eric, zombando, empurrando, espirrando ketchup em cima deles e sugerindo que eram gays. O incidente por si só talvez não explique a ligação mortal forjada entre os garotos, mas é o tipo de humilhação compartilhada pela qual se forma um vínculo.

Tom e eu soubemos de outro incidente. No segundo ano do ensino médio, Dylan estacionava o carro em uma vaga mais distante na escola. Algumas semanas depois de ter confrontado os alunos do primeiro ano, ele disse ao pai que o carro não estava funcionando direito. Tom encontrou o capô amassado, como se alguém tivesse ficado em pé sobre ele, deixando uma reentrância funda o bastante para estragar a caixa de fusíveis. Dylan disse que não notara o amassado. Tom lhe perguntou sem rodeios se os garotos do primeiro ano tinham estragado o carro de propósito. Dylan respondeu que não sabia quando nem como tinha acontecido, embora tivesse certeza de que acontecera no estacionamento da escola. O carro era velho, e nunca tivemos a expectativa de que sobrevivesse ao ensino médio sem arranhões. Mas não termos descoberto o que aconteceu com ele é uma coisa da qual me arrependo.

Tom e eu não víamos Dylan como impopular; ele simplesmente tinha amigos demais para que o víssemos dessa forma. Infelizmente, não fazíamos a mínima ideia do que realmente era sua vida diária na escola. Larkin cita um vídeo feito por Dylan. Ele e outros garotos estão caminhando pelo corredor, não filmando nada em particular. Quatro estudantes se aproximam, vindo da direção oposta. Um deles, usando a camiseta do time de futebol americano de Columbine, dá uma cotovelada na lateral de Dylan, fazendo-o gritar e a câmera de vídeo balançar muito. Os atletas riem, e os amigos de Dylan resmungam alguma coisa inaudível. Larkin resume corretamente o que é mais assustador: Dylan e seus amigos continuam a caminhar pelo corredor depois do golpe, como se nada fora do comum tivesse acontecido. "Aparentemente esse tipo de comportamento era comum o suficiente para ser aceito como normal", ele escreve.[13] Essa observação era apoiada por várias entrevistas que ele fez com estudantes.

Ela também espelha nossas próprias conversas. Um dos amigos de Dylan me disse que nunca presenciara nenhum caso de alunos tratando mal outros alunos — e então, no minuto seguinte, me contou sobre garotos arremessando uma lata de refrigerante lotada de escarro de tabaco na direção dele, em um evento esportivo da escola. Outro amigo de Dylan nos contou sobre um carro cheio de adolescentes atirando garrafas de vidro e outros objetos no grupo deles enquanto passavam. (Larkin relata que jogar lixo de dentro do carro em movimento em cima de estudantes de "casta mais baixa" era um comportamento comum.)[14] Um Dylan resignado tentou confortar um novo membro do grupo: "Você se acostuma. Acontece o tempo todo".

Dói pensar que era tão fácil para Dylan esconder como era sua vida na escola. Eu ainda tenho sonhos nos quais descubro a dor oculta dele. Em um deles, estou tirando a roupa de Dylan, ainda pequeno, para dar banho. Tiro sua camiseta e vejo uma rede de cortes ensanguentados pelo seu peito. O simples fato de escrever sobre isso me faz chorar.

Os conflitos de Dylan podem ter sido escondidos de nós, mas não eram incomuns. Um estudo de 2011 feito pelos Centros de Controle de Prevenção de Doenças descobriu que vinte por cento dos estudantes do ensino médio em todo o país relataram ter sofrido bullying na escola nos trinta dias antes da pesquisa; uma porcentagem ainda mais alta relatou que sofreu bullying nas redes sociais.[15] Defensores do antibullying sugerem que esse número possa chegar perto dos trinta por cento.[16]

Uma quantidade enorme de pesquisa tem sido feita sobre os efeitos do assédio entre colegas, e há, inquestionavelmente, uma correlação entre o bullying e distúrbios de saúde cerebral que se estende até a vida adulta. Um estudo desenvolvido na Universidade Duke descobriu que, comparadas com crianças que não sofrem bullying, aquelas que sofrem têm quatro vezes mais prevalência de agorafobia, ansiedade generalizada e distúrbios de pânico quando adultas. Os próprios agressores apresentam risco quatro vezes maior de desenvolver um transtorno de personalidade antissocial.[17]

Há também uma forte associação entre bullying, depressão e suicídio.[18] Tanto sofrer como praticar bullying está relacionado a altos riscos de depressão, ideação suicida e tentativas de suicídio. Pesquisadores de Yale descobriram que vítimas de bullying são de duas a nove vezes mais suscetíveis a ter pensamentos suicidas do que outras crianças.

A conexão entre o bullying e a violência contra os outros é mais complicada, embora, de novo, haja uma correlação.[19] Crianças que sofrem bullying muitas vezes se tornam agressoras, o que parece ser o que aconteceu com Dylan e Eric. Larkin cita uma estudante que alega que eles aterrorizavam seu irmão, um garoto com necessidades especiais, a ponto de ele não querer mais ir para a escola. Os pesquisadores chamam de "vítimas do bullying" os jovens que tanto praticam quanto sofrem bullying, e constataram que essas vítimas são as que mais correm risco psicológico.[20] "Os números deles, comparados com aqueles que nunca se envolveram em casos de bullying, contam a história: risco catorze vezes maior de síndrome do pânico, cinco vezes maior de distúrbios depressivos e dez vezes maior de pensamentos e comportamento suicidas."

A humilhação e a degradação pela qual Dylan passou nas mãos de seus colegas de escola provavelmente contribuíram para seu estado psicológico. A certa altura, a sua raiva, que durante anos fora direcionada a si mesmo, começou a se exteriorizar, e a ideia de destruição pessoal que ele achava tão confortante começou a incluir outros. Os incidentes repetitivos de desrespeito na escola, um ambiente que deveria ser seguro, pode muito bem ter constituído o ponto de engrenagem.

Obviamente, mesmo que Dylan tenha passado por humilhações nas mãos de seus colegas de classe, isso não o isenta, de forma alguma, da responsabilidade pelo que fez. Ao mesmo tempo, me arrependo profundamente de não ter estado mais alinhada com os sentimentos de Dylan com relação ao lugar onde ele passava seus dias. Eu gostaria de ter gastado muito mais tempo e energia para entender o clima e a cultura da escola (e se aquilo era apropriado para Dylan) em vez de abordá-lo apenas academicamente.

Vez ou outra eu me permito fantasiar sobre milhares de maneiras como a história poderia ter terminado de maneira diferente, e todas essas fantasias começam com uma escola diferente. Meu maior remorso, porém, é que eu não fiz seja lá o que fosse possível para saber como era a vida interior de Dylan.

. . .

Em uma conferência para prevenção de suicídio da qual participei, um pai descreveu que fracassara em reconhecer os sinais de depressão na filha de doze anos. Ele notara que ela estava mais resmungona e pegajosa do que de costume, claro, e reclamando de doenças inexistentes, mesmo depois de o pediatra não ter encontrado nada errado. *Meu estômago dói. Minha cabeça dói.* Ela também estava mais relutante que o normal para ir para a cama. *Só vou terminar este capítulo. Mais cinco minutos, eu juro.* Mas ele não fazia ideia de que todos esses eram sinais potenciais de depressão em um jovem daquela idade.

Eu também não. Anos depois, mencionei isso a uma amiga que tinha uma filha de onze anos. Ela ficou suficientemente alarmada a ponto de conduzir uma pesquisa informal com pais experientes que conhecia. Será que eles reconheceriam a teimosia, a hipocondria e os distúrbios do sono como possíveis sintomas de depressão em seus filhos? Nenhum deles reconheceria. Você reconheceria?

Mais perturbador ainda: o pai que conheci na conferência me disse que o pediatra da filha também não reconheceu esses sinais — embora ela estivesse correndo alto risco de cometer suicídio. Em aproximadamente oitenta por cento dos suicídios levados a cabo, o indivíduo visitou um médico no ano anterior a sua morte,[21] e quase metade se consultou com um médico no mês anterior.[22] Dylan foi ao nosso médico de família por causa de uma dor de garganta semanas antes de morrer.

É essencial que os médicos busquem rotineiramente sintomas de depressão e tendências suicidas em seus pacientes. Professores, orientadores escolares e técnicos podem ser ajudantes poderosos. Programas de vigilância (como o Técnicas de Intervenção Aplicadas ao Suicídio, do LivingWorks) ensinam os participantes a identificar as pessoas que lutam com pensamentos suicidas persistentes. As intervenções que fazem podem salvar vidas.

As notas do ensino médio de Dylan nunca foram particularmente ótimas, apesar de sua inteligência, mas nas últimas semanas do terceiro ano elas caíram o suficiente para que dois professores ficassem preocupados. Seu cabelo era limpo, mas estava comprido e sem corte, e saía por trás do boné de beisebol que ele sempre usava; sua barba se espalhava em tufos e estava desgrenhada. Todos na vida dele, incluindo Tom e eu, fazíamos um julgamento de valor do que observávamos, em vez de nos perguntar se haveria algo errado.

Esse é um dos paradoxos que devemos confrontar. É claro que seria mais fácil ajudar os adolescentes depressivos se eles fossem mais agradáveis, ou mais comunicativos com relação a seus pensamentos. Seria ótimo se eles se parecessem com as crianças dos panfletos: limpos e atraentes, olhando pela janela para a chuva com uma expressão melancólica, o queixo apoiado no punho. No entanto, geralmente, um adolescente perturbado será desagradável: agressivo, beligerante, arrogante, irritadiço, hostil, preguiçoso, resmungão, não confiável, às vezes com pouca higiene pessoal. Mas o fato de serem tão difíceis, tão empenhados em nos afastar, não quer dizer que não precisem de ajuda. De fato, essas características podem ser sinais de que precisam.

. . .

O próximo incidente ocorrido durante o segundo ano do ensino médio de Dylan foi o mais catastrófico de todos.

No dia 30 de janeiro, poucos dias depois de Dylan riscar o armário na escola, ele e Eric foram presos por arrombar uma van estacionada e roubar equipamentos eletrônicos.

Dylan concordara em ir com Zack a uma atividade na igreja dele naquela noite, e os dois planejavam vir dormir em nossa casa depois. Tom e eu estávamos ouvindo música juntos na sala de estar quando o telefone tocou, por volta das oito e meia. Era o pai de Zack, evidentemente irritado. O garoto discutira com a namorada e saíra do evento com ela. Ele se machucara, possivelmente depois de se atirar de um carro em movimento, e não estava falando coisa com coisa. Tudo estava muito confuso, mas os pais de Zack queriam que soubéssemos que os planos tinham mudado. Dylan não estava com ele; saíra da igreja com Eric.

Agradeci ao pai de Zack pela informação e imediatamente liguei para os Harris, que estavam tão preocupados quanto nós, sem saber para onde os garotos tinham ido. As duas famílias prometeram entrar em contato imediatamente se tivéssemos notícias dos dois. Em questão de minutos, nosso telefone tocou de novo. Era o xerife do condado. Dylan e Eric tinham sido presos por violação de propriedade.

Tom e eu dirigimos até o escritório do xerife auxiliar local; os Harris já estavam lá. As acusações incluíam violação de propriedade e roubo, que eram crimes, e dano, que era uma contravenção penal.

Fiquei boquiaberta quando ouvi a seriedade das acusações. Não podia acreditar que o nosso Dylan, que nunca fizera nada realmente errado na vida, pudesse estar envolvido em algo tão sério. Era o tipo de problema que poderia impactar seriamente o seu futuro. Nenhum de nós nunca fora preso, então telefonamos para um de nossos vizinhos, que era advogado, para pedir aconselhamento. Ele nos disse que Dylan deveria "botar para fora", dizer toda a verdade. Antes de desligar, nos assegurou: "Garotos fazem coisas idiotas. Ele é um bom menino. Vai ficar bem".

Esperamos pelo que pareceu uma eternidade. A sra. Harris chorava. Então, um agente acompanhou os garotos pela porta do escritório da subdelegacia. Eu praticamente vomitei quando vi Dylan passar algemado por mim.

Esperamos durante horas para saber se ambos seriam mandados para um centro de detenção ou se seriam autorizados a ir para casa. Finalmente, o policial que os prendeu recomendou que fossem considerados para o programa Diversion, uma alternativa à cadeia para jovens infratores primários, acusados de crimes menores. O programa ofereceria terapia supervisionada e serviço comunitário, e evitaria os processos legais e a prisão dos garotos em um centro de detenção. Os dois foram liberados aos cuidados dos pais.

O percurso até nossa casa foi silencioso, como se nós três estivéssemos lutando com nossas emoções: fúria, humilhação, medo e perplexidade. Chegamos, física e emocionalmente exaustos, por volta das quatro da manhã. Tom e eu precisávamos discutir como reagir. Haveria consequências, dissemos a Dylan, mas conversaríamos sobre elas depois de descansarmos um pouco. Apesar de estar exausta, o sol nasceu antes que eu conseguisse fechar os olhos para dormir.

Tom acordou antes de mim. Quando Dylan se levantou, eles tiveram uma longa conversa. Mais tarde, Tom me disse que nosso filho ficara muito, muito bravo — com a situação, os policiais, a escola, a injustiça da vida. Ele estava tão bravo que não parecia aceitar ou reconhecer o erro que cometera.

Eu ainda estava zangada e não queria conversar com Dylan até estar mais calma. Mais tarde naquele dia, nós dois nos sentamos na escada. O quarto de casal ficava no térreo, e o quarto de Dylan no andar de cima, então muitas vezes nos sentávamos nos degraus entre eles para conversar. Recontei nossa conversa, palavra por palavra, no meu diário naquela noite, e a revivi em minha mente inúmeras vezes desde a morte dele.

Eu comecei:

— Dylan, me ajude a entender. Como você pôde fazer algo tão moralmente errado?

Ele abriu a boca para responder e eu o interrompi:

— Espere. Espere um minuto. Primeiro, me diga o que aconteceu. Me conte tudo, desde o começo.

Ele me contou a história daquela noite bizarra. Depois que Zack saiu da igreja, ele e Eric resolveram soltar fogos de artifício, então dirigiram até um estacionamento não muito longe de nossa casa onde ciclistas amadores paravam seus carros enquanto andavam de bicicleta pela estrada do cânion. Lá avistaram uma van comercial estacionada no escuro. Viram equipamentos eletrônicos dentro dela. A van estava trancada. Eles bateram na janela e tentaram abri-la. Dylan justificava dizendo que a van estava abandonada. Como a janela não abriu, eles a quebraram com uma pedra.

Perguntei a Dylan se quebrar a janela fora ideia de Eric. Ele respondeu:

— Não. Fomos nós dois. Pensamos nisso juntos.

Eles pegaram os equipamentos e dirigiram até um lugar mais afastado. Minutos depois, um policial passou e viu a van danificada. Então encontrou os dois garotos dentro do carro de Eric com os equipamentos, um pouco à frente na estrada. Assim que o policial se aproximou do carro, Dylan confessou.

Quando ouvi a história toda, fiz a pergunta de novo.

—Você cometeu um crime contra uma pessoa. Como pôde fazer algo tão moralmente errado?

A resposta dele me chocou:

— Não foi contra uma *pessoa*. Foi contra uma empresa. É para isso que as pessoas têm seguro.

Meu queixo caiu. Eu gritei:

— Dyl! Roubar é crime, e contra uma pessoa. As empresas são feitas de pessoas! — Tentei apelar para seu lado racional: — Se um inquilino nosso resolvesse roubar um lustre de um dos apartamentos, seria um crime contra a imobiliária ou contra nós?

Dylan arrefeceu.

—Tudo bem, tudo bem. Entendo o seu ponto.

Mas eu não parei. Expliquei que o dono da van teria de pagar a franquia para a seguradora.

— Não existe crime sem vítimas, Dylan.

Eu ouvira uma história sobre um programador que descobriu como desviar quantidades mínimas de dinheiro, quase impossíveis de ser rastreadas, de cálculos dos quais sobravam centavos.

— Em pouco tempo, você saberá o bastante para fazer algo parecido — eu disse a ele. — Acha que isso é ético?

Ele disse que sabia que não era e me garantiu que nunca faria algo daquele tipo.

O que ele fizera foi errado, e eu queria que ele soubesse disso. Apelando para a empatia dele, eu lhe perguntei como se sentiria se fosse roubado por alguém.

— Dylan, se não seguir nenhuma outra regra na vida, pelo menos siga os Dez Mandamentos: não matarás, não roubarás. — Parei para considerar qual dos outros mandamentos poderia ser relevante, e então decidi interromper o sermão. — Essas são regras que devem ditar a nossa vida.

Ele respondeu:

— Eu sei disso.

Nós ficamos ali sentados, em silêncio, durante um tempo. Então eu falei:

— Dyl, você está me assustando. Como posso ter certeza de que nunca vai fazer uma coisa dessas de novo?

Ele disse que não sabia, e pareceu assustado ao perceber que poderia fazer algo tão ruim por impulso. Obviamente, ele estava péssimo. Àquela altura eu não sentia raiva, só compaixão.

Antes de nos levantarmos, eu disse que ele tinha traído nossa confiança. Iríamos observá-lo mais de perto, e suas atividades seriam restringidas.

Ele reclamou que não era justo nós o punirmos; as consequências legais não eram suficientes? Mas as ações dele não nos davam opção. Eu também disse que achava que ele deveria procurar um terapeuta. Ele respondeu que não queria fazer aquilo de jeito nenhum. Quando falei que nós buscaríamos ajuda se fosse melhor para ele, Dylan respondeu, resoluto:

— Eu *não* preciso de terapia. Vou mostrar a vocês que não preciso.

Fiquei grata por Dylan seguir a vida sem ir para a prisão. Anos após a morte dele, no entanto, visitei um programa de tratamento para menores infratores, o tipo de lugar para onde Dylan provavelmente teria sido enviado, e descobri que aquilo de que eu tivera tanto medo teria, quase com certeza, sido melhor para ele do que voltar à escola, especialmente sendo a cultura da Escola de Ensino Médio de Columbine tão tóxica para ele, como acreditamos que era.

O administrador me disse:

— Estamos aqui para salvar crianças, não para puni-las.

Ele descreveu os recursos de apoio que teriam sido disponibilizados a Dylan, tais como profissionais especializados em distúrbios de humor e transtorno de estresse pós-traumático, comum em crianças que sofreram bullying. A equipe multidisciplinar teria, quase com certeza, diagnosticado sua depressão, assim como quaisquer outros transtornos de saúde cerebral com os quais ele convivia. A equipe trabalhava de perto com os pais dos infratores. Havia até um prédio para treinamento em computadores ali.

Nunca sabemos que lições estão guardadas para nós, especialmente quando nossas preces são atendidas e as coisas parecem sair da maneira como desejamos. Na época, ficamos agradecidos por ele ter sido qualificado para o Diversion, o programa de recuperação. Mas não consigo parar de me perguntar se um centro de detenção juvenil teria salvado a vida de Dylan, e a de todos que ele levou consigo.

. . .

Demorou dois meses para o programa começar. Enquanto isso, Tom e eu trabalhamos juntos para apertar as rédeas. Criamos uma tabela de horários para voltar para casa, limitamos as atividades sociais de Dylan, tiramos o teclado do computador e restringimos seus privilégios para dirigir. Fazíamos buscas regulares no quarto dele, e o proibimos de passar as horas livres com Eric. Esperávamos que ele ficasse mais conosco e que, quando o fizesse, fosse cooperativo. O trabalho e a participação dele nas peças da escola eram influências construtivas, e ele poderia continuar a fazer essas coisas.

Dylan ficou aliviado com a maneira como as regras foram colocadas para ele, e aceitou nossas condições de boa vontade, mesmo assim foi uma época difícil. Ele parecia isolado, e ficava bravo rapidamente quando exigíamos qualquer coisa dele.

O relacionamento dele com o mundo exterior não parecia estar muito melhor. Mais ou menos uma semana depois do roubo, Dylan conseguiu um emprego em um supermercado. Ele não gostava do trabalho e odiava usar a camiseta florida que era parte do uniforme. Sua postura era horrorosa, e sua temporada lá acabou em pouco tempo. Depois, ele levou uma multa por alta velocidade. Não muito depois, passou no sinal vermelho a caminho de casa voltando da videolocadora, e recebeu uma multa do mesmo policial que o questionara na noite de sua prisão.

Depois da multa, Tom e eu o avisamos novamente que precisava recuperar o controle. Quaisquer outros erros, e as consequências para seu futuro poderiam ser absolutamente desastrosas. Criminosos não podem votar nem fazer parte de júris; ele teria seus direitos civis cassados. E quem iria contratá-lo?

Um mês e pouco depois da prisão, liguei para os Harris para ver como estavam as coisas. Nós todos queríamos o melhor para nossos filhos, e eu achei que nossas famílias deveriam manter contato para coordenar as consequências que tínhamos estabelecido. A sra. Harris e eu conversamos sobre as vantagens e as desvantagens de manter os dois garotos separados. Ela me contou sobre os ataques de fúria de Eric, e disse que eles planejavam buscar um profissional para ajudá-lo imediatamente. Eu disse a ela que estávamos tentando determinar se Dylan precisava ou não se consultar com um terapeuta.

Eu tinha a forte convicção de que os garotos deveriam ficar separados, mas a sra. Harris não queria tirar a principal amizade da vida do filho em uma época de crise. Eu entendia, mas achava que Dylan precisava de um pouco de distância. Concordamos em mantê-los separados, pelo menos durante um tempo.

Houve bons e maus momentos. Uma noite, Byron ligou depois de ter largado outro emprego por capricho. Eu estava tão desanimada com meus filhos, não sabia o que fazer. Depois que Tom foi para a cama, Dylan me confortou. Ele ouviu cuidadosa e silenciosamente minhas preocupações com relação a Byron e fez algumas sugestões, ao mesmo tempo em que apoiou a maneira como eu lidara com a ligação. Quando eu acabei de desabafar, ele fez o melhor que pôde para me animar. Naquela noite, eu me senti grata por ele não ter sido mandado para a prisão.

Nesse período, Dylan e um amigo começaram uma liga de beisebol fantasia. A atividade parecia saudável, e eu gostava do garoto com quem ele desenvolvera a liga. Eric não participou. Dylan também fez o som para a produção de *Vendedor de ilusões*, à qual nós assistimos no fim de fevereiro. Não há nada como o teatro da escola para os pais se sentirem orgulhosos, e nós certamente nos orgulhamos de Dylan naquela noite.

Mesmo assim, ficamos aliviados quando o programa Diversion finalmente começou, em março. Durante o processo de admissão, pediram a Dylan que selecionasse seus problemas de uma longa lista. Eric ticou muitos deles, incluindo "raiva", "pensamentos suicidas" e "pensamentos homicidas", mas Dylan marcou apenas dois: "finanças" e "emprego".

O processo de admissão incluía uma abordagem extensiva de nossa família. Eu relatei que Dylan às vezes parecia "bravo ou ressentido" e que seu comportamento era ocasionalmente "desrespeitoso ou intolerante aos outros". Aquele era, de fato, meu sentimento com relação a ele naquele ano, especialmente depois da prisão. Ele nunca levantou a voz, falou palavrões na nossa frente ou respondeu para nós, mas eu podia ouvir o desrespeito em sua voz, às vezes, quando ele falava sobre os outros. Era a pior coisa, em minha experiência, que poderia ser dita sobre Dylan.

Mais tarde, esses comentários seriam vistos como prova incontestável de que nós ignoramos os sinais de alerta e preparamos o palco para a violência tolerando a agressividade. Na época, no entanto, eu estava simplesmente ansiosa para os orientadores saberem o pior sobre Dylan, para que os especialistas que lidariam com o caso dele fossem capazes de ajudá-lo, se ele precisasse.

Quando os orientadores questionaram Dylan, ele admitiu ter usado maconha algumas vezes. Isso nos surpreendeu, e então Tom prosseguiu com as perguntas quando chegamos em casa. Dylan não queria dizer onde conseguira as drogas, mas no fim confessou que a erva pertencia ao irmão. Tom confrontou Byron, e avisou que, caso nosso filho mais velho trouxesse drogas ilegais para dentro de nossa propriedade de novo, ele mesmo entregaria Byron à polícia.

Os registros de menores geralmente são lacrados, mas depois da tragédia os relatórios de Dylan do Diversion foram liberados. Eles diziam que Tom e eu tínhamos "expulsado" nosso filho mais velho de casa por usar drogas. Aquilo me pegou de surpresa. A decisão de sair de casa fora de Byron, feita em consulta com um terapeuta de família, e a própria mudança fora absolutamente amigável. Além disso, Byron continuou muito presente em nossa vida depois que se mudou; nós o víamos no jantar pelo menos uma ou duas vezes por semana. Na entrevista do Diversion, Dylan disse que adorava o irmão, mas que o uso de maconha era "um desperdício de tempo e dinheiro".

Ele alegou ter usado álcool "algumas vezes", embora seus diários tenham revelado que estava se automedicando pesadamente. Depois da morte de Dylan, descobri que seu apelido, na internet e entre alguns de seus amigos, era VoDKa, o D e o K maiúsculos em uma brincadeira com as iniciais de seu nome.

Dylan ficou irritado ao descobrir que Tom confrontara Byron sobre a maconha, e o pai explicou que faria qualquer coisa para manter seus filhos em segurança. Depois da tragédia, porém, Tom se culpou pela vida secreta de Dylan e se preocupava que tivesse, sem querer, estragado o relacionamento deles ao quebrar a confiança de Dylan. Será que ele não quis nos contar que tinha medo de Eric porque sabia que o pai falaria com os Harris? Claro que Tom teria falado, se tivesse a mínima ideia da dinâmica fatal entre os dois garotos.

. . .

Anos após a tragédia, peguei uma revista sobre criação de filhos em uma sala de espera que trazia um questionário sobre "criar os filhos com ética". "Acertei" todas as dez respostas, exceto esta: "Você leria o diário de seu filho?" A resposta correta, de acordo com a revista, era "não". Eu sei que essa também teria sido a minha resposta quando Dylan estava vivo, mas não seria atualmente.

Quando fazemos uma busca no quarto de nossos filhos ou lemos seus diários, corremos o risco de eles se sentirem traídos. De qualquer forma, eles podem estar escondendo problemas com os quais não conseguem lidar sozinhos.

Quando o orientador do Diversion pediu a Dylan que falasse sobre seu relacionamento familiar, ele respondeu que era "melhor que o da maioria dos adolescentes". Disse que Tom e eu éramos "do tipo que dá apoio, carinhosos e confiáveis". Em resposta à pergunta "Que impacto essa prisão teve em sua família?", Dylan respondeu: "Foi ruim. Meus pais ficaram arrasados, e eu também". Para a pergunta "Qual foi a experiência mais traumática da sua vida?", Dylan respondeu: "A noite em que cometi esse crime".

Depois de entrevistar Dylan e nossa família, o redator do relatório de status do tratamento concluiu: "Com base no histórico, não parece haver indicação para tratamento". Apesar disso, quando finalmente nos encontramos com a orientadora de Dylan no Diversion, em março de 1998, a primeira coisa que eu perguntei foi se ela achava que nosso filho precisava de terapia. Quando ele se juntou a nós, ela lhe perguntou se ele achava que precisava, e ele disse que não. Fiquei um pouco decepcionada por ela não nos dar mais direcionamento — eu já sabia o que Dylan pensava. Mas ele continuou a nos garantir que simplesmente cometera um erro idiota.

"Vou provar a vocês que não preciso me consultar com ninguém." Concordamos em monitorar a situação e mudar o curso, se necessário.

O Diversion tomou muito do tempo de Dylan naquele ano. Ele fazia terapia, treinamento para controle da agressividade e aula de ética. Foi obrigado a participar de serviço comunitário e a ressarcir a vítima, e fazia testes regulares para detectar uso de drogas. Achamos que a gravidade da punição pudesse ajudar Dylan a compreender a seriedade de seu delito.

Infelizmente, as consultas de Dylan e Eric no Diversion eram, muitas vezes, marcadas no mesmo horário, e eles também se viam na escola. Embora os garotos não conversassem sobre a prisão, os amigos sabiam que eles estavam com sérios problemas, pois as atividades de ambos estavam restritas demais. Quando Judy Brown ouviu que Eric e Dylan tinham problemas com a lei, presumiu que fosse pelas ameaças que Eric fizera contra seu filho, Brooks.

Eric tinha um site, cheio de discurso de ódio e imagens violentas. Ele fizera ameaças específicas contra Brooks, chegando a ponto de incluir nelas o número do telefone e o endereço dos Brown. Eu não sabia sobre o site de Eric até a tarde do ataque à Escola de Ensino Médio de Columbine. Mas Dylan sabia — e, um dia antes de ele e Eric marcarem as entrevistas no Diversion, contou a Brooks. No corredor da escola, ele passou um bilhete para Brooks com o endereço do site, avisando-o para não contar a Eric como ele tinha descoberto.

Isso, para mim, é chocante — mais uma das tentativas de Dylan de se afastar do relacionamento com Eric ou, pelo menos, de chamar atenção para a gravidade da perturbação de seu amigo. Todos sabiam que Brooks era próximo dos pais, particularmente da mãe; Dylan presumira que Brooks contaria imediatamente a Judy sobre o site. E foi precisamente isso o que aconteceu, então os Brown foram à polícia. O investigador disse que tentaria conseguir um mandado de busca na casa dos Harris, mas o pedido nunca chegou a um juiz. Depois de Columbine, os papéis desapareceram.

Não saber sobre o site de Eric é um grande arrependimento, e enfatiza como é importante para os pais compartilharem informações uns com os outros, ainda que a conversa possa ser incômoda. É compreensível que Judy não tenha vindo me contar sobre o site: quando os garotos foram presos, ela acreditou que a polícia finalmente tivesse tomado alguma atitude. Ela não fazia ideia de que Eric e Dylan foram presos por um roubo que não tinha nada a ver com o comportamento ameaçador de Eric — assim como eu não fazia ideia de que Eric ameaçara Brooks ou qualquer outra pessoa até a tarde da tragédia, quando Judy Brown estava na rampa da garagem e outras quinze pessoas estavam mortas na escola, mais um sem-número de feridos e traumatizados.

. . .

As limitações que impusemos a Dylan depois de sua prisão foram restritivas, e ele ficou irritado conosco. Uma vez que na triagem do Diversion não houve indicação de qualquer problema psicológico, nós toleramos a irritabilidade dele e tentamos incluí-lo nas atividades familiares o máximo possível. Como sempre acontecia com Dylan, houve momentos bons o suficiente para me manterem esperançosa. Para todos os incômodos e desacordos naqueles meses, houve muitos outros momentos em que nos demos bem e curtimos a presença um do outro.

Quando Dylan me perguntou o que eu queria ganhar em meu aniversário, no fim de março, eu disse que gostaria de passar um tempo sozinha com ele. Ele me levou para tomar café da manhã. Tentei fazê-lo falar sobre si mesmo, mas Dylan respondeu às perguntas com a maior brevidade possível, então me perguntou sobre meu trabalho e minha vida. Ele estava tão acostumado a ouvir que não percebi como era habilidoso em afastar o foco da conversa de si mesmo. Antes que nossas panquecas esfriassem, eu estava tagarelando sobre meu trabalho artístico, meu emprego e meus sonhos para o futuro, sem me dar conta de que ele protegia cegamente sua vida interior.

. . .

No final do segundo ano do ensino médio, as coisas pareciam estar voltando ao normal. Dylan passava as tardes e as noites na escola, participando dos ensaios para a produção teatral de *Este mundo é um hospício*. Começamos a conversar sobre a vida dele depois da formatura. Ele estava cansado e não queria ir para a faculdade, mas nós o estimulamos a pensar no assunto, e alguns dias depois ele concordou em ir conosco à universidade para conhecer os recursos que ela disponibilizava. Dylan era inteligente, mas não tinha sido verdadeiramente motivado pelo que estavam estudando desde que saíra do programa de altas habilidades. Eu tinha certeza de que ele desabrocharia na faculdade, com mais liberdade para descobrir e ir atrás de suas paixões.

No dia 20 de abril, exatamente um ano antes de sua morte, ele e Tom foram ao primeiro jogo de beisebol da temporada. Na semana seguinte, Tom e eu fomos ver a montagem de *Este mundo é um hospício*. A contribuição de Dylan para a apresentação foi impecável. Embora eu não possa dizer que ele estivesse completamente feliz, Dylan parecia mais equilibrado, como se estivesse tentando superar os erros que cometera.

Naquela primavera, tivemos a pior discussão de toda a vida dele. Aconteceu no Dia das Mães, o último que passamos juntos, e ainda dói lembrar.

Não recordo exatamente o que me tirou do sério. Eu estava deprimida pelo ano desastroso que tivera com meus dois filhos, brava com a contínua má-criação e negatividade de Dylan e sofrendo em silêncio por ele ter se esquecido do Dia das Mães. Quando o confrontei sobre sua atitude, tive a sensação de que ele estava respondendo não para mim, mas para uma piadinha interna. Aquilo me pareceu desrespeitoso.

Com a paciência no limite, eu o encarei. Empurrei-o contra a geladeira, prendendo-o ali com uma das mãos. Então ergui o dedo e lhe dei um verdadeiro sermão de mãe. Não gritei, mas havia autoridade em minha voz enquanto eu dizia que ele precisava parar de ser tão ranzinza e egoísta.

— O mundo não gira em torno de você, Dylan. Está na hora de pensar nas outras pessoas desta família. Você precisa começar a ter mais responsabilidade. — E então eu o lembrei do Dia das Mães.

Apertei a mão com força no ombro dele enquanto passava o sermão. Até o fim da minha vida, nunca vou deixar de desejar que o tivesse puxado em minha direção, em vez de tê-lo afastado de mim.

Finalmente, em uma voz baixa que carregava uma força ameaçadora, ele disse:

— Pare de me empurrar, mãe. Estou ficando com raiva, e não sei quanto consigo me controlar.

Isso foi tudo de que precisei; aquele não era meu estilo de criação. Assustada que o conflito tivesse chegado àquele ponto, eu recuei. Foi o pior confronto que tivemos em dezessete anos.

Mais tarde, nos sentamos juntos à mesa da cozinha. Ambos nos sentíamos muito mal. Eu pedi desculpas por perder o controle. Dylan pediu desculpas por ter esquecido o Dia das Mães e se ofereceu para me ajudar com o jantar. Naquela tarde, ele saiu para comprar um cartão e uma violeta plantada em um minúsculo regador. Era o presente perfeito; eu adoro miniaturas, e nós colecionávamos algumas quando ele era pequeno. Nós nos abraçamos. Eu achei que estivesse tudo bem, embora tenha notado que ele só assinou o nome no cartão, em vez de escrever algo como "Com amor, Dylan".

Claro que desejei que não tivéssemos brigado, particularmente no Dia das Mães, mas eu achava que tinha razão. Não é necessário confrontar os filhos quando estão passando dos limites? Hoje em dia penso de maneira diferente sobre aquela briga. Sei que abraçar meu filho e dizer que o amava não o teria impedido de ferir a si mesmo e a outros. Mesmo assim, eu gostaria de ter tomado a mão dele. *Sente aqui. Converse comigo. Me diga o que está acontecendo.* Em vez de dizer tudo o que ele estava fazendo de errado, ou pelo que ele deveria agradecer, eu gostaria de ter escutado e validado a dor dele. Se tivesse de fazer tudo de novo, eu lhe diria: *Você mudou, e isso está me assustando.*

Mas eu não estava assustada. Deveria estar, mas não estava.

· · ·

Agora eu enxergo que havia muita coisa com que me preocupar no segundo ano do ensino médio de Dylan.

Ao fundo, havia a preocupação com a doença de Tom, a incerteza financeira e atritos entre mim, Tom e Byron. Todos esses fatores aumentam o risco de depressão daqueles que já estão vulneráveis. A prisão de Dylan[23] e o bullying que ele estava enfrentando na escola são, ambos, fatores sociais ligados ao maior risco de depressão e à ideação suicida. O aumento de irritabilidade e sua atípica falta de motivação eram sinais de depressão, ainda que estivessem bem dentro dos parâmetros do que um pai possa esperar de um adolescente. Ele escondia cuidadosamente de nós o consumo de álcool — outro fator de risco. Toda vez que ficávamos muito preocupados com Dylan, ele fazia o possível para nos assegurar de que tudo estava bem.

Então, como pais preocupados conseguem discernir entre um comportamento comum de adolescente ("Ele é tão preguiçoso; ele tem uma atitude horrorosa; ela adora fazer drama") e os indicadores reais de depressão ou outros tipos de doenças do cérebro? A questão crucial levantada por uma história como a minha é como saber quando ações ou palavras indicam algo preocupante.

Não há uma resposta cem por cento segura; de fato, esse é um dos problemas mais preocupantes ainda não resolvidos no campo da medicina comportamental. Mas a dra. Christine Moutier, da Fundação Americana de Prevenção ao Suicídio, orienta os estudantes de medicina e os médicos a prestarem atenção nas *mudanças*: padrões de sono, expressões de ansiedade, alterações de humor ou de padrões usuais de comportamento, ou a "personalidade" do adolescente. Considerados individualmente, esses fatores podem indicar apenas uma semana estressante, mas uma constelação de mudanças pode sinalizar um problema mais sério. No segundo ano do ensino médio, Dylan passou de um garoto com quem eu não precisava me preocupar a um com quem eu me preocupava o tempo todo. Depois de dezesseis anos sem se meter em encrenca nenhuma, de repente ele estava com problemas com as figuras de autoridade na escola, conosco, com outros adolescentes e, além de tudo, com a lei.

A dra. Mary Ellen O'Toole, analista de perfis do FBI e consultora forense de comportamento, escreveu o relatório do FBI "The School Shooter: A Threat Assessment Perspective"* logo depois da tragédia.[24] Ela faz um alerta para que não se confie somente no relato do adolescente e aconselha os pais a observarem comportamentos.[25] Se algo parece inconsistente ou inexplicável, redobre a atenção ao problema e não se deixe persuadir.

Amar nossos filhos nos deixa mais suscetíveis a ignorar comportamentos perturbadores ou a tentar explicá-los. Isso é especialmente verdadeiro quando o jovem em questão é "um bom menino", e quando temos um bom relacionamento com ele. É bem difícil enxergar esses comportamentos claramente e agir quando notamos alguma coisa. Mas você nunca se perdoará se não o fizer.

Caso você esteja preocupado, a dra. Moutier aconselha, procure a ajuda de um especialista. Se a criança estiver bem, ouvir isso de um terapeuta vai fazê-lo se sentir melhor; se houver um problema mais sério, é provável que o profissional o identifique e possa ajudar.

Dylan não quis buscar ajuda. Seus diários mostram que ele estava tentando lidar com os problemas sozinho. Considerando esse aspecto de sua personalidade (e sua teimosia inata), não estou convencida de que eu teria sido capaz de obrigá-lo a fazer terapia; mesmo que eu o tivesse arrastado até o consultório, ele seria perfeitamente capaz de permanecer sentado lá em silêncio por uma hora. Perguntei ao dr. Langman, psicólogo especializado em adolescentes, o que ele sugere aos pais cujos filhos se recusam a cooperar; ele me disse que pede aos *pais* para irem ao consultório. Frequentemente, uma conversa com os pais é suficiente para determinar se são necessárias intervenções adicionais, como contatar o orientador escolar do adolescente (ou até a polícia).

Dylan prometeu que recolocaria sua vida nos trilhos, e o fez. De acordo com a dra. O'Toole, essa melhora em si pode ter sido um sinal — um que é especialmente comum entre mulheres jovens em relacionamentos abusivos. Assim que um dos pais intervém — "Não quero que você veja mais o Johnny" —, a garota volta a administrar ativamente a impressão que eles têm dela.

Não há, obviamente, nenhuma garantia de que o adolescente vai ficar bem, mesmo com ajuda profissional. Os pais de Eric o mandaram a um psiquiatra depois da prisão, e ele começou a tomar remédios — nada disso o impediu de desencadear os eventos de 20 de abril de 1999.

---

* Em tradução livre, "O atirador de escola: uma perspectiva de abordagem a ameaças". (N. do E.)

Hoje em dia, quando folheio um dos meus antigos diários e leio uma frase como "Dylan ficou irritado quando o lembrei de alimentar os gatos", parte de meu cérebro urra: *Como você pode não ter percebido?! Você não sabia que a depressão muitas vezes se manifesta em irritabilidade em meninos adolescentes?* Não, eu não sabia, e não estou sozinha. Em algum lugar dos Estados Unidos, neste exato momento, há uma mãe exasperada apontando para dois gatos famintos enquanto eles se enroscam nos tornozelos de um garoto que se esqueceu de alimentá-los. É provável que esse adolescente cresça sem maiores problemas, e se torne um pai que vai passar um sermão no filho por causa de um par de tigelas de gato vazias.

Mas, para uma porcentagem das famílias, esse não será o desfecho feliz. Um misto desafortunado das vulnerabilidades de um adolescente e de circunstâncias que as despertam vai se combinar para deflagrar eventos muito mais sombrios.

14

ROTA PARA A VIOLÊNCIA
O TERCEIRO ANO DE DYLAN

Robyn colocando um arranjo na lapela de Dylan, na tarde do baile de formatura do ensino médio, três dias antes do tiroteio.
Família Klebold

Sempre tive a sensação de que uma das grandes tragédias de Columbine é o fato de vocês e os Harris não compartilharem nada das lições que aprenderam. Isto é, vocês deixaram de responder às dúvidas de tantos pais no mundo: Que sinais de ódio e desespero vocês viram? Que sinais de perigo não viram? Eram o tipo de família que costumava se reunir à mesa de jantar? Sobre o que o seu filho conversava? O que teriam feito diferente na criação de Dylan? [...]

A pergunta mais intrigante para mim envolve o que o seu filho escondeu de vocês. Ouvi várias pessoas dizerem que os adolescentes podem ser muito bons em esconder objetos (p. ex., bombas e armas) e segredos dos pais. Eu não discordo. Mas esse não foi só um caso de esconder coisas. Seu filho estava tão zangado e perturbado e cheio de ódio e angustiado que queria matar centenas de colegas de classe. Centenas! Como é que vocês puderam não perceber que seu filho estava TÃO cheio de ódio e perturbado? Como ficaram tão desconectados a ponto de não ver essa disposição dele? Como isso pode ter acontecido?!?

Acho que vocês poderiam prestar um grande serviço se falassem em público sobre essas lições. Com certeza, seria muito difícil fazê-lo. Doloroso, sim. As pessoas podem dizer que vocês foram péssimos pais, negligentes? Com certeza. Mas, obviamente, muitos já dizem isso. Para mim, o mais importante é que a dor que talvez encontrem sendo abertos e falando publicamente sobre o assunto não pode ser pior do que a dor que já experimentaram ao perder seu filho de uma forma tão trágica, sem falar na culpa associada a não fazer nada a título de penitência.

— Trecho de uma carta de setembro de 2007 escrita por Tom Mauser, pai de Daniel Mauser, um dos garotos assassinados em 20 de abril de 1999 na Escola de Ensino Médio de Columbine

Eu sei que as pessoas querem uma janela para dentro dos últimos dias da vida de Dylan, por isso abri meus diários e os dele para construir uma linha do tempo paralela.

Profissionais na área de abordagem a ameaças falam sobre uma "rota para a violência". O dr. Reid Meloy explicou: "A violência direcionada muitas vezes começa com uma perda pessoal ou humilhação. Esse incidente torna-se um ponto de decisão, no qual a pessoa acredita que a única forma de resolver essa rusga é executar um ato de violência". O primeiro passo é a pesquisa e o planejamento do evento. O passo seguinte é a preparação: adquirir armas, selecionar o alvo. E o seguinte é a implementação do ataque.

Eric estava na rota da violência provavelmente desde abril de 1997, quando ele e Dylan começaram a fazer pequenas bombas. Ele acreditava que Dylan estivesse no mesmo caminho, mas os diários de meu filho mostram uma história diferente. Ele tinha certeza de que estaria morto muito antes de Eric ter a chance de executar seu plano. A rota pessoal de Dylan era em direção ao suicídio, até janeiro de 1999, quando, de repente, não era mais.

Não que Tom e eu não soubéssemos que havia algo errado com Dylan no terceiro ano do ensino médio. Nós simplesmente — drástica e fatalmente — subestimamos a profundidade e a gravidade da dor dele e tudo o que ele era capaz de fazer para curá-la.

• • •

*Fiz Dylan passar alguns minutos conosco quando nos
sentamos na sala de televisão e jantamos. É tão difícil nos
conectarmos com ele — ele só nos afasta. Temos que continuar
tentando ter algum tipo de relacionamento.* [20/8/1998]

*Dylan passou em casa, vindo da escola a caminho do trabalho,
& eu fiz um lanche para ele. Ele estava se sentindo estranho,
acha que vai ficar resfriado ou coisa pior. Ele escolheu a
foto para o anuário escolar antes de ir para o trabalho. Tom
chegou tarde em casa e fez um jantarzinho gostoso. Dylan veio
para casa e se juntou a nós antes de sair.* [28/8/1998]

Durante o verão entre o segundo e o terceiro anos do ensino médio, Dylan agia como um típico adolescente: às vezes engraçado, brincalhão e carinhoso, outras vezes esquivo, chato e fechado. Mas eu sempre tinha a sensação de que ele estava ocultando alguma coisa.

Ainda mantínhamos Dylan em rédeas curtas em casa. Fazíamos buscas no quarto dele, para ter certeza de que não estava escondendo drogas nem objetos roubados. Ele sempre foi bom para lidar com dinheiro, mas naquele verão ficou "duro" muitas vezes. Tom o perturbava para conseguir um emprego, mas ele não queria trabalhar em redes de fast-food; queria trabalhar com computadores. Ele estava ressarcindo as vítimas de seu crime, e, mesmo ganhando um dinheiro extra fazendo bicos para nós ou para os vizinhos, nós bancávamos a diferença quando ele atrasava o pagamento do seguro do carro.

Na reunião de orientação do Diversion, pediram aos pais que não entrassem em contato com os funcionários. "Se não tiverem notícias nossas", eles nos disseram, "é porque está indo tudo bem." Embora descobríssemos mais tarde que ele às vezes não aparecia para as reuniões ou chegava atrasado, não tivemos notícias. Quando o orientador original de Dylan foi embora, uma nova profissional ligou para se apresentar, e foi isso. Anos depois, li as primeiras anotações da orientadora sobre o caso. Ela disse que Dylan era um "jovem agradável, meio brincalhão e com um senso de humor bizarro; ele me faz rir".

Conversei muitas vezes com os amigos com os quais Dylan conviveu naquele verão. Perguntei sem rodeios se viram nele sinais de depressão ou raiva, mas o comportamento de Dylan parecia tão normal para eles quanto para nós. Alguns dos momentos mais bobos dele foram gravados em vídeo. A festa de dezesseis anos de Devon teve o tema "luau", e ela me deu uma foto de Dylan usando uma camisa havaiana florida e um chapéu de palha que ela lhe emprestara para a ocasião. Embaixo, ela escreveu: "Ele detestou, dava para ver, mas usou mesmo assim". E depois continuou a descrever quanto ele comeu.

Nate dormia muitas vezes em nossa casa. Os dois ficavam acordados até não ter mais nada na televisão, exceto infomerciais. Eles abaixavam o volume e inventavam diálogos para acompanhar as ofertas, rindo até a barriga doer. Depois atacavam a cozinha. Comiam linguiça polonesa, cereal de maçã, rosquinhas e avançavam nas batatas fritas e na salsa mexicana às toneladas. Tom costumava dizer que precisávamos começar a fazer compras direto na Oreos.

Apesar da aparente normalidade, em 10 de agosto Dylan escreve no diário uma nota de despedida secreta e romântica para a garota por quem é misteriosamente apaixonado — um bilhete suicida em um diário cheio deles.

Dias antes de começar o terceiro ano do ensino médio, Dylan foi contratado para dar suporte técnico em uma loja de computadores. Ele aceitou o código de vestimenta da loja sem reclamar — camisa polo e calça preta — e trabalhou durante onze horas no primeiro dia, chegando em casa cansado e orgulhoso. Tom e eu notamos que o longo dia de Dylan seria provavelmente o primeiro de muitos, se ele escolhesse uma carreira na área de computação.

À medida que o outono se aproximava, pediram que os novos alunos do último ano da Escola de Ensino Médio de Columbine enviassem fotos para o anuário. Um fotógrafo local sugeriu astutamente que Dylan levasse um amigo à sessão de fotos para ajudá-lo a relaxar, então Zack foi junto, e eu adorei as imagens de Dylan, parecendo feliz e relaxado entre as rochas rosadas do vale não muito longe de casa. Uma dessas fotos, depois, seria publicada na capa da revista *Time*, com a manchete: "Os monstros da casa ao lado".

. . .

Quando Dylan começou o terceiro ano, a vida se acomodou para toda a família.

Tom e eu ficamos cautelosamente otimistas e orgulhosos quando Byron finalmente conseguiu um emprego que adorou em uma concessionária de carros. Seus supervisores eram mentores maduros e encorajadores, tão ávidos para ensiná-lo quanto ele para aprender. Ele se mudou para as redondezas para ficar mais perto do trabalho, então o víamos mais vezes, e Tom e eu observávamos com prazer crescente o fato de que nosso filho mais velho parecia ter crescido da noite para o dia. Ele até adotou um gatinho, e fiquei tocada ao ver o carinho e o nervosismo do novo papai.

Aquele trabalho provaria ser um ponto de virada na vida de Byron, o lugar onde ele passou à maturidade e se tornou o adulto trabalhador, responsável e bem-sucedido que é hoje.

Tom e eu compramos um segundo imóvel para alugar no centro da cidade e alugamos a quitinete anexa a nossa propriedade. A renda extra aliviou nossas preocupações financeiras, embora ainda não soubéssemos como iríamos arcar com as despesas da faculdade de Dylan. Mais importante que tudo, Tom finalmente encontrou uma combinação de remédios que lhe dava um pouco de alívio da dor crônica. Ele ainda teria de passar por algumas cirurgias, mas era capaz de fazer muito mais do que antes.

Eu também já me acostumara a meu novo emprego, e gostava da liberdade de meus quatro dias de trabalho por semana. Com mais tempo para cozinhar, eu descaradamente usava a comida como isca para juntar a família. Fazia carne ao molho e lasanha; caçarolas mexicanas, pastosas e cheias de camadas, que ambos os garotos adoravam; torta de abóbora condimentada, a favorita de Dylan; e pudim de tapioca, em grande quantidade. Eu fazia três fornadas: uma para comer no dia, uma para congelar e ter alguma coisa para servir na hora da pressa, e a última a fim de mandar para a casa de Byron. O jantar de domingo com a família inteira acontecia quase toda semana. Byron e Dylan fingiam brigas de estalo de pano de prato na cozinha; embora parecessem homem crescidos, ainda eram apenas garotos.

Eu também tinha tempo para me concentrar em minha arte. Sempre amei os desafios técnicos de traduzir o mundo tridimensional para o bidimensional. Ao longo dos anos, fiz aulas esporádicas, e de vez em quando ia a sessões de desenho anatômico aos sábados de manhã com minhas amigas. Mas, entre cuidar da família, administrar a casa e o trabalho, às vezes eu passava meses sem ter uma tarde livre.

Com certeza eu nunca tive uma fase artística como naquele ano. Eu me perdia durante horas em um desenho ou uma pintura, não pensando em nada exceto em como traduzir mais realisticamente no papel as cores e formas que via na natureza.

Meus diários daqueles dias são cheios dos problemas que me preocupavam: tons de branco, cores lodosas, sombras complicadas, composição, detalhes e forma. Depois de Columbine, convencida de que minhas preocupações triviais me cegaram para os planos e as perturbações de Dylan, levaria anos até eu conseguir produzir arte novamente.

. . .

Tom fará cirurgia ambulatorial na mão amanhã. [5/11/1998]

Ficamos no hospital até as cinco, depois começamos nossa vagarosa jornada de volta para casa pelo trânsito. Paramos para pegar comida chinesa e remédios. Ficamos felizes por Dylan ter permanecido em casa, assim poderíamos jantar com ele. O carro dele está quebrado, então ele estava preso ali até um amigo vir pegá-lo, por volta das nove, para ir ao cinema. Eu quero tanto ficar mais próxima dele, mas ele está ausente a maior parte do tempo. Essa é uma época tão importante. Ele realmente precisa planejar o futuro, mas simplesmente não está indo para a frente. Pelo menos ele foi agradável esta noite e comeu conosco. [6/11/1998]

Dylan estava carinhoso e agradável hoje, e até falou sobre ir para a faculdade no Arizona para fugir do clima. [9/11/1998]

Os problemas dos anos anteriores de Dylan pareciam ter ficado para trás. Ele podia ficar mal-humorado e irritadiço em alguns momentos, mas que adolescente não fica? Às vezes notávamos que ele estava cansado, mas o emprego na loja de computadores exigia muitas horas, e ele estava fazendo cálculo, produção avançada de vídeo, inglês e psicologia na escola, além de uma aula de boliche de manhã bem cedo.

Sem nenhuma insistência nossa, ele manteve as sessões com o orientador do Diversion, participava do serviço comunitário em um parque local e fazia testes de drogas rotineiros. Embora drogas nunca tenham sido um problema com Dylan, ficamos aliviados por ter uma coisa a menos com que nos preocupar. Ele começou a reconquistar os privilégios que perdera depois da prisão e, quando o trabalho na loja de computadores se provou pesado demais para conciliar com a escola e os horários no Diversion, foi recontratado pela pizzaria Blackjack.

No dia 11 de setembro de 1998, Dylan fez dezessete anos. Nosso presente para ele foi um reconhecimento de seu apetite prodigioso — uma pequena geladeira preta que ele poderia levar para a faculdade no ano seguinte. Ele adorou e insistiu em carregá-la logo em seguida para seu quarto, o fio sendo arrastado atrás dele. Assim que Nate descobriu, apareceu com um presente para acompanhar: um balde extragrande de frango frito, todinho para Dylan.

Naquele mês, ele se voluntariou para fazer o som para a produção de Halloween de *Frankenstein* na escola e retomou a amizade com Brooks Brown. Os dois tinham se afastado depois do conflito entre Eric e Brooks no ano anterior, mas voltaram a ser amigos enquanto trabalhavam na peça.

Dylan estava orgulhoso de *Frankenstein*; usara uma grande variedade de recursos de áudio incomuns para desenvolver a trilha sonora assustadora. O elenco e a equipe gravaram um vídeo surpresa para agradecer à professora de teatro. No vídeo, Brooks, Zack e Dylan estão fazendo palhaçadas — dizendo que esperam que ela compre cerveja para eles, ou lhes pague para passarem o know-how da produção para a próxima safra de estudantes. Judy Brown fez uma festa de encerramento e tirou uma foto de Dyl rindo do vídeo com todo mundo.

Dylan prometeu que terminaria o processo de inscrições para a faculdade até o Natal. Tivemos de dar uns empurrõezinhos algumas vezes, mas ele fez seu trabalho detalhado como sempre, e Tom e eu o ajudamos a reunir os documentos necessários. Pedimos que ele considerasse algumas instituições menores, mas ele não estava interessado. Ele fez inscrição em duas universidades no Colorado e duas no Arizona, e todos nós comemoramos quando ele entregou os quatro pacotes de documentos no correio.

O Natal foi tranquilo e agradável. Como sempre, Dylan liderou o caminho para encontrar e decorar nossa árvore; ele sempre quis a maior que podíamos carregar em cima do carro. Para mim, era uma tradição anual levar Tom e os meninos para algum evento festivo — uma sessão de coral madrigal, ou um evento natalino no zoológico. No último Natal, foi um jantar em um restaurante marroquino, onde nos sentamos em almofadas no chão e comemos sem talheres, tirando a comida do prato e colocando na boca com pedaços de pão.

Dylan perguntara se Tom podia emprestar algum dinheiro para ele comprar presentes de Natal, e fiquei tocada ao encontrar um diário de capa dura embaixo da árvore na manhã do dia 25. Era perfeito — bem pensado sem ser extravagante. Eu não fazia ideia de que estaria derramando minha tristeza em suas páginas quatro meses depois.

Tom e eu compramos para Dylan o sobretudo de couro preto que ele pedira. Tom achou que a peça ficaria ridícula na silhueta alta e magra de Dylan, e eu, intimamente, concordava. Mas vários garotos na escola usavam casacos parecidos, e ele já tinha comprado uma capa preta. Ele achava engraçado quando um professor ou alguma outra pessoa em posição de autoridade o via com Eric no corredor e brincava: "Vocês parecem que são da Máfia do Sobretudo". Mas eu não sabia, até a morte deles, que havia um grupo grande e variado de adolescentes na escola que usavam sobretudo preto e se chamavam por esse nome.

Assim que aconteceu a tragédia, houve grande comoção acerca da afiliação de Dylan à tal Máfia do Sobretudo. Era uma dessas pistas que todos esperavam poder elucidar o que tínhamos perdido — a chave para desvendar o mistério. A Máfia do Sobretudo era uma gangue de góticos obcecados pela morte? Neonazistas? Satanistas? Um culto suicida? Assim como a maioria das pistas, a conexão com a Máfia do Sobretudo criou alarde sem revelar qualquer coisa — embora antes disso um mito tenha sido criado. De fato, a Máfia do Sobretudo era apenas um bando de adolescentes, alguns amigos, outros não, que gostavam de um certo tipo de casaco para se destacar de outros adolescentes na Escola de Ensino Médio de Columbine, os quais compravam em lojas mais conservadoras, como Polo ou Abercrombie & Fitch. Dylan e Eric não se viam como membros do grupo, embora fossem amigos de um garoto, Chris, que fazia parte dele.

Independentemente de como pensávamos que o sobretudo fosse ficar, parecia ser inofensivo o bastante, e Dylan ficou muito feliz quando o tirou da caixa naquela manhã de Natal.

. . .

Este dia longo e difícil acabou. A cirurgia de Tom foi hoje. Tivemos que nos levantar às quatro da manhã para estar lá às seis. Depois de sentar e esperar por treze horas, eu só precisava chegar em casa. Foi bom eu ter vindo, porque Dylan não foi exatamente responsável durante minha ausência. Ele perdeu a hora para a primeira aula e estava dormindo quando cheguei em casa. Nada do que eu precisava que ele fizesse foi feito (como cuidar dos gatos). O que eu criei? [11/1/1999]

Tom chegou do hospital e está em casa... Dylan tem estado tão recluso. Nós mal o vemos, e as tentativas de manter contato têm sido inúteis. Ele nem cumprimentou Tom ou perguntou como ele estava. Foi estranho. [12/1/1999]

Em janeiro, aproximadamente três meses antes da tragédia, Tom fez uma cirurgia para substituir um pedaço do ligamento do ombro esquerdo. Quando cheguei em casa naquela noite, vinda do hospital, descobri que Dylan não fizera o que eu lhe pedira. Eu nem lembrava mais o que era — provavelmente picar brócolis para o jantar, ou pegar um litro de leite no supermercado. Uma mensagem na secretária eletrônica me informou que ele perdera uma aula. Os gatos não tinham sido alimentados, e Dylan estava dormindo em seu quarto. Eu estava decepcionada e irritada por ele ter deixado a peteca cair enquanto eu cuidava do pai dele no hospital, e lhe disse isso.

Não consigo nem lembrar quantas vezes compartilhei essa história com outros sobreviventes de suicídio. "Eu não conseguia entender por que ela não fazia as tarefas", uma mãe que conheci recentemente me contou, com lágrimas escorrendo pelo rosto. "Eu disse a ela para parar de ser tão egoísta!" Quatro dias depois da discussão, a filha dela estava morta. Às vezes, ir mal na escola ou ter uma atitude ruim em relação às tarefas de casa não são sinais de que os jovens precisam ser criticados e corrigidos, e sim de que precisam de ajuda.

Dylan parecia sempre cansado, e eu demonstrava preocupação com a carga horária da escola e os turnos na pizzaria. Tom e eu ficamos preocupados porque ele estava apático e arredio na semana da cirurgia do pai, então o levamos para jantar num restaurante chinês assim que Tom estava se sentindo melhor, alguns dias depois da operação. A refeição foi prazerosa e nós ficamos mais tranquilos.

Em retrospecto, consigo ver como Dylan aliviava nossas preocupações toda vez que as demonstrávamos. Não sei se ele estava administrando a si mesmo ou a nós — se esperava que seja lá o que estivesse errado fosse melhorar, ou que nós não percebêssemos quanto tudo estava ruim. Ele sempre fora o filho com quem podíamos contar para fazer a coisa certa, o filho que queria tomar conta de tudo sozinho. Então, quando ele dizia que tudo estava bem, nós acreditávamos.

Os diários indicam que uma mudança substancial acontecera no pensamento dele. A anotação do dia 20 de janeiro diz: "estou aqui, AINDA sozinho, ainda com dor". Ele não tinha se matado e estava com raiva. As irregularidades sintáticas notadas pelo dr. Langman aparecem a toda hora, a ponto de grande parte da anotação ser quase incompreensível: "Eu a amo, a jornada, a jornada sem fim, começou ela tem que acabar. precisamos ser felizes para existir na hora certa. Eu a vejo em perfeição, os martim-pescadores. Amo, pureza infinita".

É possível que ele estivesse bêbado, mas há uma sensação de fantasia se tornando realidade para ele. "Os cenários, imagens, momentos de felicidade ainda vêm. Sempre virão. Eu a amo. ela me ama. sei que ela está cansada de sofrer, tanto quanto eu. chegou a hora. chegou a hora." No dia 23 de janeiro, três dias depois, ele foi escondido à feira de armas Tanner Gun Show, com Eric e Robyn, onde eles compraram as armas que usariam no massacre e conheceram Mark Manes, o jovem que lhes venderia a pistola semiautomática TEC-9.

A ironia é que eu nunca estivera tão feliz como estava no inverno de 1999. No fim de semana depois da cirurgia de Tom, Byron veio à tarde e os três homens da família trabalharam em seus respectivos carros, as peças espalhadas pela garagem. Tom não conseguia usar muito os braços, mas dava orientações e supervisionava o trabalho. Os três faziam piadas e ajudavam uns aos outros.

Fiquei do lado de dentro, onde estava quente, trabalhando em uma pintura enquanto uma panela de chili fervia no fogão. Quando os garotos entraram, assisti a um jogo do Denver Broncos na televisão com eles, assim podia mergulhar no prazer de ter minha família reunida. O tempo estava voando — Dylan iria embora para a faculdade no outono —, e eu não queria perder um só momento. Depois de Byron voltar para sua casa, Dylan e o pai saíram de carro para alugar um filme no adorado e bem conservado carro clássico de Tom. No caminho de volta, Tom deixou Dylan dirigi-lo pela primeira vez, e Dylan voltou para casa explodindo de orgulho.

Tinha sido um dia absolutamente perfeito, um pensamento que gravei em meu diário antes de ir para a cama. "Eu me sinto tão sortuda e tão agradecida", escrevi. "O dia de hoje foi maravilhoso."

Obviamente, eu me perguntei muitas vezes sobre a facilidade de enganar de Dylan. Como acontece com muitas pessoas que vivem com pensamentos de suicídio, fazer um plano pode ter tornado mais fácil para Dylan funcionar e, dessa forma, nos levar a pensar que sua vida estava mudando. Pode ser difícil diferenciar entre alguém que está realmente saindo de um ciclo de depressão e alguém que sente alívio por saber que vai morrer. (O dr. Dwayne Fuselier, que passou grande parte de sua carreira com o FBI na negociação de reféns, pede a seus alunos para prestarem atenção quando a negociação de uma crise parece estar indo bem pela mesma razão — cooperação repentina pode querer dizer que o sequestrador tomou a decisão de morrer.) No entanto, eu ainda não consigo conciliar o filho que morria de rir assistindo comigo a Alec Guinness em *As oito vítimas* com o garoto que vi nos Vídeos do Porão, um garoto que já tinha começado a fazer planos para assassinar colegas de classe inocentes.

A dissimulação era generalizada. Dois dias depois do nosso jantar de chili, Tom e eu recebemos uma ligação inesperada do orientador de Dylan do Diversion. A não ser que tivéssemos quaisquer objeções, ele estava recomendando o término antecipado do programa, tanto para Eric quanto para Dylan. Essa notícia era fantástica. Término antecipado no Diversion é um benefício raro, concedido apenas a cinco por cento dos participantes. Ambos os garotos tinham se saído excepcionalmente bem, o orientador nos disse, e ele estava convencido de que se encontravam firmes, com os pés no chão. Isso aconteceu dez semanas antes do massacre.

As pessoas tendem a achar esse detalhe particularmente perturbador, mas ele não me surpreende. Se eu não sabia o que se passava na mente de Dylan — o filho que carreguei e criei, que sentou no meu colo e esvaziava a máquina de lavar louça —, então como era possível um estranho saber? Em seu livro *A anatomia da violência*, o dr. Adrian Raine cita um estudo no qual crianças são deixadas em uma sala e proibidas de olhar para um brinquedo quando o pesquisador sai do ambiente. Há uma câmera filmando se elas olham ou não para o brinquedo, bem como suas respostas — verdadeiras ou enganosas — quando o pesquisador volta e pergunta o que fizeram.[1]

Quando as entrevistas foram exibidas a estudantes de graduação, eles adivinharam quais crianças estavam mentindo em cinquenta e um por cento dos casos, apenas um pouco melhor do que a mera aleatoriedade. Em seguida, os pesquisadores trouxeram oficiais da imigração, que, como aponta o dr. Raine, têm muita experiência em desconfiar das pessoas que viajam com contrabando. Esses profissionais experientes adivinharam quais crianças estavam mentindo em apenas quarenta e nove por cento das vezes — significativamente pior do que a aleatoriedade. Poder-se-ia imaginar que seria mais fácil com crianças mais novas, mas mesmo aquelas de quatro anos de idade conseguiram enganar os profissionais de modo convincente. Quase de maneira divertida, o dr. Raine resume os resultados da pesquisa: "Pais, vocês acham que sabem o que seus filhos estão aprontando, mas, na verdade, não fazem a mínima ideia, nem com os filhos pequenos. Esse é o nível de complicação da história. Sinto muito, companheiro, mas você é tão ruim quanto eu na hora de adivinhar quem é um psicopata mentiroso".

É um consolo amargo para mim. Não me surpreende que Dylan e Eric tenham sido capazes de enganar seus professores, um orientador escolar, o psiquiatra de Eric e os especialistas do programa Diversion. Mas, até abril de 1999, eu teria dito que Dylan não era capaz de me enganar.

· · ·

Na semana depois da ligação do orientador de Dylan no Diversion, as cartas de aceitação começaram a chegar. Dylan fora aceito em uma faculdade no Colorado, ficara na lista de espera em outra e fora aceito em duas faculdades no Arizona. Ele pareceu pouco entusiasmado com a faculdade no Colorado, mas satisfeito por ter opções no Arizona.

A vida está entrando nos eixos para ele, eu pensei, enquanto marcava um jantar com os Harris para comemorar o término do Diversion. Embora tivéssemos feito esforços o ano todo para manter os dois separados, nossas preocupações com relação ao relacionamento entre os garotos tinham diminuído. De fato, Eric tinha demonstrado que era impulsivo e passional, mas estava sob supervisão cerrada dos pais e começara a fazer terapia.

Os garotos estavam prestes a se formar no ensino médio, os erros tinham sido deixados para trás, e eu estava satisfeita pelo fato de as famílias serem capazes de reconhecer sua conquista. A vida nos dá oportunidades suficientes para comemorar, e nós tínhamos muito pelo que agradecer.

Algumas semanas antes, eu perguntara a Dylan sobre os planos de seus amigos. Ele disse que Nate, Zack e alguns outros iam para a faculdade; Eric estava querendo ingressar no corpo de fuzileiros navais. Antes de nosso jantar com os Harris, pedi uma atualização sobre os projetos de Eric. O plano com os fuzileiros navais não tinha dado certo, ele me contou. Em vez disso, Eric continuaria morando com os pais, arrumaria um trabalho e frequentaria a faculdade comunitária.

Durante essa conversa, Dylan estava com um olhar distante, o que me fez ficar preocupada que ele estivesse mudando de ideia sobre seus próprios planos para a faculdade. Depois de um surto de alegria por causa do clima mais ameno, ele recuara, ficando ainda mais pensativo e quieto que o normal, como se estivesse com alguma coisa na cabeça.

— Tem certeza de que quer ir embora? — perguntei. Alguns dos filhos de nossos amigos tinham começado a vida universitária em faculdades comunitárias mais próximas de casa, e eu queria lembrá-lo de que havia outras opções.

— Eu definitivamente quero ir embora — ele respondeu, parecendo decidido. Eu assenti, acreditando que tinha entendido: ele estava nervoso, naturalmente, mas pronto também. Agora acredito que estivesse falando de sua própria morte.

Alguns dias depois, recebemos uma confirmação por escrito sobre o término antecipado do programa Diversion. Em seu relatório final, datado de 3 de fevereiro, a orientadora de Dylan escreveu:

PROGNÓSTICO: Bom
Dylan é um jovem brilhante e com grande potencial. Se for capaz de utilizar seu potencial e se automotivar, ele se dará bem na vida.

RECOMENDAÇÕES: Término bem-sucedido
Dylan conquistou o direito de término antecipado. Ele precisa se esforçar para se automotivar, para que possa seguir no caminho positivo. Ele é inteligente o bastante para fazer qualquer sonho se tornar realidade, mas precisa entender que o trabalho duro faz parte disso.

Eu finalmente me permiti soltar a fôlego. Dylan estava de volta nos trilhos. Talvez eu *tivesse* reagido além da conta ao me preocupar tanto com o roubo. Garotos fazem coisas estúpidas, como todos disseram.

Os diários de Dylan contam uma história diferente. Àquela altura, as coisas tinham definitivamente tomado o rumo para o pior. Se tivesse a oportunidade de voltar no tempo, eu teria vasculhado todos os buracos e cantos do quarto de meus filhos, procurando não apenas drogas ou coisas que não tínhamos comprado, mas qualquer janela para dentro da vida íntima deles. Eu teria dado qualquer coisa para ler as páginas do diário de Dylan enquanto ele ainda estava vivo, enquanto nós ainda tínhamos a chance de trazê-lo de volta do abismo que engoliu a ele e a tantos outros inocentes.

Mais tarde, em fevereiro, Dylan e eu tivemos uma conversa sobre o último ano estar chegando ao fim, e ele mencionou uma pegadinha dos veteranos. Presumindo que toda a classe estaria envolvida, eu lhe pedi detalhes. Ele sorriu e disse que não queria me contar.

Ele e Tom adoravam pregar peças, mas a ideia de uma pegadinha de veteranos me deixou nervosa. A orientadora do Diversion fora clara: até a menor e mais insignificante das infrações, como jogar papel higiênico em uma casa no Halloween, poderia pôr em risco o futuro de Dylan. Se ele cometesse outro erro, teria um crime em seu currículo.

— Nem pense nisso — eu o avisei.

Ele disse:

— Não se preocupe, mãe. Eu prometo que não vou me meter em problemas.

O Diversion tinha terminado oficialmente, mas Dylan tinha sua última consulta com a orientadora, então liguei para ela e pedi que, por favor, assegurasse que Dylan entendia a seriedade da situação em que se encontrava. Eu não queria que ele participasse de qualquer coisa na escola que pudesse envolvê-lo em uma encrenca ainda maior — independentemente de quão inocente pudesse ser, ou de que ele o fizesse com a classe inteira do último ano.

A orientadora do Diversion conversou com ele sobre isso durante a última consulta e deixou as regras bem claras. Dylan nunca mais falou conosco sobre a pegadinha.

. . .

Nooossa. Estou de barriga cheia. Acabamos de voltar do jantar com Eric Harris e seus pais. Fomos lá comemorar o encerramento do Diversion para Eric e Dylan. Só espero que agora eles fiquem longe de encrencas por um ano, assim seus arquivos serão cancelados, seja lá o que isso signifique. Meu Deus, eu me lembro do que estávamos passando um ano atrás!

— Anotação no diário, fevereiro de 1999

Nós nos encontramos no dia 2 de fevereiro em uma churrascaria local. Fazia quase um ano que não os víamos. Sentamos, nós seis, em duas mesas com sofás, os pais em uma, Eric e Dylan em outra.

Quando a mãe de Eric nos disse que não tinham certeza sobre os planos do filho, eu gorjeei que Dylan iria para a faculdade no outono. Em segredo, eu estava aliviada por Dylan ter planos mais concretos que Eric. Eu me sentirei eternamente envergonhada pela tolice do meu orgulho.

Em meados de fevereiro, Dylan desceu as escadas vestido para trabalhar, apesar de não estar escalado para dar expediente. O cachorro de Eric, Sparky, estava muito doente, então Dylan tinha assumido o turno do amigo na pizzaria Blackjack. Eu gostava do cãozinho e fiquei triste por Eric; é difícil perder um bicho de estimação, especialmente um animal com o qual se cresceu. Antes que ele saísse de casa, dei um abraço em Dylan e disse que estava orgulhosa por ele ser um funcionário tão responsável e um amigo tão bom e leal.

Mais tarde naquela semana, nós dois verificamos o programa das universidades nas quais ele fora aceito, e ficamos animados ao ver todas as aulas que ele poderia cursar. Tom se digladiava com os formulários de auxílio financeiro, enquanto Dylan e eu começamos a planejar as visitas às faculdades.

Em uma noite no final de fevereiro, surpreendi Tom e Dylan trazendo para casa algumas tortas de frutas e *Os sete samurais*, um clássico do cinema japonês dos anos 1950 dirigido por Akira Kurosawa. Dylan tinha ouvido falar de *Os sete samurais* em uma aula e ficou curioso. Eu nunca assistira, embora conhecesse o remake de faroeste americano dos anos 1960, *Sete homens e um destino*. Com neve e frio lá fora, parecia uma noite perfeita para acender a lareira, encher a barriga e ver um filme, mas fiquei com receio da escolha assim que o longa começou: eu não tinha certeza se Dylan aguentaria por muito tempo um filme em preto e branco, legendado, sobre um vilarejo japonês no século XVI.

Eu estava errada. Dylan ficou enfeitiçado; todos nós ficamos. O coitado do Byron apareceu inesperadamente no meio do filme, e, mesmo sem entender uma só palavra do diálogo em japonês, nós o fizemos ficar quieto quando ele quis conversar. Ele se sentou e tentou se envolver, mas teve a reação que eu esperara de Dylan. Em questão de minutos, me deu um beijo na testa e foi embora. Fascinados, nós mal levantamos os olhos por tempo suficiente para nos despedir.

Depois dos créditos, Tom, Dylan e eu ficamos acordados até tarde no sofá, conversando sobre algumas das cenas mais memoráveis. Por ter feito vídeos e a produção de som para peças de teatro, Dylan tinha profunda admiração pelos desafios técnicos que o filme apresentava. Ele ficou particularmente impressionado com uma cena intrincadamente coreografada passada em meio a uma tempestade, que eu viria a saber que inspirara diretores como Martin Scorsese. Eu estava muito feliz por ele apreciar o viés artístico sutil do filme.

Na primeira semana de março, Dylan disse que ele e alguns amigos iriam para as montanhas fazer um trabalho para a aula de produção de vídeo. Tom tinha uma nova cirurgia marcada naquela semana, para substituir a articulação do ombro direito. Perguntei a Dylan quem estaria no grupo e quem dirigiria; eu não conhecia dois dos garotos que ele mencionara. Março ainda é inverno no Colorado, então o lembrei de levar roupas quentes, comida e água para o caso de haver uma emergência climática. Quando o beijei para me despedir, eu o fiz prometer que não invadiria nenhuma propriedade privada. Era território público, ele me garantiu; um dos garotos conhecia bem a área. Ele me disse que estavam fazendo um filme de ação na natureza, usando armas de brinquedo. Na verdade, eles estavam filmando o "vídeo de Rampart Range", o qual eu não vira nem sequer ouvira falar até termos de testemunhar, quatro anos depois da tragédia. Nele, Dylan, Eric e Mark Manes — o homem que lhes vendera uma das pistolas — atiravam com as armas que haviam estocado.

No dia 11 de março, tirei folga para que nós três pudéssemos visitar a universidade no Colorado na qual Dylan fora aceito. Ele não estava muito entusiasmado com a visita — dizia estar inclinado a se mudar para um clima desértico —, mas eu estava contente por notar que ele ficara mais envolvido quando fizemos a visita ao laboratório de computação. Seu desempenho acadêmico no ensino médio sempre fora um pouco misterioso para nós; para alguém que demonstrara tanta promessa inicial, ele não tinha se sobressaído. Observando-o naquele campus, tive certeza de que ele teria sucesso na faculdade.

Naquela noite, Tom e eu fomos a uma reunião de pais e mestres na escola de Dylan. Tínhamos recebido o relatório do semestre na semana anterior, demonstrando que as notas de Dylan caíram vertiginosamente em cálculo e inglês. Eu tinha certeza de que era "veteranice" — um desleixo típico do aluno do último ano do ensino médio que já foi aceito em uma faculdade —, mas quis conversar com os professores.

O professor de cálculo nos disse que Dylan às vezes dormia na aula e não entregava os deveres. Ele já lecionara antes para Dylan e estava decepcionado por ele não estar mais motivado. Fiquei incomodada ao saber que nosso filho estava relaxando, mas não alarmada.

— Ele está sendo desrespeitoso com você? — perguntei.

O professor respondeu, surpreso:

— Ah, não. Não o Dylan. Ele nunca é desrespeitoso.

Fiquei pensando se o fato de Dylan ser um ano mais novo que seus colegas de sala explicava sua atitude imatura, ou se ele estava deixando a matéria de lado porque planejava fazê-la novamente na faculdade. Então achei que estivesse dando desculpas por meu filho e fiquei quieta.

Quando eu disse ao professor de matemática que Dylan fora aceito na Universidade do Arizona, ele pareceu impressionado e surpreso. Ao mencionarmos a outra universidade no estado, ele riu e disse: "Ah, claro. É para lá que vão todos os atletas depois que não passam na UCLA". Mais tarde compartilhamos esse comentário com Dylan, que mudou de ideia com relação a visitar a faculdade. O resultado de nossa reunião foi que Dylan não repetiria de ano na matéria se fosse às aulas e entregasse as lições atrasadas.

Em seguida, nos sentamos com a professora de inglês. Ela lecionara para meus dois filhos, e eu sentia uma familiaridade confortável com ela. Fiquei aliviada ao ouvir que Dylan tinha entregado algumas lições atrasadas depois que ela enviara os relatórios semestrais, e que a nota dele tinha subido de D para B. A professora também elogiou as habilidades de escrita de Dylan. Tom e eu ficamos felizes com a surpresa. Sempre pensamos nele como o filho da matemática, e em Byron como o filho com talento para linguagem.

Depois desse elogio, o tom da conversa mudou, e ela nos disse que Dylan entregara uma redação perturbadora. (Tom se lembra de ela ter usado a palavra "chocante", pois se perguntou se teria conteúdo sexual.) Pedimos mais detalhes, mas ela apenas disse que a redação continha temas sombrios e alguns palavrões. Para ilustrar a impropriedade da redação de Dylan, ela nos contou sobre a que Eric escrevera, narrada em primeira pessoa da perspectiva de uma bala sendo atirada de um revólver. A história de Eric, ela nos disse, poderia ter sido violenta, mas, quando foi lida em voz alta, a classe achou divertida. A história de Dylan, por outro lado, era assustadora. Não tinha nenhum humor.

Os comentários dela sobre a redação, a qual eu só vi um ano depois, diziam o seguinte: "Eu me senti ofendida com o uso que você fez de palavras de baixo calão. Nós já discutimos em aula a abordagem de usar $!?★. Além disso, eu gostaria de conversar com você sobre a sua redação antes de lhe dar uma nota. Você é um excelente contador de histórias, mas eu tenho alguns problemas com esta aqui".

Durante nossa reunião, Tom perguntou: "Isso é algo com que deveríamos nos preocupar?" A professora de Dylan disse achar que estava tudo sob controle. Ela pedira que ele reescrevesse a história e planejou mostrar o original ao orientador de Dylan. Já que eu não gostava de sair de uma reunião sem um plano de ação, perguntei: "Então, um de vocês pode nos ligar se acharem que isso pode ser um problema?" Ela confirmou que ligariam.

A professora mostrou a redação ao orientador de Dylan, que o repreendeu por causa da linguagem. Tive a oportunidade de me encontrar com o orientador depois da tragédia; ele estava compreensivelmente aflito por não ter suspeitado da ameaça iminente. Os profissionais com quem conversei ficaram divididos sobre se a redação de Dylan (e possivelmente a de Eric) hoje em dia o qualificaria para análise em um sistema de escola pública sob o protocolo de abordagem a ameaças. É inteiramente possível que ambos passassem sem ser notados: garotos muitas vezes escrevem coisas perturbadoras sobre armas e violência. No entanto, uma verdadeira abordagem a ameaças tem tudo a ver com juntar peças disparatadas para chegar a um cenário completo, e é provável que a prisão de Dylan, a suspensão no segundo ano e a redação perturbadora, juntas, pudessem ter acendido o sinal de alerta.

No entanto, nós não vimos a redação como um sinal de alerta, e os eventos do restante da noite contribuíram para diminuir a importância relativa dela. Já que não havia ninguém esperando para falar com a professora de inglês, continuamos a conversar com ela. Mencionei a apresentação que eu vira sobre as diferenças entre as crianças das gerações X e Y. Batemos papo sobre o currículo de inglês do distrito e um dos livros de leitura obrigatória, *O filho de Deus vai à guerra*.

Éramos todos mais ou menos da mesma idade, e ficamos os três refletindo sobre como teria sido ser jovem durante a Guerra do Vietnã. Isso fez a professora de Dylan compartilhar uma história. Ela trouxera para a aula a gravação de uma música folk dos anos 1960, "Four Strong Winds". A canção falava sobre as dificuldades encontradas por trabalhadores rurais migrantes e sempre a fazia chorar, mas seus alunos riram quando ela a tocara.

Tom e eu nos inclinamos para a frente, preocupados. "Dylan também riu?" Ela respondeu que sim. Fiquei profundamente decepcionada; ele geralmente assistia a filmes clássicos conosco, e eu teria esperado mais. Pedimos desculpas pela falta de sensibilidade de nosso filho e de seus colegas de sala, e nós três nos lamentamos sobre a juventude de hoje, como velhos amigos sentados no banco de um parque. Trocamos um caloroso aperto de mãos quando fomos embora.

Foi sobre a reação de Dylan à música — e não sobre a redação — que Tom e eu falamos no caminho de volta para casa. Eu odiei saber que ele riu quando a professora compartilhou um pouco da arte que a comovia. Tom era incapaz de se desfazer de livros velhos, jornais científicos ou peças de carros, e suas pilhas de porcarias geralmente me deixavam maluca. Mas, naquela noite, eu apreciei suas idiossincrasias quando ele sacou um disco antigo. Nós nos sentamos na sala de estar com uma xícara de chá, e eu me entreguei ao refrão melancólico da música.

Tom viu ali uma oportunidade de ensinar uma lição a Dylan, e de se divertir também. No instante em que ouvimos o carro de nosso filho subir a rampa da garagem, ele colocou o disco no ponto. Quando Dylan entrou em casa, contamos a ele sobre a reunião com seus professores. Tom lembra que falamos sobre a redação durante essa conversa e pedimos que nosso filho a buscasse para nós; eu me lembro de só ter pedido a redação na manhã seguinte. Enquanto conversávamos, Tom apertou play. Minutos depois, Dylan reconheceu a canção ao fundo. Sabendo que tinha caído numa cilada, ele começou a rir.

— Por que vocês estão tocando essa música horrível?

— Por que é horrível? — perguntei. Ele disse que odiava o som "estranho" daquela música. Nós lhe explicamos, então, do que se tratava.

— Apenas escute com a mente aberta — Tom pediu. Sem protestar, Dylan ouviu o restante da canção. Ao terminar, admitiu que não era tão ruim assim.

Dissemos a Dylan quanto sua professora tinha ficado chateada, e conversamos sobre a importância de respeitar o sentimento dos outros. Ele admitiu que fora um erro ter rido. Mais tarde, nós três nos acomodamos no sofá para assistir a um de nossos filmes favoritos, *Um corpo que cai*, de Hitchcock. Quando fomos para a cama, Tom e eu sentimos que tínhamos dado a melhor orientação que podíamos. Nunca saberei se Dylan estava fingindo se importar ou se realmente se importava.

Na manhã seguinte, pedi que Dylan me mostrasse a redação de inglês. Ele alegou que o papel estava no carro e que não tinha tempo para procurá-lo. Eu disse:

— Bem, eu gostaria de vê-la quando você chegar da escola hoje. A que horas você estará em casa?

Ele respondeu:

— Não vou ter tempo hoje porque tenho que trabalhar.

Olhei seriamente para ele e insisti:

— Pare de dar desculpas. — E acrescentei, com firmeza: — Quero ver a redação. Você pode me mostrar hoje à noite, quando chegar em casa.

Ele disse que mostraria. Mas, à noite, Tom e eu tínhamos nos esquecido do assunto.

Essa falta de prosseguimento da minha parte era incomum, mas sugestiva: eu acreditava que Dylan fosse um ser humano psicologicamente saudável. Nunca considerei que aquela redação pudesse ser um reflexo de problemas profundamente arraigados. Eu sabia que continha linguagem imprópria e que o tema era sombrio, mas tinha confiança de que a professora e o orientador da escola lidariam com a situação apropriadamente. Mais que qualquer coisa, eu estava interessada em verificar as habilidades de escrita de Dylan.

Só cheguei a ver a redação mais de um ano após a morte de meu filho; uma cópia dela estava entre os itens que o departamento de polícia nos devolveu. O assunto — um homem vestido de preto que mata os alunos populares na escola — era realmente inquietante, mas não consigo deixar de pensar se, como artista que sou, teria enxergado a redação como um sinal de perigo se a tivesse lido antes de sua morte. A expressão artística, mesmo quando incômoda, pode ser uma maneira saudável de lidar com os sentimentos. Eu abomino a violência tão atraente aos adolescentes — jamais conseguiria assistir impassível ao filme *Pulp Fiction*, por exemplo —, mas nunca imaginei que Dylan fosse capaz de tornar aquela violência real.

. . .

Naquela primavera, toda vez que Dylan não estava ocupado e o mundo ao redor dele diminuía de velocidade, eu percebia como ele parecia pensativo e distraído. Um mês e pouco antes do tiroteio, eu o abordei em uma tarde enquanto ele estava sentado no sofá com o olhar distante.

— Você anda tão quieto ultimamente, querido. Tem certeza de que está bem?

Ele se levantou e disse:

— Sim, só estou cansado e tenho muita lição para fazer. Vou subir para o meu quarto para fazer tudo, aí posso ir para a cama um pouco mais cedo.

— Tudo bem — respondi. — Quer que eu prepare algo para você comer?

Ele estava muito magro naqueles últimos meses. Dylan comia bem em casa, mas eu me perguntava se estava se alimentando direito quando estava fora, e sempre lhe oferecia rabanadas ou uma omelete entre as refeições.

Ele balançou a cabeça e foi em direção à escada. Eu voltei à arrumação da cozinha, acreditando no filho que eu criara, satisfeita que ele soubesse que podia me contar seja lá o que fosse que estivesse passando em sua cabeça, e confiante de que ele o faria em seu próprio tempo.

Não que eu não soubesse que algo estava errado, mas eu não fazia ideia de que era uma situação de vida ou morte. Eu só estava preocupada que Dylan pudesse estar infeliz.

Não há um só dia desde a tragédia em que eu não tenha revivido aquela interação, na qual não me veja seguindo-o escadaria acima. Um olhar distante — eu ouvi o suicidologista Thomas Joiner se referir a ele como "o olhar de mil metros" — é um sinal de alerta para o suicídio iminente, que geralmente passa despercebido. Centenas de vezes eu me imaginei exigindo, bajulando, chantageando, subornando Dylan: *Me diga o que está acontecendo com você. Me diga como se sente. Me diga do que precisa. Me diga como posso ajudar.* Cheguei a me imaginar fazendo uma barricada no quarto dele, me recusando a sair até que ele me contasse o que estava pensando. Cada uma dessas fantasias termina comigo tomando-o em meus braços, sabendo exatamente o que dizer e como lhe dar a ajuda de que precisa.

• • •

No meu aniversário de cinquenta anos, combinei de encontrar uma amiga para tomar um drinque depois do trabalho. Avisei Tom para não se preocupar se eu chegasse tarde; suspeitei que minha amiga estivesse planejando uma reuniãozinha. De fato, encontrei uma dúzia de amigos próximos e colegas de trabalho em um restaurante — além de Tom, que tinha na verdade organizado a festa. O fato de ele ter feito uma coisa tão gentil aqueceu meu coração.

Quando me acomodei para conversar com meus amigos, Tom se inclinou e recomendou que eu não me enchesse de petiscos. "Vamos sair para jantar", ele sussurrou.

Dylan e Byron estavam nos esperando em casa, arrumados e prontos para sair. Byron me deu de presente um vaso de planta, e Dylan me deu um CD. Ruth e Don nos encontraram no restaurante — mais uma surpresa. Naquela noite, fiquei feliz como nunca, completamente inconsciente do desastre terrível que se agigantava no horizonte.

Don tirou fotos quando estávamos saindo do restaurante. Dylan ficara quieto a noite toda, visivelmente envergonhado e desconfortável, como geralmente ficava em situações sociais, mas educado — e, como sempre, feliz por estar fazendo uma boa refeição. Nas fotos, que eu vi pela primeira vez somente após sua morte, ele parece irritado.

Bem cedo na manhã seguinte, nós três partimos para o Arizona. Embora eu tivesse dormido apenas algumas horas, estava animada para estar com Tom e Dylan. Tom cedeu o volante a nosso filho no segundo dia; nós esperávamos contar com a viagem para ajudar a melhorar suas habilidades na estrada. As primeiras horas foram um teste. Com os óculos tortos equilibrados no nariz e o boné virado para trás, Dylan ajustou o assento em uma posição meio reclinada e dirigiu só com o dedo indicador da mão esquerda tocando o volante. Eu me sentei no banco de trás, segurando a maçaneta da porta e rezando em silêncio até finalmente lhe pedir para diminuir a velocidade. Tom tentou manter nós dois calmos, embora eu tenha notado que ele não precisou ser lembrado de apertar o cinto de segurança, como sempre precisava.

Pouco a pouco, as habilidades de Dylan ao volante melhoraram e ele acabou dirigindo por muitas horas. No fim eu consegui pegar no sono, e, quando acordei, Dylan estava dirigindo como um profissional. Ele pareceu satisfeito quando o elogiei, mas provavelmente só estava feliz por eu ter parado de pegar no seu pé. Ele ouviu CDs de techno com fones de ouvido até Tom perguntar se podia colocar alguma coisa para tocar. Tom preferia jazz e eu geralmente escolhia música clássica, e ambos ficamos surpresos por gostarmos do que ele colocou para tocar. Todos nós ficamos animados ao ver as montanhas do Colorado darem lugar à vegetação do deserto. Quando Tom assumiu a direção, Dylan pegou uma câmera para tirar fotos pela janela do carro e disse de novo que estava ansioso para ir para a faculdade no deserto.

Nosso tour foi bem-sucedido e, no fim, Dylan estava de cabeça feita: ele queria ir para a Universidade do Arizona. Poderíamos pular a visita à outra faculdade em nosso itinerário e ir direto para casa. Paramos para abastecer e pedimos a Dylan que fizesse uma pose ao lado de um cacto três vezes maior que ele. Ele parece distante e desajeitado na foto, revelada depois de sua morte, em pé com os braços desconfortavelmente afastados para os lados; para mim, agora, eles parecem posicionados sobre armas invisíveis. No hotel, Dylan assistiu a um filme em seu quarto enquanto Tom e eu fomos cedo para a cama.

Na manhã seguinte, enquanto estávamos nos aprontando para nos juntar à civilização no café da manhã continental, Dylan colocou seu velho boné de beisebol, um de seus bens favoritos, sobre o cabelo longo. Nós tínhamos feito o boné juntos: ele arrancara cuidadosamente o "B" (de Boston Red Sox) de outro boné, que estava muito surrado para usar, e eu costurei a letra na parte de trás do novo, assim ele poderia usá-lo virado para trás e ainda mostrar o logotipo. Ficou muito bom, e ele nunca queria tirá-lo.

Tom entrou com seu padrão de código de vestimenta dos anos 1950 e pediu que Dylan não usasse o boné no buffet de café da manhã do hotel. Dylan argumentou que estávamos em férias e que não faria a mínima diferença para ninguém se ele usasse o boné. Eu lancei um olhar para Tom do tipo "não faça tempestade em copo d'água", mas não quis sabotar sua autoridade, então peguei uma mala.

—Vou descer até o carro e esperar enquanto vocês resolvem isso.

Mas acabei esquecendo a chave, então me encostei no capô no ar frio da manhã, lembrando que Tom insistia que os garotos colocassem a camisa para dentro da calça e engraxassem os sapatos para a igreja, enquanto os filhos do próprio pastor usavam jeans e camiseta. Eu estava brava com ele por brigar por causa do boné. Acho que ainda estou.

Passado um tempo, Dylan veio sozinho até o carro, a cabeça nua. Eu queria dizer que concordava com ele, que por mim não havia problema em ele usar o boné, mas não o fiz. Apenas comentei:

—Lamento que a sua manhã tenha começado desse jeito. Estou vendo que você resolveu não usar o boné.

Dylan pareceu cansado, mas determinado a deixar aquilo de lado.

—Não vale a pena brigar por causa disso; não é nada de mais.

Fiquei sinceramente surpresa. Eu esperava um pouco mais de protesto e reclamação de alguém com dezessete anos.

—Nossa, Dyl. Estou impressionada — comentei, confundindo sua vontade de fugir do conflito com maturidade. Eu o elogiei por controlar a raiva; agora gostaria que ele tivesse batido o pé e gritado, demonstrado uma faísca do ódio que queimava dentro dele. Agora eu me pergunto se ele não estava nem aí para mais nada.

Houve outro incidente estranho em nosso caminho de volta para casa, que na época Tom e eu entendemos como a vontade de Dylan de voltar para os amigos. Nós paramos em um McDonald's lotado em Pueblo, para comer alguma coisa. Um grande grupo de adolescentes ocupava algumas mesas encostadas na parede. Tínhamos acabado de desembrulhar nossos sanduíches quando Dylan se inclinou para a frente, mal mexendo os lábios, e disse com urgência:

—Temos que ir embora. Estes caras estão rindo de mim. — Eu dei uma olhada. Os adolescentes estavam tagarelando, gritando e se divertindo, e nenhum deles prestava a menor atenção em nós.

—Relaxa, Dyl. Ninguém está olhando para você — refutei.

Além disso, se uma pessoa não quer ser notada, por que usar um sobretudo de couro até o chão? Mas Dylan insistiu cada vez mais, lançando olhares rápidos e paranoicos por cima do ombro para os jovens indiferentes. Ele estava tão incomodado que devoramos nossos hambúrgueres e saímos de lá apressados; os adolescentes nem levantaram os olhos quando saímos. O restante da viagem de volta para casa foi tranquilo.

Depois de nossa viagem, Dylan voltou rapidamente a sua atribulada vida social. Nate veio dormir em casa. Uma noite, depois de estudar cálculo com Robyn, Dylan me perguntou se eu poderia ajudar a pagar as despesas do baile de formatura. Fiquei pasma que ele estivesse interessado em ir ao baile; seus amigos também ficaram, como descobri mais tarde. Ele mesmo parecia surpreso.

Na noite seguinte, 30 de março, fui a uma reunião de pais para a pré-formatura e encontrei Judy Brown. Desde nossa conversa por telefone sobre a bola de neve, mais de um ano atrás, tínhamos nos visto muito rapidamente, em geral depois das produções da escola, então estávamos ansiosas para pôr o papo em dia. Pouco tempo depois, nossa conversa tomou o rumo de nosso interesse comum por arte — minhas sessões de desenho e algumas aulas que ela tivera. Olhamos alguns desenhos que eu tinha guardado no carro antes de nos despedirmos. Nenhuma de nós falou sobre Eric.

. . .

Uma das perguntas mais dolorosas que as pessoas fazem aos sobreviventes de suicídio é se eles abraçavam ou não seus filhos. A pergunta magoa, não apenas pelas razões óbvias (só milhares de vezes; que tipo de mãe não abraça o filho?), mas, no meu caso, em razão de um incidente específico — de fato, um abraço específico — que aconteceu nas últimas duas semanas da vida de Dylan.

Uma tarde, nós nos cruzamos no corredor ao pé da escada. Espontaneamente, joguei os braços ao redor dele.

— Eu te amo tanto — eu disse a Dylan. —Você é uma pessoa tão maravilhosa, e o papai e eu temos *tanto* orgulho de você.

Ele pousou a mão esquerda levemente em minhas costas, mal me tocando. Com o ar de brincadeira desdenhosa que às vezes usávamos quando ouvíamos elogios elaborados e ridículos, ele me agradeceu. Mas eu não queria que ele fizesse piada daquilo, pois estava dizendo de todo o coração, então peguei seu maxilar fino com ambas as mãos e olhei diretamente em seus olhos.

— Sem brincadeira, Dylan. Estou falando sério. Eu te amo demais. Você é uma pessoa maravilhosa, e o papai e eu temos muito orgulho de você.

Ele baixou os olhos, envergonhado, e sussurrou um agradecimento.

Durante anos, repassei essa cena em minha cabeça. Com medo de que ela pudesse se distorcer pela repetição, eu a escrevi. Hoje em dia consigo vê-la como um filme: duas figuras no corredor, a mão dele em minhas costas, eu erguendo os braços para alcançar seu rosto. A lembrança daquele abraço é uma das mais dolorosas que guardo — e a consciência de que, até hoje, eu não faço ideia do que poderia estar passando pela cabeça de Dylan.

No dia 4 de abril, resolvi preparar um jantar de última hora em homenagem aos feriados combinados de Páscoa e Pessach, pensando em unir os dois e fazer uma dupla celebração, como minha família muitas vezes fizera quando eu era criança.

Quando comentei isso com Dylan, ele riu de um jeito irritado, como se numa piadinha interna, e disse que não queria participar. Ele cedeu quando lhe pedi para reconsiderar. Passei um dia feliz cozinhando, e um vizinho se juntou a nós para a refeição. Não chegamos a realizar a cerimônia completa, mas nos divertimos.

A família comemorou o aniversário de Tom no início de abril, saindo para comer fondue. Byron e Dylan foram em um carro, e Tom e eu em outro, dando aos garotos um tempo para estreitar seus laços. Foi a última vez que Byron esteve sozinho com o irmão, e ele mais tarde se lembraria, em meio a lágrimas, de que Dylan agira normalmente.

No jantar, Byron foi quem mais falou. Dylan estava tão quieto que fiquei preocupada que ele não estivesse recebendo atenção suficiente — uma preocupação comum a muitos pais, de que um filho se sinta menos amado ou reconhecido que o outro. Dylan fez algumas piadinhas, uma tão engraçada que eu ri dela o restante da noite. Mais tarde, quando não pude mais me lembrar da piada (Tom e Byron também não conseguiram lembrar), fiquei arrasada por não ter prestado mais atenção.

Depois do jantar, nós quatro voltamos para casa para comer o bolo que eu tinha feito e para dar os presentes de Tom. Eu tinha encontrado um pequeno banco de cimento, um lugar para descansar suas juntas doloridas enquanto ele cuidasse de suas flores favoritas, e meus dois filhos o carregaram sem o menor esforço do carro para dentro do jardim. Byron lhe deu um CD e Dylan, uma caixa de charutos. Durante muitos anos, Tom fumou um charuto no aniversário de Dylan, em sua memória.

Quatro dias antes da tragédia, fui ver a exposição de Toulouse-Lautrec com uma amiga no Museu de Arte de Denver, enquanto Tom e Dylan estudavam o mapa da Universidade do Arizona para encontrar o dormitório mais próximo do centro do campus e tentar descobrir qual dos quartos era o maior. Depois que terminaram, Dylan pegou seu smoking. Ele pendurou o saco protetor longe da porta do closet para evitar amassar a peça. Nós o veríamos, mais tarde, ao fundo de um dos Vídeos do Porão.

Tom e eu notamos que Dylan estava um pouco agitado naquela semana. Eu tinha certeza de que ele estava nervoso por causa do baile de formatura. Robyn estava voando de volta para Denver no sábado à tarde, depois de um compromisso da igreja fora do estado, e o horário do voo dela era apertado. Dylan teve de escolher as flores e organizar a logística do jantar e do transporte; aquelas tarefas ficavam, para dizer o mínimo, fora de sua área de especialidade.

Naquela sexta-feira, Dylan perguntou se Eric podia dormir em nossa casa. Nós concordamos. O quarto de hóspedes não havia sido limpo desde que Nate passara a noite conosco, algumas semanas antes, e nosso gato doente, Rocky, tinha vomitado lá. Então, Tom e eu nos digladiamos com um aspirador de pó escadaria acima e pedimos a Dylan para limpar o quarto e o banheiro antes que seu amigo chegasse.

Dylan ficou irritado e começou a criar confusão sobre a limpeza; disse que Eric não se importava se o quarto estava limpo ou não. Eu rebati seus protestos: "Eric pode não se importar, mas nós nos importamos. Se você limpar o seu quarto, o papai pode limpar o banheiro e eu, o quarto de hóspedes. Vai ser rápido se todos ajudarem". Minutos depois, Dylan saiu, dizendo que tinha umas coisas rápidas para resolver. Revirei os olhos, achando que ele estava procrastinando; mais provavelmente, estava tirando de casa alguma coisa que não queria que víssemos. Depois que Dylan voltou, nós enfiávamos a cabeça no quarto dele a intervalos, para verificar seu progresso. Nenhum de nós viu nada de diferente.

Eu já tinha ido para a cama quando Eric chegou, perto das dez da noite. Ele segurava uma grande mochila de acampamento, tão pesada que mal conseguia erguê-la, e estava arrastando-a pela soleira da porta quando Tom foi cumprimentá-lo. Dylan e seus amigos estavam sempre carregando peças de computadores e equipamentos de vídeo para as casas uns dos outros, e Tom não prestou muita atenção na mochila. Ele mostrou aos garotos os petiscos disponíveis, disse boa-noite e foi para a cama.

Dormimos sem ser interrompidos, e, quando descemos para preparar o café da manhã, Eric já tinha ido embora. Depois de toda a confusão sobre a limpeza do quarto de hóspedes, a cama nem fora usada para dormir.

• • •

Todos focamos em Dylan para prepará-lo para o baile de formatura.
Foi tão fofo. A. veio e nós tiramos fotos. Robyn & ele saíram por
volta das dezoito horas, e ele tem uma grande noite pela frente.

— Anotação no diário, abril de 1999

No sábado, 17 de abril, Tom e eu ficamos de plantão em casa para ajudar Dylan a se preparar para o baile.

Ele acordou muito mais calmo do que no dia anterior. Parecia estar fazendo de tudo para nos convencer de que não estava nervoso. Quando lhe perguntei se estava preocupado que Robyn não fosse chegar a tempo, ele deu de ombros e disse: "Não é nada de mais. Se nós formos, tudo bem. Se não formos, tudo bem também. Não estou preocupado com isso".

No fim da tarde, o cabelo ainda molhado do banho, Dylan levou seu smoking para o nosso quarto, onde tínhamos um espelho de corpo inteiro, para se trocar. Sem experiência com roupas formais, ele precisou da ajuda de Tom para entender todas as partes do smoking. Constrangido de meias pretas, cueca boxer xadrez e uma camisa branca brilhante com pregas na frente, ele parecia passar em muito a altura do pai, embora houvesse apenas alguns centímetros de diferença entre eles.

Ele esperou pacientemente enquanto Tom girava, sem jeito, os pequenos pedaços de metal e plástico pela casa dos botões. A gravata-borboleta desafiara Tom, e Dylan a arrancou para tentar colocá-la sozinho; juntos, os dois contumazes solucionadores de problemas encontraram uma solução. Eu me sentei na cama para lhes fazer companhia e disse a Dylan que ele estava parecendo Lee Marvin vestido com roupas finas do Oeste em *Dívida de sangue*, um dos filmes favoritos de nossa família. Tanto ele quanto Tom riram.

Eu estava com a câmera, e Dylan tolerou algumas fotos antes de ficar constrangido e irritado como sempre. Tentei capturar o reflexo dele no espelho sem que ele notasse, mas Dylan pegou uma toalha e a chacoalhou para bloquear a foto. Revelei o rolo de filme alguns meses depois de sua morte, usando um nome falso, para que a imprensa não tivesse acesso às fotos. Naquela foto, só um pedaço do rosto dele está visível atrás da toalha — um sorriso travesso sob os olhos cansados.

Passamos aquele ano inteiro implorando para Dylan cortar o cabelo, sem sucesso, mas eu o convenci a fazer um rabo de cavalo com um de meus elásticos para o baile de formatura. Ele colocou seus óculos de grau no bolso e usou óculos de sol de armação pequena. Achamos que estava muito bonito.

Alison, nossa inquilina, veio até nós e se ofereceu para tirar uma foto de nós três. Nesta, Dylan está fazendo palhaçadas, posando como um modelo profissional, ao estilo *Zoolander*. As linhas sofisticadas de sua roupa formal fazem um profundo contraste com as camisas de flanela desbotadas e os jeans surrados que Tom e eu estamos vestindo. Ele manteve os óculos de sol enquanto posava conosco; Dylan usou óculos escuros muitas vezes durante as últimas semanas de vida. Acredito agora que estivesse se escondendo atrás deles.

Tom se lembrara de carregar a bateria de nossa câmera de vídeo e filmou Dylan rapidamente antes da chegada de Robyn. A conversa entre eles é forçada; claramente nenhum dos dois se sente confortável em ser filmado. Mas nós já vimos esse vídeo pré-baile de formatura muitas vezes e o mostramos a outras pessoas. É absolutamente chocante quanto Dylan parece normal.

Ele e Tom conversam preguiçosamente sobre beisebol; Dylan imita seu herói, Randy Johnson, fazendo um arremesso em um smoking mal-ajambrado. Tom faz um comentário sobre crescer, e Dylan enfatiza que nunca terá filhos. Tom diz que ele pode mudar de ideia, e Dylan diz: "Eu sei. Eu sei. Um dia vou olhar para trás e dizer: 'O que eu estava pensando?!'" Foi uma profecia de tirar o fôlego. Quando Tom insiste em continuar filmando, sob os protestos de Dylan, este pega uns punhados de neve de um arbusto próximo, atirando alegremente as bolinhas em miniatura em Tom, até a câmera parar de filmar. O carinho entre eles é palpável. Me corta o coração.

Robyn chegou a tempo, em um adorável vestido azul-escuro arroxeado. Tom gravou Dylan presenteando-a com um corsage e sorrindo enquanto ela luta para enfiar uma rosa na lapela dele. Fiz piadinhas de paparazzi e lhes pedi para se moverem um pouco, para que eu pudesse tirar uma foto sem os carros estacionados ao fundo. Uma vez que Dylan nos garantiu que ele e Robyn eram apenas amigos, fiquei um pouco surpresa — e sinceramente animada — ao vê-lo colocar um braço ao redor dela.

Nas duas últimas tomadas do vídeo que Tom gravou, os dois sorriram para a câmera. Então, doce porém constrangidamente, começaram a rir.

. . .

Quando ouvi o carro de Dylan chegar em casa, do baile de formatura, às quatro da manhã, me levantei para conversar com ele. Embora estivesse cansada, queria saber como tinha sido.

Nós nos encontramos ao pé da escada. Ele parecia exausto, porém feliz, um jovem que tivera uma noite ótima. Como sempre, estava relutante em fornecer informações, então eu o bombardeei com perguntas sobre o que comera e na companhia de quem ficara. Fiquei feliz por saber que ele tinha dançado. Dylan me agradeceu por pagar pelos ingressos e pelas roupas, e fiquei surpresa com sua efusividade ao me contar que tivera a melhor noite de sua vida.

Eu lhe dei um beijo de boa-noite e me virei para voltar para a cama quando ele me parou.

— Quero lhe mostrar uma coisa. — Ele sacou um frasco de metal de dentro do bolso. Alguém com pouquíssima habilidade e muita solda tinha feito uma abertura na ponta, com um remendo malfeito.

— O que é isso? — eu quis saber. — Onde você conseguiu esse negócio?

Ele disse que tinha achado. Quando perguntei o que continha, Dylan disse que era licor de menta e que preferiria não dizer onde tinha conseguido a bebida. Eu estava prestes a despejar minhas preocupações de sempre sobre álcool quando Dylan ergueu a mão, me silenciando.

— Quero que você saiba que pode confiar em mim e na Robyn. Eu enchi este aqui para a gente beber hoje à noite. Quero que você veja que só está faltando um pouquinho.

Dylan me passou o frasco e insistiu que eu o examinasse de perto, como se fosse fazer um truque de mágica com ele.

— Bebemos um pouquinho no começo da noite, e não mais depois disso. Está vendo? Está perto do gargalo.

Eu reconheci que o frasco estava quase cheio.

— Quero que você saiba que pode confiar em mim — ele disse novamente.

Ainda um pouco estremecida, eu lhe agradeci por compartilhar a informação comigo antes de acrescentar:

— Eu *confio* em você.

Em seguida, fui para a cama, tranquila. Nunca esperei que ele passasse pelo ensino médio sem experimentar bebida alcóolica, afinal de contas. Pelo menos ele me contou.

Pensei muito naquele momento íntimo entre mãe e filho no silêncio da noite. Em retrospecto, eu às vezes acho que me envolver naquela conversa sobre o frasco foi uma das peças mais cruéis que Dylan já pregou em mim. Será que ele estava me manipulando conscientemente para confiar nele, enquanto planejava um massacre? Será que estava desdenhando de mim? Se ele estava se preparando para morrer em poucos dias, por que seria necessário reforçar minha confiança nele? Ele precisava restaurar sua confiança ou estava tentando evitar que eu fizesse uma busca em seu quarto?

Compartilhei esses pensamentos com um psicólogo certa vez, e ele me perguntou: "Como você sabe que ele não estava sendo sincero? Talvez ele quisesse sua aprovação, e não tivesse nada a ver com o que viria a seguir". É uma das muitas coisas que jamais saberei.

. . .

No domingo depois do baile de formatura, Dylan dormiu bastante, e à tarde saiu para ir até a casa de Eric. Ele parecia absurdamente cansado, o que era de esperar depois de ter um amigo dormindo em casa na sexta à noite e uma longa noite no baile de formatura. Preparei uma grande panela de sopa de legumes com pozole, mas Byron tinha planos e Dylan chegou em casa bem tarde, então Tom e eu comemos sozinhos. O dia 19 de abril era uma segunda-feira, e Dylan me avisou que não estaria em casa para o jantar. Ele tinha planos de ir a uma churrascaria com Eric, o mesmo restaurante aonde tínhamos ido com os pais dele dois meses antes.

— Qual é a ocasião? — perguntei. (Quando Dylan saía com os amigos, geralmente comiam sanduíches.) Ele respondeu que Eric tinha cupons de desconto. Eles não precisavam de um motivo; estavam prestes a passar para a próxima etapa da vida, e eu aplaudi sua empolgação para comemorar. Mandei Dylan se divertir.

Ele chegou em casa por volta das oito e meia da noite, e eu o cumprimentei na porta.

— Como foi?

— Bom — ele respondeu, enquanto tirava os sapatos enlameados.

Sempre tentando extrair um pouco mais de informação, perguntei:

— O que vocês comeram no jantar?

Ele levantou os olhos dos sapatos, meneando a cabeça, para me dar aquele olhar "Qual é, mãe?"; eles tinham ido a uma churrascaria.

— Hãã, carne? — respondeu.

Nós dois rimos.

Tom estava lendo na sala de estar, e eu perguntei se Dylan tinha tempo para se sentar conosco por um minuto, mas ele disse que tinha muita lição para fazer, acrescentando que provavelmente teria de ficar a noite inteira no quarto para deixar tudo pronto. Pareceu particularmente evasivo e ansioso para subir; presumi que ele tivesse algum trabalho de última hora para terminar. O telefone tocou algumas vezes; deixei Dylan atender. Não me lembro de ter lhe dado um beijo de boa-noite ou de ter ido ao seu quarto para dizer boa-noite. Ainda estou tentando me perdoar por não lembrar.

Na manhã seguinte, eu me levantei no escuro para me preparar para o trabalho. Antes de ter a chance de acordá-lo para o boliche, Dylan desceu correndo as escadas, passando pelo nosso quarto. Eu abri a porta, tentando alcançá-lo antes que ele saísse. A casa estava escura.

Ouvi a porta da frente se abrir.

— Dyl? — chamei na escuridão.

—Tchau — foi tudo o que ele disse.

15

DANO COLATERAL

Eu sinceramente não vejo razão para continuar vivendo. Tenho uma mamografia marcada para quarta-feira. Chego até a fantasiar sobre ter uma doença fatal, assim poderia dizer: "Quanto tempo tenho que ficar antes de poder ir embora daqui?" Eu não faço contribuições à vida e não tenho nenhum prazer com ela. Fantasio sobre salvar um filho de um desastre e morrer no processo, ou oferecer minha vida a terroristas para salvar um avião lotado de gente.

— ANOTAÇÃO NO DIÁRIO, JANEIRO DE 2001

No Dia de São Valentim de 2001, quase dois anos depois da participação de Dylan no massacre da Escola de Ensino Médio de Columbine, fui diagnosticada com câncer de mama.

De certo modo, não fiquei surpresa. Sabe aquelas fantasias de Halloween feitas para parecer que o cabo de um machado está saindo de seu peito? Eu me sentia assim o tempo todo. O coração é onde você mantém e nutre um filho, e uma bomba virtual tinha explodido o meu. Meu filho estava morto, e outras catorze pessoas também, por causa dele. Fazia sentido que houvesse algum tipo de dano colateral.

O medo da morte foi minha companhia constante desde a infância, e uma versão intensificada dele se estabeleceu rapidamente depois de meu diagnóstico, juntando-se aos já altíssimos níveis de ansiedade. Alguns dias depois, Tom me levou a meu restaurante chinês favorito. No fim da refeição, quando quebrei meu biscoito da sorte, não havia nada dentro.

Minha oncologista me abordou com muita cautela. Pelo fato de meu câncer ter sido diagnosticado tão cedo, e de o tumor ser tão pequeno, ela achava que talvez eu pudesse fazer o tratamento por radiação e evitar a quimioterapia.

Devido aos problemas estomacais persistentes relacionados à tristeza e à ansiedade diante da tragédia, eu já tinha perdido quase doze quilos — peso que eu não podia me dar ao luxo de perder. O luto e a culpa esvaziaram dramaticamente minhas reservas físicas e emocionais. O caminho do tratamento era escolha minha, mas a verdade se sentava silenciosa entre nós. Eu estava tão abatida e cansada que não parecia ser alguém que sobreviveria a uma rodada brutal de quimioterapia. Escolhi não fazê-la.

Há o programa assistencial Susan G. Komen em nossa comunidade. Depois do diagnóstico, um sobrevivente de câncer de mama vai até sua casa para lhe dar informações e encorajamento. (A Fundação Americana de Prevenção ao Suicídio também tem um programa de visitação parecido para sobreviventes de suicídio, chamado Programa de Assistência ao Sobrevivente. Eu faço parte da diretoria de nossa regional, atualmente trabalhando para trazer esse programa ao Colorado.) Quando vi a informação do grupo de apoio ao câncer de mama que minha voluntária trouxera, só consegui balançar a cabeça. Eu precisava de um grupo de apoio, *essa* era a verdade — mas não para o câncer.

A radiação causa exaustão e desconforto físico, mas eu já estava nesse patamar. Com a ajuda de minha família, dos amigos e de uma equipe médica fantástica, passei pelo tratamento. Depois de minha sessão final de radiação, a equipe da clínica me presenteou com um cartão assinado por eles. Provavelmente é o tipo de gentileza que eles praticam para todo paciente, mas aquele gesto me arrasou; tanto que eu fugi para a segurança do meu carro para chorar.

Eu não sabia por que estava chorando. Talvez porque tivesse sido tão bom ser cuidada. Ou porque o fim do meu tratamento queria dizer que eu teria de voltar, em tempo integral, a sofrer por Dylan e a lutar para compreender o que ele fizera.

É estranho que eu não tenha mais a dizer sobre sobreviver ao câncer; eu certamente não me senti desapegada ou blasé com relação a isso quando tudo aconteceu. Ele foi tratado, e eu continuei a vida com gratidão. Mas, depois que me recuperei, percebi que eu tinha cometido um erro naquela anotação no diário que abre este capítulo: eu não queria morrer.

Tom sempre dizia que gostaria que Dylan tivesse nos matado também, ou que nunca tivéssemos nascido. Eu rezava para morrer durante o sono, a libertação silenciosa da agonia de acordar e perceber que tudo não fora um grande pesadelo. Sentada no trânsito, eu fantasiara ter a oportunidade de trocar minha vida pela vida das pessoas que morreram na escola, ou ser presenteada com a chance de me sacrificar para salvar um grande grupo. Morrer seria um alívio, eu achava, e morrer para salvar outras pessoas daria um propósito a minha vida miserável.

Sobreviver ao câncer de mama me fez ver (como talvez todos nós devêssemos ver) que minha vida é uma dádiva. Meu trabalho, dali para a frente, seria encontrar uma maneira de honrar essa dádiva.

16

UMA NOVA CONSCIÊNCIA

É amplamente reconhecido, entre aqueles que passam pelo luto, que o segundo ano costuma ser pior que o primeiro. No primeiro ano, você está tentando se ajustar à novidade do sofrimento e passar pelos dias. É durante o segundo ano que você percebe que não enxerga mais a margem. Não há nada senão o vazio à frente e atrás, uma vasta solidão se estendendo até onde a vista alcança. Isso, você se dá conta, é permanente. Não há como voltar atrás.

Meu sofrimento era amplificado pela agonia de saber que tantas famílias estavam passando por algo parecido por causa do meu filho. A imagem de Dylan, tão cheia de ódio e fúria nos vídeos, debatia-se com minhas próprias lembranças da criança alegre que eu tanto amei. Em alguns dias, era como se uma guerra estivesse acontecendo dentro de mim.

Poucas coisas ajudavam. Eu ainda não conseguia fazer nenhuma arte, mas, quando me deitava na cama, às vezes me imaginava desenhando. Especificamente, eu imaginava estar desenhando árvores.

Sempre amei as árvores. Sua força e caráter me inspiram — seus nós e cicatrizes e saliências, os lugares de tantas feridas e tanta vida —, assim como sua generosidade, a maneira como, sem reclamar, dão sombra, oxigênio, comida, abrigo e combustível. As árvores são tão profundamente arraigadas como inspiradoras; elas nunca param de ajudar. São como amigos, e a ideia de desenhá-las tornou-se um lugar seguro e reconfortante onde estacionar minha mente. Mas eu ainda não era capaz de colocar o lápis no papel.

De fato, eu não poderia alcançar a integração que buscava até encontrar dois nutrientes essenciais a tantos sobreviventes. Primeiro, encontrei a comunidade e, em seguida, uma forma de contribuir.

. . .

Conheci C. O filho dela, D., se matou aos doze anos, depois de um dia ruim na escola. Faz mais de um ano e meio e ela ainda chora o tempo todo. Chorei muito durante todo o trajeto de volta para casa e percebi como queria fazer parte de um grupo de apoio. Vou trancar os gatos para fora hoje à noite, assim conseguirei dormir.

— ANOTAÇÃO NO DIÁRIO, JULHO DE 1999

Menos de três meses depois do tiroteio, minha supervisora me mandou para uma grande conferência regional para profissionais em reabilitação. Eu questionei se deveria ir ou não; embora me sentisse um pouco mais confortável com meus colegas de trabalho, não tinha certeza se estava pronta para sair pelo mundo. No fim, pedi aos organizadores para guardarem meu crachá atrás da mesa de inscrição até que eu chegasse. Àquela altura, precauções desse tipo tinham se tornado um modo de vida.

Quando fui pedir meu crachá, uma das duas mulheres atrás da mesa me encarou.

— Sue Klebold? — perguntou.

Fiquei tensa, como ficaria durante anos. Mas a mulher amável de cabelos escuros esticou a mão para me cumprimentar.

— Eu sou Celia. Quero que saiba que muitas pessoas entendem o que você está passando neste momento.

Sua voz era acalentadora, mas ela não sorriu. Quando continuou, eu entendi por quê.

— Meu filho de doze anos cometeu suicídio no ano passado — ela informou.

Eu recebera uma quantidade enorme de manifestações de pesar, e muitas cartas solidárias. Nossos amigos e meus colegas foram maravilhosos, mas eu sempre sentia a distância entre as experiências deles e as minhas. A mão de Celia sobre a minha e aquelas palavras — "muitas pessoas entendem o que você está passando" — me puxaram de volta ao mundo, me dando um consolo profundo e automático, do mesmo modo que as lágrimas de um bebê param assim que a mãe o toma nos braços. Perguntei a Celia se ela teria um tempinho para conversar, e ela respondeu que estaria liberada da mesa de inscrições em meia hora.

Os trinta minutos seguintes foram um desperdício. Eu chorei no banheiro durante metade deles, e caminhei para lá e para cá, perdida, durante o restante do tempo. Minha necessidade de conversar com outra mãe que tinha perdido um filho para o suicídio era ainda maior do que eu imaginara. Quando Celia se ofereceu, agarrei a oferta como se tivesse segurado uma corda no meio da queda.

Passamos quase uma hora em duas poltronas macias no saguão do hotel, de mãos dadas, compartilhando nossas histórias. Fui cautelosa em não divulgar nada específico sobre Dylan que pudesse colocar Celia em risco legal. Enquanto isso, a história dela me cortou o coração. Ela perdera o filho tão jovem! Pelo menos eu tive a chance de ver Dylan como um rapaz.

Eu sabia que não era a única mãe que não tinha absolutamente a menor ideia de quão perturbado seu filho amado era, mas tive algumas oportunidades de sentir a afinidade decorrente de conversar com alguém que também perdeu uma pessoa querida para o suicídio. Ajudava o fato de Celia ser tão bonita e controlada, tão inteligente e articulada — o tipo de mulher que eu teria admirado em qualquer circunstância. Sua normalidade sofisticada era um bálsamo, ao passo que eu acreditara, inconscientemente, nos muitos mitos sobre o suicídio.

Quando nos abraçamos para nos despedir, com lágrimas nos olhos, eu me senti mais próxima dela do que jamais me sentira de qualquer outra pessoa no mundo. "Não consigo imaginar o que você está passando", as pessoas diziam, balançando a cabeça — e elas estavam certas. Eu digo isso sem julgamento. Quem poderia imaginar passar por alguma coisa desse tipo? Eu, com certeza, nunca teria imaginado. Por mais que estivesse cercada de amor e apoio, eu me sentia completamente isolada de uma experiência normal — e, na verdade, de mim mesma. Como vim a perceber, é assim que Dylan deve ter se sentido no final da vida dele.

Não houvera alívio para mim no horizonte, nem indicação de que algum dia as coisas seriam diferentes, até Celia colocar sua mão sobre a minha. Com apenas um gesto ela me conectara com uma sociedade de sobreviventes que me acolheria sem ódio ou julgamento. Pela primeira vez eu senti um sopro de esperança de que não precisaria passar o restante da vida girando em meu próprio planeta solitário, lutando com sentimentos que ninguém mais poderia entender.

Em algum lugar lá fora havia uma tribo de pessoas que me veriam como uma irmã, uma parceira, uma alma gêmea — que permitiriam que eu me juntasse a elas e fizesse uma contribuição.

. . .

No segundo ano após a morte de Dylan, eu finalmente encontrei essa comunidade.

Fora doloroso me sentir tão profundamente alienada do lugar onde construímos nosso lar. Eu sempre conversara facilmente com o barista do Starbucks e sabia o nome das mulheres nos caixas do supermercado. Depois de Columbine, eu observava com ansiedade a linguagem corporal das pessoas e suas microexpressões faciais para ver se me reconheceriam. Felizmente, 99,9% das pessoas que o faziam tinham algo bondoso para dizer, mas me encolher como um animal assustado no lugar que chamávamos de lar tinha estremecido meu senso de individualidade.

Muito foi escrito sobre o que aconteceu em Littleton diante da tragédia. Da mesma forma que os humanos entram em choque depois de um ataque em seu corpo, as comunidades também o fazem. Como disse o presidente Clinton na noite do massacre: "Se aconteceu em um lugar como Littleton..." Esta não era uma cidade do interior despedaçada pelas drogas nem um suposto antro sem Deus, como Nova York ou Los Angeles. Os moradores de Littleton eram cidadãos honrados, com lindas casas suburbanas e filhos felizes, saudáveis e bem alimentados. Nós esperávamos que nossas escolas fossem seguras.

Nos meses após Columbine, todos os que viviam na região se sentiram ameaçados e amedrontados. O lugar se tornou um emaranhado de nervos à flor da pele, e as pessoas reagiam de todas as formas. Alguns seguiram pela linha do perdão e da compaixão. Outros explodiram. Muitos que nunca tiveram voz antes adquiriram um senso de poder e importância. Alguns foram seduzidos por isso; outros acharam, de verdade, que poderiam fazer algo de bom ao externar suas ideias.

A culpa fazia redemoinhos. Armas demais são um problema, dizia uma facção. Não havia armas suficientes, dizia outra; todos os professores deveriam estar armados. A culpa é da falta de valores familiares, gritava a direita religiosa. Outros ainda alegavam que a direita religiosa tinha tomado para si o luto da comunidade. Em meio a isso tudo, as pessoas estavam tentando lamentar os mortos e curar os feridos, enquanto lutavam para reconstruir um senso de comunidade, um senso de segurança, um senso de si mesmas.

A reação natural à tragédia é procurar um significado: Como isso pode ter acontecido? Quem é o responsável? Tom e eu éramos os principais suspeitos. "Aqueles garotos só podem ter aprendido a odiar assim em suas próprias casas", bradavam os editoriais. As coisas que as pessoas diziam e escreviam eram dolorosas para nós, mas estávamos longe de ser os únicos a achar o clima desarmonioso.

Assim como porcos-espinhos, as pessoas se fecham para se proteger, projetando espinhos para fora. A defesa é uma reação natural ao ataque, e havia muitos espinhos em Littleton naqueles dias. A escola, a imprensa, a polícia — todos os envolvidos pareciam estar, simultaneamente, se defendendo de um ataque enquanto também atacavam.

O departamento de polícia estava fazendo um trabalho meticuloso, mas o público também estava descobrindo que eles tinham falhado ao não prestar atenção nos repetidos avisos de Judy e Randy Brown sobre Eric. O site de Eric era citado extensivamente nos mandados de busca emitidos no dia do massacre, provando que alguém no departamento sabia sobre seu conteúdo. A polícia dera prosseguimento a uma das reclamações: quando os investigadores descobriram provas de que Eric estava construindo bombas caseiras, emitiram um mandado para vasculhar a casa dos Harris.

Mas o mandado nunca foi apresentado a um juiz, a casa nunca foi vasculhada, e o relatório da investigação só apareceu muito depois da tragédia.

À medida que o público perdia a confiança no departamento de polícia, as pessoas começaram a exigir mais informações. O relatório da autópsia de um menor geralmente é confidencial, mas as descobertas mais importantes — que não havia drogas no organismo de Dylan, por exemplo — já tinham sido liberadas. Eu não conseguia enxergar o que alguém ganharia ao saber o que havia em seu estômago quando ele morreu, ou quanto seus órgãos pesavam. Mesmo com a ajuda de nossos advogados, perdemos aquela briga, e os resultados da autópsia foram meticulosamente publicados e examinados. Eu me senti enojada. Até nisso nós fracassamos ao proteger Dylan.

O interesse da imprensa diminuíra um pouco, mas ainda havia uma manchete relacionada a Columbine na primeira página do noticiário local todos os dias. Alguns repórteres examinavam a investigação e tentavam obter o real entendimento da dinâmica na escola. Outros eram menos éticos. Quando fotos da cena do crime de Columbine, de Eric e Dylan mortos em poças de sangue, foram vendidas ao *National Enquirer* e publicadas, parecia não haver mais limite a ser ultrapassado. Mais tarde, no entanto, eu descobriria que muitos jornalistas também ficaram traumatizados pelo tempo que passaram em Littleton.

Enquanto isso, Tom e eu nos encontrávamos no olho silencioso e assustador do furacão. Mesmo que nosso círculo íntimo continuasse a ser uma imensa fonte de força (e um isolamento da hostilidade do mundo exterior), a tensão em nosso relacionamento estava aumentando. E só piorava, à medida que crescia a sensação de consolo e propósito que eu encontrava na companhia de outros sobreviventes de suicídio.

. . .

Minha amiga Sharon era uma sobrevivente de suicídio e sabia que eu precisava me conectar com outros pais que tinham perdido o filho dessa maneira. Ela também sabia que minhas habilidades organizacionais fazem de mim uma coordenadora e administradora nata, o tipo de pessoa a quem automaticamente se pede para planejar uma reunião, ou equilibrar um orçamento, ou redigir minutas. Assim, no segundo ano depois de Columbine, Sharon me colocou para trabalhar. Ela me convidou para me juntar a um pequeno grupo de mulheres que se voluntariou para a Coalizão do Colorado para a Prevenção ao Suicídio.

Ao chegar ao primeiro encontro, eu estava quase enjoada de tanto medo. Aquelas pessoas me julgariam? Eu não ousava ter esperança de que elas compreendessem o que Dylan fizera, quanto mais o que eu vinha passando. Dez minutos depois, eu estava sentada ao redor de uma mesa de cozinha com outras cinco mães que perderam os filhos por suicídio, amarrando laços de ráfia em vasos de flores contendo pacotes de sementes de miosótis. Não havia discriminação naquela sala — nada além de amor, compaixão e um sofrimento absolutamente conhecido. (Três das seis mulheres à mesa — metade — também haviam sobrevivido ao câncer de mama, o que fortaleceu minha teoria admitidamente não científica sobre o que acontece quando uma bomba explode em seu coração.) A tensão que eu geralmente sentia na companhia de outras pessoas desapareceu. A oportunidade de sentir o luto por Dylan como meu filho, independentemente do que ele fizera nos momentos finais de sua vida, era mais do que valiosa.

Recentemente li um artigo de um terapeuta, Patrick O'Malley, no *New York Times*. Ele descreve o alívio que uma de suas pacientes encontrou em um grupo de apoio para pais enlutados, apesar de sua resistência inicial. O grupo era "um lugar onde não se exigia nenhum tipo de ação. Era um lugar onde as pessoas entendiam que, no fim, não estavam buscando um encerramento. Fazer isso significaria perder um pedaço de um elo sagrado".[1] Quando eu estava com outros sobreviventes, Dylan era um garoto que cometera suicídio. Ninguém estava perdoando o que ele fizera, tampouco desconsiderando minha dor ou meu direito de sentir saudade do filho que perdi.

No fim de semana seguinte, fui a um almoço oferecido pela Coalizão do Colorado para a Prevenção ao Suicídio, o grupo que Sharon presidia; nossos miosótis estavam sobre as mesas. Pela primeira vez eu estava em uma sala cheia de pessoas que podiam se relacionar com meus sentimentos, aqueles que me faziam imaginar que eu estava me segurando à sanidade por um fio.

Eu não precisava dizer àquelas pessoas na sala que não sabia o que Dylan estava pensando ou planejando. Aquele lugar era muito familiar a todas elas. "No fim das contas, quando alguém mente para você, você se sente um tolo", uma mulher disse, e eu me assustei com um choro perturbador. (Um fato sobre um evento com sobreviventes de suicídio: você nunca é a única pessoa que está chorando.) Elas compreendiam a humilhação que eu senti por ter sido enganada, e a vergonha de saber que eu não fora capaz de ajudar meu filho, principalmente quando ele mais precisou de mim.

Assim como eu fizera com Celia, examinei todos que conheci em busca de uma indicação do problema subliminar que lhes trouxera esse pesadelo. Será que essa mãe parecia fria ou desatenta? Esse pai parecia abusivo ou negligente? Havia alguma característica de identidade que classificaria essas pessoas — e, por extensão, a mim mesma — como deficientes, de alguma maneira? Essa era, obviamente, a maneira como as pessoas me examinavam.

Mas as pessoas que conheci ali eram agradáveis, inteligentes, engraçadas, bondosas — *normais*. Suas histórias se derramavam de dentro delas. Eram professores do ensino fundamental, assistentes sociais, caminhoneiros, dentistas, pastores, donas de casa. Foram pais, irmãs, maridos, esposas e filhos atentos e ativos. Amavam profundamente a pessoa que perderam. Assim como eu, muitas delas tinham interpretado mal os indicadores de que algo estava drasticamente errado.

O suicídio é feio. Está envolvido em desgraça. Ele grita ao mundo que a vida daquele indivíduo terminou em fracasso. A maioria das pessoas nem quer ouvir falar nisso. Como cultura, acreditamos que as pessoas que se matam são fracas e lhes falta força de vontade, que seguiram pelo "caminho dos covardes". Acreditamos que são egoístas e que agiram agressivamente. Se elas se importassem com sua família/cônjuge/trabalho, teriam encontrado uma maneira de sair da espiral em que se encontravam. Nada disso é verdade; mesmo assim, a mácula é profunda e compartilhada pelas famílias sobreviventes. Perplexidade, autoflagelo, remorso e culpa são companhias constantes de um sobrevivente de suicídio.

Uma tarde, almocei com uma velha amiga — não uma sobrevivente de suicídio —, que me perguntou:

— Será que você um dia poderá perdoar Dylan pelo que ele fez?

Fiquei ali em silêncio, percebendo quanto nossas vidas tinham divergido radicalmente. Tudo em que eu conseguia pensar era a cena de *Gente como a gente*, quando as mãos molhadas de Buck escorregam das de Conrad, e Buck se afoga. Organizei os pensamentos para poder dizer o que sentia sem parecer ofensiva:

— Perdoar Dylan? Meu trabalho é perdoar a mim mesma.

Assim como Buck, Dylan tinha escorregado por entre meus dedos. Fui eu quem *o* decepcionei, não o contrário.

Se o suicídio já é algo difícil de se pensar e conversar, o assassinato seguido de suicídio é impensável. Eu não tinha fracassado em proteger apenas Dylan de si mesmo, mas também todos aqueles que ele matou.

Nos anos em que estive envolvida com a comunidade dos sobreviventes de suicídio, vi que a educação e a prevenção podem salvar vidas. No entanto, participar daquele primeiro evento — e de dezenas de outros depois — solidificou uma percepção ao mesmo tempo consoladora e aterrorizante: *Qualquer um poderia estar ali.*

Muitas pessoas lá não sabiam que havia um problema, ou, como eu, subestimaram sua gravidade. A primeira suspeita de que algo estava seriamente errado bateu em nossas vidas como um momento catastrófico e irreversível. Até mesmo profissionais nem sempre sabem quando estão lidando com uma situação entre a vida e a morte. Uma psicóloga falou sobre perder seu filho. Respeitada e bem treinada, ela sabia de todas as coisas certas a fazer; mesmo assim o suicídio nem passou pelo seu radar. (Nós nunca deveríamos concluir, a partir dessas histórias, que o suicídio acontece sem avisar; simplesmente nem sempre reconhecemos os comportamentos que podem ser indicadores de risco.)

Outros estavam bem cientes do perigo, mas não sabiam como ajudar. O filho de outra mulher fora internado várias vezes por causa do transtorno bipolar. Depois da alta recomendada pelo médico, ele continuou a ser tratado. Na verdade, esteve com o pastor da família e com o próprio psiquiatra no dia em que matou a namorada e se matou.

Essas histórias me fizeram perceber a seriedade do adversário contra quem estamos lutando. Até o horário do almoço do primeiro evento do qual participei, três coisas ficaram absolutamente claras.

Primeira: Há muito mais na prevenção ao suicídio do que amar alguém e lhe dizer isso. Por mais profundo que tenha sido o meu amor, não foi suficiente para salvar Dylan nem suas vítimas, e ali estava um auditório lotado de pessoas que poderiam dizer o mesmo.

Segunda: Muitos acreditam não haver sinais de problemas no horizonte quando não reconhecem os indicadores de riscos potenciais. Em muitos casos, nem sabemos que há uma causa para ficar em estado máximo de alerta.

Terceira: Aprendi que, embora haja intervenções efetivas para a depressão e outros fatores de risco para o suicídio, não podemos, ainda, confiar nessa efetividade. Fico hesitante em escrever isso, por medo de que alguém que precise de ajuda possa se sentir desencorajado a buscá-la. Mas muitas das pessoas que conheci naquele dia tinham tentado ajudar alguém que lutava contra a doença momentânea ou intermitente. Elas perseveraram durante semanas, meses, anos ou até mesmo décadas de terapia, por turnos de remédios, tratamentos alternativos e internações. Algumas foram histórias de sucesso, outras não.[2] Muitas viveram com medo pelo outro, ou travaram uma batalha diária com seus próprios pensamentos suicidas.

Quer o problema fosse encontrar uma cama em um bom local (há pouco consenso com relação ao fato de a internação ser o melhor tratamento para a ideação suicida; alguns estudos recentes indicam que talvez não seja), a inadequação do treinamento da equipe sobre problemas de saúde cerebral nas salas de emergência, ou a falha do hospital em soar um alarme sobre os níveis de risco pós-alta, compreendi pela primeira vez que havia desafios relacionados a assegurar o tratamento apropriado e direcionado à pessoa em perigo.

O primeiro evento de prevenção ao suicídio foi o despertar de uma nova consciência. O problema que estávamos encarando era multifacetado e tremendamente complexo. Se algo precisava mudar, muito precisava ser feito.

. . .

Reunião da cúpula de prevenção ao suicídio. Uma viagem emocionante. Fui abraçada no elevador quando finalmente disse quem eu era. Muito choro. Eu me senti em casa.

— Anotação no diário, maio de 2002

Para a maioria das pessoas, poderia não parecer muita coisa: eu sentada à mesa de inscrição em uma conferência organizada pela Coalizão do Colorado para a Prevenção ao Suicídio, cumprimentando as pessoas e encontrando seus crachás, como Celia me recebera dois anos antes. A diferença era que eu estava usando meu próprio crachá, com um adesivo colorido que me identificava como alguém que tinha perdido um filho para o suicídio. Ao tomar meu lugar naquela manhã, meu coração retumbava no peito. Eu seria pega de surpresa por alguém da imprensa? Será que um participante se daria conta de quem eu era e cuspiria no meu rosto?

Dei as boas-vindas aos participantes, respondi às perguntas sobre os palestrantes e forneci instruções sobre o caminho para o banheiro. Ninguém disse nada, exceto, de vez em quando, para oferecer condolências pela minha perda.

Depois daquele dia divisor de águas, passei a me envolver seriamente nas iniciativas para prevenir o suicídio e a violência. Eu guarnecia as mesas de inscrição e dobrava os programas. Juntei-me a milhares de outros em caminhadas comunitárias para angariar fundos para a prevenção ao suicídio. Transportava os palestrantes dos hotéis para restaurantes, embalava itens para leilões silenciosos, buscava panfletos na gráfica. Conversava com as pessoas, dava abraços e as ouvia.

Informações recentes dos Centros de Controle e Prevenção de Doenças mostram que o suicídio está entre as dez maiores causas de morte nos Estados Unidos, ao lado de assassinos perniciosos como a diabetes, o mal de Alzheimer e doenças do rim. No entanto, quando se fala em recursos para pesquisa, a prevenção ao suicídio está no final da lista, talvez pela crença errônea e ainda persistente de que o suicídio acontece por escolha e não por ser uma doença. Os recursos para as pesquisas de prevenção ao suicídio vêm em grande parte das famílias que canalizam seus sentimentos de tristeza e impotência no voluntariado e no levantamento de fundos. Assim como todas as instituições sem fins lucrativos, as organizações de prevenção ao suicídio geralmente têm poucos recursos financeiros e humanos, e eu descobri rapidamente que alguém com minhas habilidades administrativas poderia fazer a diferença. Pela primeira vez em muito tempo, senti que tinha uma contribuição a fazer.

Meus motivos não foram puramente altruístas. Fazer parte de um grupo, trabalhar ombro a ombro focando no mesmo objetivo, foi um presente que dei a mim mesma. Mesmo que eu não pudesse frequentar oficialmente um grupo de apoio, eu poderia juntar esforços com outros sobreviventes de suicídio para melhorar uma conferência. Era um privilégio e uma bênção estabelecer uma conexão tão profunda com a causa. Eu já tivera muitos empregos e hobbies de que gostava. Como especialista em leitura, ensinei crianças a ler, e trabalhei para dar a adultos com deficiência as acomodações de que precisavam para ser bem-sucedidos na faculdade. Mas meu trabalho na comunidade da prevenção ao suicídio era mais como um chamado *bona fide*, um caminho para fora da escuridão, uma maneira de seguir em frente em uma vida que tinha saído dos trilhos.

Durante anos trabalhando com pessoas deficientes, observei que a perda dolorosa geralmente trazia consigo uma profunda gratidão pela vida, uma sensação de alegria e uma capacidade de estar no presente que as pessoas intocadas pela tragédia nem sempre conseguem acessar. Eu também sentia isso entre os sobreviventes de suicídio. Nós chorávamos muito, mas também ríamos.

Alguém me disse: "Não se pode rir e chorar ao mesmo tempo". Rir, eu descobri, me ajudava a recalibrar o giroscópio dentro de mim, que estava girando loucamente. Então comecei a procurar reprises de *Seinfeld* e *Whose Line Is It Anyway?*, filmes que me fizessem chorar de rir, como a paródia de faroeste espaguete *Trinity é o meu nome*. Li livros de humoristas como Erma Bombeck, Dave Barry e Bill Bryson. Ouvia satiristas musicais como Weird Al e P.D.Q. Bach, assim como comédias no rádio durante meu trajeto para casa. A comédia tornou-se um tipo de comunidade também, já que o melhor dela vem de algum lugar de tragédia. Alguns dos comediantes que passei a apreciar muito, como Maria Bamford e Rob Delaney, falam abertamente sobre suas próprias batalhas com a saúde cerebral.

Através de outros sobreviventes de suicídio, também aprendi a encontrar compaixão por aqueles que me julgam.

Um dia, ouvi o boato de que uma colega havia comentado: "Não venha me dizer que uma mãe não saberia que seu filho estava passando por algo desse tipo". Isso me magoou, porque a mulher e eu éramos amigas. Descobrir que ela achava que eu sabia dos planos de Dylan — e permaneci parada, sem fazer nada, enquanto ele planejava assassinar pessoas e se matar — me colocou de volta no triturador de pedras em que eu vivera desde a morte de meu filho.

Eu não conseguia parar de pensar no comentário, e o mencionei a uma sobrevivente de suicídio que estava em um estágio mais avançado que o meu. Ela assentiu.

— Eu costumava pensar: *Se acontecesse na sua família, você não julgaria. Que a vida lhe dê a oportunidade de aprender como foi cruel e tolo isso que você disse.*

Ouvi-la dizer isso me chocou um pouco; eu sempre a enxergara como uma pessoa perfeitamente generosa e bondosa.

Ela continuou:

— Claro que eu não desejaria isso a ninguém. De qualquer forma, as pessoas estão sempre tentando se convencer de que algo desse tipo nunca aconteceria com elas.

Nós estávamos no estacionamento, e ela acenou para a caixa de panfletos de prevenção ao suicídio no banco da frente do meu carro.

— A ignorância é o que estamos aqui para combater, certo? — disse, chacoalhando a cabeça. — Deus sabe que eu também não achei que fosse acontecer comigo.

O comentário dela me ajudou a perceber por que a comunidade de prevenção ao suicídio parecia tanto a minha casa. Este é um movimento da sociedade civil, formado por mães, pais, companheiros, filhas e filhos. Nós doamos nosso tempo porque acreditamos que nossos entes queridos não precisavam morrer, e sabemos, por experiência própria, que a ignorância pode ser fatal. Isso dá um verdadeiro senso de urgência ao trabalho que fazemos.

No período logo após a morte de Dylan, criei centenas de fantasias sobre maneiras de reparar o que ele fizera. Finalmente, ali estava. Eu não precisava dar minha vida em um ataque terrorista para salvar um ônibus escolar cheio de crianças. Eu poderia escrever um parágrafo em um site, preencher uma planilha, dar a volta em um salão colocando folhetos em cima dos pratos, buscar um palestrante no aeroporto. A comunidade dos sobreviventes de suicídio me ensinou que fazer coisas simples e pequenas também pode salvar vidas.

Eu lia cada livro e cada artigo no qual podia colocar as mãos. Trabalhava em conferências para poder ouvir os palestrantes. Percorria dissertações acadêmicas que encontrava na internet, mesmo quando o resumo era a única parte que eu conseguia entender. Assistia a conferências pela internet, mergulhava em recursos educacionais, pedia aos palestrantes seus slides em PowerPoint para ter certeza de que não tinha perdido nada. Fazia o máximo de perguntas que podia.

No fim, a comunidade dos sobreviventes de suicídio me ajudou a enxergar que o comportamento de Dylan — não o meu — é que fora patológico. Nesse processo, porém, comecei a desenvolver uma paixão de ativista. O que aconteceu com Dylan foi uma exceção em termos de magnitude, escopo e raridade. Mas também fazia parte de um problema maior, que eu nunca percebera que estava ali.

Em todas as conferências eu conheci pessoas que tinham perdido alguém próximo. Algumas vinham de famílias marcadas por gerações pelo suicídio, comportamento violento, vícios ou outras doenças cerebrais. Outras nunca tiveram nenhum tipo de histórico biológico conhecido. Muitas tinham perdido mais de um familiar próximo; outras sobreviveram a suas próprias tentativas e compartilham suas histórias para que outros possam aprender. Algumas ajudam os enlutados, enquanto outras trabalham todos os dias para manter seus entes queridos ou seus pacientes vivos. Todos nós estamos unidos sob a mesma bandeira: "Pode ser tarde demais para os que já perdemos, mas pode não ser para salvar outros".

Mesmo quando encontrei solidariedade nesta comunidade, eu me mantive isolada. Vir a compreender a morte de Dylan como suicídio me deu certo tipo de conforto, e devo admitir que uma parte de mim teria gostado de parar ali. Mas nunca fui tão tola a ponto de achar que Dylan foi o único que se perdeu no dia em que tirou sua própria vida.

Muito depois de ter aceitado a depressão de Dylan e seu desejo de morrer, eu ainda estava me debatendo com a realidade da violência dele. A pessoa que vi esbravejando nos Vídeos do Porão era completamente irreconhecível, um estranho dentro do corpo do meu filho. Essa pessoa — criada em minha casa, o filho que acreditei ter imbuído de meus valores, que eu ensinara a dizer "por favor" e "obrigado" e a dar um aperto de mão firme — matara outras pessoas e planejara uma destruição ainda maior.

Entender a morte dele como suicídio foi um primeiro passo importante. Mas era apenas o começo.

17

JULGAMENTO

*Tento encontrar algo que me dê uma sensação de paz e não consigo
encontrar nada. Nem a escrita, o desenho, a natureza. Sinto-me o tempo
todo à beira de um desastre. Continuo a chorar por Dylan e a me odiar
pelo que ele fez. A imagem dele no vídeo está colada em meu cérebro.
Sinto como se sua vida inteira e sua morte estivessem sem solução, e que
eu ainda não passei pelo luto nem coloquei nada disso em perspectiva.
Tudo em que penso para me confortar é uma espada de dois gumes.*

— ANOTAÇÃO NO DIÁRIO, AGOSTO DE 2003

Quatro anos após Columbine, a data para nossos depoimentos foi marcada. Finalmente, o medo inominável que pairara sobre nós durante quatro anos de sofrimento se cristalizou em um item em nossa agenda.

Nossos advogados explicaram que os depoimentos seriam tomados sob juramento fora da corte, e que os querelantes poderiam usá-los para juntar informações para uma ação judicial, se as alegações contra nós progredissem até um julgamento com júri. Tom e eu e os Harris passaríamos, individualmente, um dia inteiro respondendo a perguntas diante de um grupo seleto de pais enlutados. Nós nos sentaríamos, cara a cara, com os pais dos jovens que Dylan e Eric tinham assassinado. Eu veria a dor nos olhos deles, e saberia que meu filho fora o responsável por colocá-la ali. A ideia me enchia de terror.

Eu já tinha me resignado ao desastre financeiro. A imprensa nos mostrara como ricos, em parte porque meu avô fora um empresário bem-sucedido. Mas ele deixara seus bens para uma fundação de caridade, e nossa casa, que parecia uma construção enorme nas fotos aéreas que apareciam na TV, era produto de uma reforma feita por nossas próprias mãos. Assim, perderíamos nossa casa e teríamos de declarar falência. O que era isso em comparação com o que já tínhamos passado?

Os depoimentos seriam difíceis, mas, uma vez feitos — fosse qual fosse o resultado —, pelo menos estariam terminados.

• • •

Um sonho me fez chorar durante todo o percurso para o trabalho.
Dylan era bebê, mais ou menos do tamanho de uma boneca. Eu estava
tentando fazê-lo dormir, mas não havia nenhum lugar seguro para
colocá-lo. Eu estava em um alojamento e encontrei uma sala cheia de
gavetas, parecida com um necrotério ou mausoléu. Todas as mulheres
na sala tinham um lugar para colocar seus bebês. Mas eu não tinha
colocado um nome nem preparado uma gaveta para ele, e não havia
lugar para deitá-lo. Ele estava cansado e precisava descansar, mas
eu não tinha conseguido preparar um lugar seguro para ele ficar.

— ANOTAÇÃO NO DIÁRIO, ABRIL DE 2003

Nós já éramos considerados culpados por muita gente, mas os depoimentos seriam a avaliação definitiva de nossa competência como pais. No fim, nosso destino estaria nas mãos de pessoas que não conheceram nosso filho e que não interagiram conosco como família. Não era necessário um comitê externo para me fazer sentir que eu tinha falhado com Dylan. Todos os dias eu fazia uma lista de centenas de coisas que gostaria de ter feito diferente.

Parecia altamente provável que fôssemos considerados responsáveis. Nos Vídeos do Porão, Dylan e Eric apareciam claramente como homicidas e suicidas, estalando suas armas como se fossem brinquedos. Tom e eu reconhecemos o quarto de Dylan em um dos segmentos, o que quer dizer que as armas estiveram em nossa casa pelo menos durante uma noite. A intensidade do ódio de nosso filho nos vídeos fazia a família toda parecer culpável. O que poderia ser dito para provar que as tendências violentas dele tinham sido escondidas? Embora fosse verdade, eu não conseguia ver como alguém poderia acreditar nisso. Eu mesma mal podia acreditar.

Naqueles dias, pensei bastante em uma jovem que conheci enquanto lecionava em um programa para jovens adultos em risco, trabalhando para conseguir o certificado de equivalência do ensino médio. Durante o intervalo, ela me contou uma história de sua infância. Uma colega de sala roubava seu dinheiro do almoço. Cansada de ficar com fome, ela finalmente contou ao pai, que a jogou dentro de uma banheira vazia e bateu nela com uma cinta até ela não poder se levantar.

"Nunca venha até mim porque não sabe resolver seus próprios problemas", ele disse à filha. No dia seguinte, ela foi à escola com um cabo de rastelo, que usou para bater na menina que lhe roubava. Ninguém jamais a incomodou novamente.

"Foi o maior favor que ele fez por mim", ela comentou, evidentemente surpresa pelo meu olhar chocado e por eu ter abandonado meu sanduíche.

Eu tinha ficado horrorizada com a história dela; assombrou-me durante anos. No entanto, enquanto estávamos indo para os depoimentos, pensei muito sobre o que era ser um bom pai ou mãe. Na época, julguei o pai dela como abusivo, mas minha aluna contara a história com amor e respeito. Ela acreditava que o pai a educara apropriadamente, e, de fato, ele a preparara para o ambiente inóspito em que viviam. Será que eu tinha perdido o ponto? Com certeza não estava em posição de julgar. Talvez todos nós estivéssemos fazendo o melhor que podíamos com a experiência, o conhecimento e os recursos que tínhamos.

A única coisa que eu sabia com certeza era que Dylan participara do massacre, *apesar* da maneira como fora criado, não por causa dela. O que eu não sabia era como poderia passar essa mensagem às famílias das pessoas que ele matara. Mesmo que conseguisse, isso nunca aliviaria a magnitude do sofrimento delas. Nada poderia.

. . .

Nossa declaração original de desculpas fora publicada no jornal, assim como a que redigimos no primeiro aniversário do massacre. Mas, toda vez que alguém que conhecíamos dizia alguma coisa para a imprensa, a citação era tirada do contexto. Fomos ameaçados e, muitas vezes, tivemos medo. Infelizmente, nossa indisponibilidade e incapacidade de falar em nossa própria defesa levaram as pessoas a acreditar que estávamos escondendo segredos.

Eu tinha escrito aquelas cartas difíceis a cada uma das famílias das vítimas. Depois, recuei para poupá-las da intrusão dolorosa de terem notícias minhas, embora eu não quisesse outra coisa no mundo além de me conectar com elas. Eu falava o nome dos entes queridos delas como um mantra, todos os dias, e, mesmo assim, o único ponto de contato entre nós vinha por intermédio de nossos advogados, ou de ler uns sobre os outros nos jornais.

Eu queria reduzir aquela distância. Eu sabia, por estudar outros incidentes violentos, que o trauma poderia ser drasticamente suavizado se a família do criminoso pudesse se sentar com as vítimas para se desculpar pessoalmente, para chorar, abraçar e conversar. Por mais que fosse impossível visualizar isso, reconhecer a humanidade um do outro parecia ser o melhor curso de ação; por mais dolorosa que a interação certamente seria, eu ansiava por ela.

No fim, tive de deixar passar. Eu era a última pessoa que poderia pedir um encontro, e não podia correr o risco de traumatizar alguém novamente, impondo minha vontade. Cada família se recupera da perda de uma forma própria. Só me resta dizer aqui que, se conversar sobre o assunto ou se encontrar comigo puder ser útil para os familiares das vítimas de Dylan e Eric, eu sempre estarei disponível para eles.

Tivemos contato com alguns poucos familiares das vítimas ao longo dos anos, e acredito que tenha sido curativo, para ambas as partes. O pai de um garoto que morreu nos procurou aproximadamente um ano depois da tragédia. Nós o convidamos para vir à nossa casa em dezembro de 2001. Fiquei perplexa por sua generosidade de espírito e profundamente aliviada ao poder me desculpar pessoalmente pelas ações de Dylan e expressar nossos sentimentos pela perda terrível dele. Nós choramos, compartilhamos fotos e falamos sobre nossos filhos. Quando nos separamos, ele disse que não nos considerava responsáveis. Aquelas foram as palavras mais abençoadas que eu poderia ter esperado ouvir dele.

Mais ou menos na mesma época, a mãe de uma das garotas assassinadas pediu para nos encontrar. Ela foi direta e gentil, e eu gostei dela imediatamente. Nós duas choramos muitas lágrimas naquele encontro, e eu consegui me desculpar e fazer perguntas sobre a filha dela. Fiquei comovida quando ela perguntou sobre Dylan e quis saber quem ele era. Uma pessoa de fé profunda, essa mãe sentia que a morte da filha fora predestinada, e nada poderia ter sido feito para evitá-la. Eu lhe disse que gostaria de poder concordar com ela. Mas senti um grande alívio por conhecê-la, e acredito que tenha sido um conforto para ela também.

Recebi um bilhete adorável da irmã de uma das garotas assassinadas, no qual ela diz que não achava que os pais fossem responsáveis pelas ações de seus filhos. Também recebemos uma carta linda e triste da neta de Dave Sanders. Ela disse que não nos odiava e não achava que fôssemos responsáveis pelo que acontecera. Guardei ambas as cartas e recorro a elas toda vez que preciso de consolo.

Quatro anos após os depoimentos, oito anos depois do massacre, eu me encontraria com outro pai cujo filho foi assassinado na escola. No entanto, na época em que prestamos depoimento, eu só tinha me encontrado com duas pessoas que perderam filhos na escola, e trinta e seis famílias estavam ingressando com ações judiciais contra nós. À medida que o dia se aproximava, eu não fazia ideia do que esperar ou de como seria quando ficássemos cara a cara na sala de audiência.

. . .

Ainda me debatendo com o medo, a ansiedade e os sentimentos de loucura. Não há lugar seguro para estacionar minha mente sobrecarregada. Estou me sentindo assustada, arrasada e a ponto de cruzar as raias da loucura e não voltar mais. Estou sempre

consciente de estar pensando em meu estado mental, e em morte.
Eu estava bem até esses malditos pânicos começarem. Eu estava
indo bem. Agora tenho medo de nunca mais ficar bem.

— Anotação no diário, julho de 2003

A pressão se acumulava à medida que a data dos depoimentos se aproximava. Uma noite, durante o jantar, Tom e eu tivemos uma longa conversa sobre a vida após a morte.

Eu me preocupava muito com Dylan, mesmo depois de sua morte. Tinha muito medo de que o espírito dele não pudesse descansar em paz pelos crimes que cometera. Era difícil o suficiente saber que Dylan sofrera em vida; eu não suportaria a ideia de que continuasse a sofrer na morte também.

Quando estávamos indo para a cama, tive um ataque de pânico debilitante.

Não era o primeiro ataque pelo qual eu passava. Fui uma criança nervosa e medrosa, suscetível à ansiedade noturna, mas o ataque daquela noite foi o pior que já tive. Meus pensamentos giravam fora de controle, e eu tremia e chorava enquanto minha mente se escurecia com terror.

Esses ataques de pânico duraram o período dos depoimentos, e foram além. Chegavam sem avisar — no supermercado, em uma reunião no trabalho, enquanto eu estava dirigindo. Como um tsunami, uma onda súbita e poderosa de medo cego se erguia diante de mim e depois arrebentava. Essas inundações de terror incapacitante eram muito piores que o luto. Às vezes os ataques se encontravam, um depois do outro, e eu perdia horas, até tardes inteiras. Bebi litros de chá de camomila, tentei todos os remédios homeopáticos para ansiedade que pude encontrar nas lojas de alimentos saudáveis. Estava apavorada que não fosse conseguir passar pelo depoimento, e me torturava imaginando o que aconteceria se tivesse um ataque de ansiedade no processo.

Ler meus diários daquele período agora é revelador para mim. Fica claro, em cada página, que estou me segurando por um fio.

. . .

Não estou autorizada a falar sobre o que aconteceu durante os depoimentos, exceto que foi terrivelmente doloroso e (acredito) insatisfatório para todos os envolvidos.

Posso, no entanto, compartilhar um arrependimento. Eu queria pedir desculpa às famílias pessoalmente nos depoimentos, mas nossos advogados não concordaram. "Este não é o lugar nem o momento", me disseram.

Eu gostaria de ter brigado mais para dizer aquelas palavras. Acredito que a ausência delas tenha sido sentida profundamente por todos naquela sala, e continua a ser, até hoje. Dizer que sinto muitíssimo é uma das razões pelas quais eu quis escrever este livro.

Os neurocientistas gostam de dizer que o comportamento é o resultado de uma interação complexa entre a natureza e o ambiente de criação. Em algum momento no futuro, provavelmente seremos capazes de identificar uma combinação específica de neurotransmissores que leva uma pessoa a cometer atos de violência inenarráveis. Eu, pessoalmente, darei graças no dia em que os neurobiólogos mapearem o mecanismo preciso no cérebro responsável pela empatia e pela consciência. Desnecessário dizer que ainda não chegamos lá. Sabemos, por pesquisadores como a dra. Victoria Arango, que existem claras diferenças cerebrais entre as pessoas que cometem suicídio e as que não cometem. O dr. Kent Kiehl e outros demostraram que também parece haver claras diferenças cerebrais entre as pessoas que cometem homicídio e as que não cometem.[1]

Passei muito tempo me perguntando se Dylan tinha uma predisposição para a violência — e, também, se éramos ou não responsáveis. Eu não consumi álcool enquanto estava grávida de Dylan. Ele não foi abusado em nossa casa, física, verbal ou emocionalmente, nem exposto a outra pessoa sendo abusada. Ele não foi criado na pobreza ou exposto (até onde sei) a toxinas, tais como metais pesados, o que tem sido conectado a comportamentos violentos. Nenhum dos pais abusou do álcool nem das drogas. Ele foi bem alimentado.[2]

Mesmo que Dylan *tivesse* uma predisposição biológica para a violência, biologia não é destino. Que forças agravaram essa sua tendência? O governador do Colorado citou a criação como um fator causal em sua primeira aparição depois do tiroteio. Mas Tom e eu sabemos exatamente o que aconteceu em nossa casa durante todos aqueles anos em que criamos Dylan, e estávamos igualmente seguros de que a resposta não estava ali.

Isso era o que eu queria dizer nos depoimentos — não porque quisesse limpar nosso nome ou esclarecer as coisas, mas porque era uma oportunidade crucial de expandir nosso conhecimento de como tragédias parecidas com a de Columbine acontecem. Dylan não aprendeu violência em casa. Ele não aprendeu desconexão, nem ódio, nem racismo. Ele não aprendeu a indiferença à vida humana. Disso eu sabia.

Eu queria dizer que Dylan fora amado. Eu o amei enquanto segurava sua mãozinha rechonchuda a caminho de comprar sorvete depois do jardim de infância; enquanto lia para ele o exuberante *There's a Wocket in My Pocket!*, do dr. Seuss, pela milésima vez; enquanto tirava as marcas de grama dos joelhos de seu pequeno uniforme da liga infantil, para que pudesse usá-lo para arremessar no dia seguinte. Eu o amei enquanto dividimos uma tigela de pipoca e assistimos juntos a *O voo da fênix*, um mês antes de ele morrer. Eu *ainda* o amo. Eu odiei o que ele fez, mas ainda amo meu filho.

Moralidade, empatia, ética — essas não eram lições ensinadas uma única vez, mas estavam inseridas em tudo o que fazíamos com nossos filhos. Ensinei aos garotos o que eu mesma acreditava — que deveríamos tratar os outros como gostaríamos de ser tratados. Dylan deveria ajudar nossos vizinhos com seus trabalhos no jardim sem esperar nenhum pagamento, pois isso é o que os vizinhos fazem, e segurar a porta aberta para uma pessoa entrando atrás dele, porque é isso o que os cavalheiros fazem.

Sou uma professora por princípio. Tudo o que eu sabia, tudo a que dava importância e valorizava, eu despejava em meus filhos. Uma ida ao supermercado não era apenas uma parada para encher a geladeira, mas uma maneira de mostrar a eles como escolher a maçã mais fresca, um convite para refletir sobre o trabalho duro dos fazendeiros que a cultivaram e para conversar sobre a forma como as frutas e os legumes fazem o corpo crescer forte e sadio. Era uma oportunidade de introduzir as palavras "carmim" e "escarlate" no vocabulário. Eu ensinava Dylan a ser gentil ao colocar a fruta dentro da cesta; nós deixávamos uma senhora de idade com um ou dois itens passar na nossa frente na fila; fazíamos contato visual e dizíamos um "obrigado" educado ao atendente do caixa. Nervosa com os motoristas desatentos, eu pegava na mão dele quando íamos colocar o carrinho de compras de volta no lugar, para evitar que o carrinho escorregasse e arranhasse o carro de alguém.

Minha abordagem mudou levemente à medida que os garotos cresciam, mas a mensagem nunca se alterou. Vindo dos treinos da liga infantil de volta para casa, eu tentava contrabalançar a mensagem natural de competição do esporte com a de empatia: as crianças do outro time são como você. Dylan vinha trabalhar comigo toda vez que surgia uma chance e, embora eu nunca tenha enxergado os alunos com quem trabalhava como "oportunidades de ensino", ele aprendeu — melhor que a maioria das crianças, e pela vivência — que as pessoas são mais do que sua paralisia cerebral ou seus membros amputados. Ele viu também que, mesmo depois de dificuldades terríveis, as pessoas eram capazes de criar vidas produtivas e significativas.

Do mesmo modo, Tom trabalhava para ajudar os garotos a se tornarem homens bons. Por meio dos esportes, ele os ajudava a entender o "fair play", a importância do esforço sincero e o prazer do trabalho em equipe.

Fazendo com eles os reparos, Tom lhes ensinava ciência, engenharia e construção, sem falar na economia e na gratificação de consertar algo quebrado em vez de jogar fora. Ele exigia que cumprissem suas tarefas sem reclamar, e os ajudava a recordar ocasiões especiais, como o Dia das Mães.

Não fizemos tudo certo. A pesquisa que fiz me ensinou maneiras melhores pelas quais eu poderia ter interagido com Dylan. Eu gostaria de ter escutado mais em vez de dar sermões; gostaria de ter me sentado em silêncio com ele em vez de preencher o vazio com minhas próprias palavras e pensamentos. Gostaria de ter reconhecido os sentimentos dele em vez de tentar tirá-los de sua cabeça, e de nunca ter aceitado as desculpas dele para evitar uma conversa — "Estou cansado, tenho lição para fazer" — quando algo parecia estranho. Gostaria de ter me sentado no escuro com ele e repetido minhas preocupações quando ele as despistava. Gostaria de ter deixado tudo de lado para focar nele, ter investigado e fuçado mais, e de ter estado presente o suficiente para ver o que não vi.

Mesmo com esses remorsos, não havia indicações óbvias de que ele estava planejando algo destrutivo. Ouvi muitas histórias terríveis de pessoas boas com dificuldades para educar filhos seriamente doentes e violentos. Não sinto outra coisa por elas a não ser compaixão, e acho que devemos reabilitar um sistema de saúde que muitas vezes as deixa a ver navios. Se quiser ficar com o estômago revirado, ouça uma mãe lhe contar sobre o dia em que seu volátil filho de dez anos quase a apunhalou com a tesoura da cozinha, ou como foi denunciá-lo para a polícia porque ela temia que a tranca do quarto de sua filha mais nova não aguentasse a fúria dele. Muitas vezes os pais de crianças seriamente perturbadas são obrigados a envolver o sistema de justiça criminal — ainda que ele seja drasticamente mal equipado para lidar com doenças cerebrais — simplesmente porque não há a quem mais recorrer.[3] A não ser que a família consiga pagar uma clínica particular, a escolha é geralmente entre negar a seriedade do problema ou chamar a polícia. A questão da responsabilidade não é teórica para essas mães.

Por maior que seja minha empatia por essas mães, minha situação era muito diferente. Dylan não demonstrou um perigo claro e presente, do jeito que algumas crianças fazem. Ele estava indo para a escola, mantendo um trabalho à noite e fazendo inscrições para faculdades. Dias antes do massacre, ele estava jantando conosco como sempre, mantendo uma conversa leve e carregando sua louça suja para a pia.

Ele ficava enfiado no quarto, mas não se afastou dos colegas. Não teve acesso a armas em nossa casa nem demonstrou qualquer tipo de fascinação por elas. De vez em quando ele era truculento e irritado, como muitos adolescentes são, mas nunca suspeitamos do ódio que demonstrara nos Vídeos do Porão. Nem Tom nem eu jamais — nem uma única vez — sentimos medo dele.

Pensávamos ver provas de que nossa criação estava funcionando. Dylan era um amigo bom e fiel, um filho carinhoso, e parecia estar se transformando em um adulto responsável. Em seus textos, há ampla evidência de que ele absorvera os ensinamentos que trabalhamos tanto para transmitir; os diários dele estão cheios das lutas que travava com sua consciência. Mesmo assim, no fim de sua vida, algo passou por cima das lições que tínhamos lhe ensinado.

Nem toda a influência vem de dentro de casa, e isso é especialmente verdadeiro no caso dos adolescentes. A "criação" refere-se a todos os fatores ambientais com os quais a pessoa se depara. Dylan tinha interesse em filmes de violência gratuita, como *Cães de aluguel* e *Assassinos por natureza* — assim como todos os garotos que conhecíamos. Nós não comprávamos esses filmes nem o levávamos ao cinema para vê-los. Mas não os proibimos em nossa casa depois que ele fez dezessete anos, imaginando que teria acesso a eles se quisesse; ele trabalhava e tinha seu próprio dinheiro. Nós conversávamos com ele sobre nossas preocupações.

Ele também jogava *Doom*, um dos primeiros jogos de atiradores com perspectiva em primeira pessoa. Eu não gostava do jogo, mas tinha mais receio que o uso do computador pudesse isolar Dylan, o que não foi, de forma alguma, o que aconteceu. Minha principal reclamação sobre os videogames era por considerá-los completamente idiotas, um desperdício de tempo. Assim como fazia com tudo, minha postura sobre os games era filtrada por minha crença primária na bondade de Dylan. Nunca me passou pela cabeça que ele fosse capaz de passar de atirar nas pessoas na tela para atirar nelas na vida real.

Olhando para trás, isso foi um erro. Hoje em dia há pesquisas que indicam que jogos violentos como *Doom* diminuem a empatia e aumentam o comportamento agressivo. Detratores apontam que milhões jogam esses jogos (estima-se que dez milhões de pessoas já jogaram *Doom*), e apenas uma fração mínima dessas pessoas comete atos de violência. Mas o dr. Dewey Cornell, psicólogo clínico forense — e autor de mais de duzentos artigos sobre psicologia e educação, incluindo estudos sobre homicídio juvenil, segurança escolar, bullying e abordagem a ameaças —, me deu sua opinião sobre a violência como entretenimento: "Um cigarro não lhe dará câncer de pulmão, e algumas pessoas fumam a vida inteira sem ter essa doença. Isso não quer dizer que não exista uma correlação. A violência como entretenimento pode não ser suficiente para causar comportamento violento, mas é um fator tóxico. Um pequeno número das pessoas mais vulneráveis vai desenvolver câncer de pulmão se fumar, quando outros fatores e predisposições entram no jogo. Pode-se dizer a mesma coisa sobre a violência como entretenimento e os atos de violência: o mais vulnerável apresenta maior risco".[4] Mas Tom e eu não víamos Dylan como vulnerável. Assim como nenhuma outra pessoa via.

As vulnerabilidades de Dylan eram provavelmente as mesmas que o deixavam suscetível a Eric, outra influência tóxica. Fui cega com relação a isso, porque nunca imaginei Dylan como um seguidor. Ele era aquiescente por natureza; um típico irmão mais novo, ele seguia a liderança de Byron quando os garotos eram crianças, e Tom e eu geralmente conseguíamos convencê-lo a fazer o que precisávamos que fizesse sem muita resistência. Mas eu tive plenas oportunidades de observar Dylan com seus amigos, e esses relacionamentos eram negociados de igual para igual. Nunca achei que Zack ou Nate tivessem supremacia sobre ele. Se Nate estava a fim de pizza e Dylan queria McDonald's, eles acabavam entrando em acordo.

Ainda resisto à ideia de que Dylan não era nada mais do que um seguidor passivo. O charme e o carisma de Eric eram inegáveis, e ele enganava habilmente os adultos, alguns deles profissionais de saúde mental, inclusive um orientador e um psiquiatra. Mesmo assim, não consigo explicar facilmente como Dylan virou as costas para dezessete anos de empatia e consciência. Eric pode ter sido quem estava obcecado e focado em homicídio, mas Dylan embarcou junto. Ele não disse "não". Não contou o plano para nós, nem para um professor, nem para seus outros amigos. Em vez disso, ele disse "sim" e entrou em um enredo tão diabólico que desafia qualquer descrição.

Nunca saberei por que Dylan concordou com a violência que Eric sugeriu. Seus diários mostram que nosso filho estava profundamente inseguro e se sentia desesperadamente inadequado. Eric provavelmente o fez se sentir validado, aceito e forte de um modo que ninguém mais fez — e então lhe ofereceu a chance de mostrar ao mundo como os dois eram poderosos.

O dr. Adam Lankford cita o "desejo por fama, glória ou atenção como um motivo" para atiradores em massa. Ralph Larkin chama isso de "matar por notoriedade". Mark Juergensmeyer, que escreve sobre terrorismo religioso, o chama de "demonstração pública de violência"[5] e argumenta que atos desse tipo têm objetivos tanto simbólicos como estratégicos. A dra. Katherine Newman, socióloga e autora de *Rampage*, relaciona-o diretamente com reabilitação de imagem quando diz que os atiradores de escola estão "buscando uma maneira de reverter a imagem pública de nerds e inadequados por algo mais sedutor: o anti-herói violento e perigoso".[6]

Fiquei surpresa quando, nos depoimentos, não me pediram detalhes de como lidávamos com a disciplina, os videogames, os filmes, as amizades de Dylan, drogas e álcool, roupas, fogos de artifício. Mas um olhar mais aprofundado no cerne das causas da catástrofe estava fora do escopo dos procedimentos. Os depoimentos não eram o lugar para falar de bullying, nem de segurança contra armas, nem do ambiente escolar, nem da imaturidade do cérebro adolescente.[7] Eu mesma ainda não tinha começado a conversar com especialistas. Mesmo naquele estágio inicial, porém, eu tinha muita clareza sobre um ponto: eu não acreditava — e não acredito — que tenha feito de Dylan um assassino.

Se tivesse imaginado que havia algo profundamente errado com ele, teria movido montanhas para consertá-lo. Se soubesse sobre o site de Eric, sobre as armas, ou sobre a depressão de Dylan, teria agido diferente como mãe. Da maneira como aconteceu, eu criei da melhor maneira que sabia o menino que eu conhecia — não quem ele se tornou sem meu conhecimento.

. . .

Como já era esperado, as reportagens depois dos depoimentos foram altamente incitantes, tanto quanto a cobertura tinha sido. As transcrições lacradas do processo deram a impressão de que estávamos escondendo algo — de novo.

Eu queria compartilhar as transcrições com o público. E por que não? Estava cansada de ser acusada de ter algo a esconder quando passava meus dias em busca de respostas. Talvez, ingenuamente, ainda esperasse que as transcrições pudessem finalmente acabar com a ideia de que havia uma única razão pela qual a tragédia acontecera. E, diferentemente dos Vídeos do Porão, não havia o perigo de contágio após a liberação delas.

Infelizmente, a decisão não era minha. Todos os quatro pais dos atiradores prestaram depoimento, e os advogados nunca chegaram a um consenso sobre o melhor para todos. No fim, o juiz resolveu proibir os depoimentos de virem a público por vinte anos.

Eu não disse tudo o que queria dizer quando estava prestando depoimento, mas achava que, se as famílias pudessem me ver e ouvir, entenderiam que, seja lá qual tenha sido o mecanismo para os crimes de Dylan, ele não começou em nossa casa. Os jornais no dia seguinte mostraram minha ingenuidade. Lá estava novamente: pais conscienciosos teriam sabido o que seus filhos estavam planejando; nosso fracasso em saber queria dizer que éramos os responsáveis. Nada mudaria a maneira como as pessoas nos viam.

Piquei o jornal em minhas mãos e soquei a cama até o choro passar. Por mais que estivesse magoada, eu compreendia. Eu também acreditava que bons pais deveriam saber o que seus filhos estavam pensando. Se as situações fossem contrárias, se o filho de alguém tivesse assassinado Dylan enquanto ele estava fazendo a lição atrasada na biblioteca da escola, eu também teria culpado aquela família.

. . .

Continuei a ter altos níveis de estresse, insônia e dificuldade de concentração após os depoimentos. Dez dias depois, soubemos que os queixosos estavam prontos para fazer um acordo. Os advogados agiram como se fosse um grande alívio, mas eu não me senti nem um pouco animada. Nenhuma solução legal poderia aliviar o horror em meu peito, a sensação de desesperança, de que eu chegara ao final de minha capacidade de confronto.

Com medicação e terapia, os ataques de pânico, por fim, diminuíram. Voltamos a nossa vida — aprendendo a viver sem Dylan, e com a consciência do que ele fizera.

18

A PERGUNTA ERRADA

O luto tem um ciclo de vida.
Muitas pessoas me disseram que começaram a emergir das sombras após sete anos, e isso também foi verdade para mim. Em 2006, eu estava começando a me sentir melhor. Não tinha menos saudade de Dylan, e não se passou uma hora sem que eu tenha pensado na dor e na tristeza das vítimas e de suas famílias. Mas já não chorava todos os dias nem vagava pelo mundo como um zumbi. Terminadas as restrições legais, comecei a me perguntar como poderia ajudar a promover o melhor entendimento do suicídio falando sobre ele.

Por meio de meu trabalho na prevenção ao suicídio, conheci dois outros sobreviventes de assassinato seguido de suicídio. Isso nos ajudou a conversar. A maioria dos sobreviventes de suicídio tem de lidar com o luto, a culpa e a humilhação, mas, quando um membro da família comete um assassinato em seus últimos momentos de vida, isso muda a maneira como você vê aquela pessoa e altera o modo como você fica de luto por ela. Você nunca para de perguntar se algo que fez levou aquela pessoa a se comportar daquela maneira. A atenção da mídia pode ser traumatizante.

Esses outros sobreviventes de assassinato seguido de suicídio acreditavam, assim como eu, que o suicídio fora um fator propulsor por trás da perda, e, mesmo assim, o público insistia em enxergar esses atos exclusivamente como assassinatos. Queríamos mostrar que o assassinato seguido de suicídio é uma manifestação do suicídio, e ajudar as pessoas a entender que a prevenção de um é também a prevenção do outro. Assim, quando descobri que a Universidade do Colorado, em Boulder, sediaria uma conferência chamada "A violência vai para a faculdade", resolvi organizar um painel de discussão sobre o tema do assassinato seguido de suicídio.

Tom achava deprimente minha imersão na prevenção ao suicídio e na comunidade da perda, e gostava ainda menos de minha pesquisa sobre assassinato seguido de suicídio. (Ele chamava nossos painéis de "A família Addams".) Acho que ele pensava que eu estava me recusando a seguir em frente, e às vezes eu me perguntava se ele não tinha razão. Juntei uma biblioteca sobre o cérebro adolescente, sobre suicídio, assassinato seguido de suicídio e a biologia da violência, buscando verdades inconvenientes e realidades incômodas.

Parte disso, talvez, era uma penitência. Outra parte, autoproteção. Se eu descobrisse o pior, nunca poderia ser pega de surpresa. Porém, oculta sob tudo isso, havia a simples compulsão por entender uma questão: Como foi que Dylan, criado em nossa casa, pôde fazer aquilo?

. . .

Eu queria poder dizer que Dylan era meu filho. Queria me levantar e dizer às pessoas que, por maiores que fossem o luto e o remorso que eu sentia por aqueles que ele ferira ou matara, Dylan ainda era amado. Infelizmente, eu ainda não estava pronta.

Nas semanas seguintes a minha aparição no painel, fui com uma amiga ver a apresentação da filha dela em uma peça de teatro na faculdade. Deveria ter sido um lindo fim de semana, mas estar com todos aqueles jovens acionou um gatilho dentro de mim. Era a primeira vez que eu visitava um campus desde que fora à Universidade do Arizona com Dylan. Toda vez em que via um garoto alto e magro curtindo a vida universitária, sentia uma fisgada no coração.

Caminhando pelo belo campus, fui tomada por um forte ataque de pânico — meu primeiro desde o surto que tivera durante os depoimentos. Tive outro enquanto assistíamos à peça, e mais um durante o jantar. Ao zapear pelos canais de TV no hotel enquanto esperava meus amigos me pegarem, na manhã seguinte, parei em *Eu chorarei amanhã*, filme de 1955 sobre a vida da cantora Lillian Roth. Durante a representação de Susan Hayward da crise de nervos de Roth, induzida pelo álcool, tive um ataque de pânico tão agudo que pensei que fosse morrer.

Aquele fim de semana deu início a um período terrível. Foi como se meu cérebro tivesse uma mola de acelerador emperrada na posição mais profunda. Em ataques de pânico anteriores eu focara na morte, mas daquela vez pensei no medo. Estava com medo de ficar com medo.

Qualquer coisa funcionava como gatilho de um ataque. Passar pelo escritório do legista para onde levaram o corpo de Dylan: *bum*. Assistir a um filme antigo no qual um caubói joga dinamite dentro de um estábulo: *bum*. Flores vermelhas em um arbusto: *bum*. O aparelho digestivo sempre fora meu calcanhar de aquiles, e fiquei com medo de comer porque tinha problemas de intestino constantes que vinham com o pânico.

Uma vez que os ataques eram gerados por qualquer coisa que me lembrasse da morte de Dylan, minha terapeuta achou que fossem uma manifestação de transtorno de estresse pós-traumático. Ela foi muito clara sobre o rumo do tratamento: eu precisava tomar os tranquilizantes que o médico receitara. Mas eu estava com medo de ficar viciada neles, então tomava apenas meio comprimido, ou um quarto — o suficiente para amortecer o ápice de minha ansiedade, mas não o bastante para me dar uma sensação de bem-estar ou para deixar que minha mente acelerada descansasse. Por tudo isso, eu achava que meu sofrimento indicava uma falha básica de caráter. *Recupere o controle. Você é capaz de pensar em uma maneira de sair disso.*

Minha terapeuta achou que eu não estava pronta para apresentar o painel. Mas eu estava determinada a cumprir meu compromisso a qualquer custo, e minha compulsão por representar publicamente a "normalidade" tornava a pressão ainda pior. Eu queria demonstrar que não era controlada pelo medo. Ao tentar provar isso, criei uma armadilha para mim mesma.

À medida que o dia do painel se aproximava, meus ataques de pânico se tornaram mais intensos e frequentes. Em um final de tarde, no caminho para casa, as sensações eram tão fortes que eu tive certeza de que causaria um acidente. Eu nunca tivera um único pensamento suicida antes, mas naquela vez olhei para o banco do passageiro e pensei: *Se tivesse uma arma aqui, eu a usaria para fazer isso tudo passar.* Agarrei o volante e pensei claramente comigo mesma: *Isso não pode continuar.*

Consegui passar pela apresentação do painel — com alguma ajuda. Por recomendação de minha terapeuta, uma amiga gravou minha palestra, assim eu poderia simplesmente apertar play se não conseguisse falar. Acabei usando a gravação metade do tempo. Foi um dia difícil para todos que participaram do painel, mas, ainda assim, foi proveitoso; as avaliações mostraram claramente que fizemos uma grande diferença na maneira como as pessoas entendiam o assassinato seguido de suicídio. Uma pessoa o chamou de "uma revelação". Outra chegou a ponto de se desculpar pela maneira como pensara sobre nossos casos anteriormente.

Passei a tomar os tranquilizantes como haviam sido receitados. Com medicação, terapia e muitas e longas caminhadas, os ataques debilitantes começaram a diminuir.

Eu agora compreendo que a ansiedade é um transtorno cerebral com o qual terei de conviver e que terei de administrar pelo resto da vida. Mesmo quando não estou em crise, a possibilidade está sempre comigo. Devido a essa vulnerabilidade, monitoro cuidadosamente minha reação ao estresse, assim como as pessoas com alto risco de enfarte monitoram a pressão arterial. Eu medito, faço ioga e exercícios de respiração profunda, e me exercito diariamente. Faço terapia e tomo antidepressivos se preciso de ajuda extra. Com o tempo, passei a ouvir minha ansiedade e a reconhecê-la como um indicativo de que algo não vai bem.

Com o passar dos anos, a distância entre mim e Tom continuou a aumentar, nos deixando quase sem nenhuma afinidade e sem uma maneira de construir uma ponte de volta um para o outro. Em 2014, depois de quarenta e três anos casados, resolvemos nos separar — uma decisão que só consegui tomar após perceber que a ideia de manter o relacionamento me deixava mais estressada que a ideia de sair dele. Encerramos nosso casamento para salvar nossa amizade, e acredito que sempre cuidaremos um do outro. Sou grata por isso.

À medida que emergia da escuridão e do período aterrorizante dos ataques de pânico, eu me sentia como Dorothy entrando cautelosamente no mundo tecnicolor de Oz. Na segurança do outro lado, vi que minha crise servira como um tipo de iluminação. Eu havia aprendido coisas que precisava saber para entender melhor a vida de Dylan — e sua morte.

. . .

A Organização Mundial da Saúde define saúde mental como "um estado de bem-estar no qual cada indivíduo percebe seu próprio potencial, consegue lidar com o estresse normal da vida, consegue trabalhar de maneira produtiva e proveitosa e é capaz de fazer contribuições a sua comunidade".[1]

Meu transtorno de ansiedade me mostrou como é estar preso em uma mente que funciona mal. Quando o cérebro está prejudicado, não conseguimos administrar nossos próprios pensamentos. Independentemente do que eu fazia para tentar retomar o equilíbrio, não tinha as ferramentas para fazê-lo. Compreendi, pela primeira vez, o que significava não ter o controle do meu cérebro.

Ao entender isso, fui capaz de sentir grande empatia por aqueles que sofrem com esse problema. Há anos eu vinha tentando entender como Dylan poderia ter feito o que fez. E então minha própria mente ficou fora de controle e eu entrei em um mundo do outro lado do espelho, um inferno pessoal e tempestuoso no qual pensamentos indesejados dominavam e davam as ordens.

A triste e assustadora verdade é que nunca sabemos quando nós (ou alguém que amamos) podemos passar por uma séria crise de saúde cerebral.

Assim que comecei a me sentir melhor, não conseguia acreditar em quanto minhas ideias tinham sido distorcidas. Pela primeira vez eu entendi como Dylan poderia acreditar estar indo na direção certa quando estava fazendo exatamente o contrário.

Ainda não consigo mensurar o que Dylan e Eric fizeram; não consigo entender como alguém neste mundo poderia fazer uma coisa daquelas, que dirá meu próprio filho. Acho fácil, mesmo que doloroso, sentir empatia por alguém que cometeu suicídio, mas Dylan *matou*. É algo com que nunca vou me acostumar, que nunca vou superar.

Ele era diabólico? Passei muito tempo remoendo essa pergunta. No fim, não acho que fosse. A maioria das pessoas acredita que o suicídio seja uma opção, e a violência é uma opção; essas coisas estão sob o controle de uma pessoa. Ainda assim, sabemos, das conversas com sobreviventes de tentativas de suicídio, que sua capacidade de tomar decisões oscila de maneira que não compreendemos. Em nossa conversa, o psicólogo e pesquisador sobre suicídio dr. Matthew Nock, de Harvard, usou uma expressão da qual gosto muito: *disfunção do processo de decisão*. Se o suicídio é a única forma de sair de uma existência tão dolorosa que chega a ser intolerável, ele é realmente um exercício de livre-arbítrio?

É claro que Dylan não cometeu suicídio simplesmente. Ele cometeu assassinato; ele matou pessoas. Todos nós já nos sentimos raivosos o bastante a ponto de fantasiar matar alguém. O que faz a vasta maioria de nós se sentir chocada e assustada pelo mero impulso, e outra pessoa consumar o ato? Se alguém escolhe ferir os outros, o que governa a habilidade de tomar essa decisão? Se o que pensamos como mal é a ausência de consciência, então temos de perguntar: Como é que uma pessoa para de se conectar com sua consciência?

Minha própria dificuldade me mostrou, de um jeito que nada mais poderia fazer, que, quando nossos pensamentos estão prejudicados, ficamos à mercê deles. Em seus últimos dias, Dylan virou as costas a uma vida de educação com valores éticos, à empatia e a sua própria consciência. Tudo o que aprendi corrobora minha crença de que ele não estava pensando com clareza.

A doença cerebral não é uma absolvição. Dylan é culpado pelos crimes que cometeu. Acredito que ele soubesse a diferença entre o certo e o errado no fim de sua vida, e que o que fez foi absolutamente errado. Mas não podemos nos dedicar a prevenir a violência se não levarmos em consideração o papel que a depressão e a disfunção cerebral podem desempenhar na decisão de cometê-la.

Obviamente, dizer isso é arriscado. A ideia de que pessoas com transtornos cerebrais são perigosas está entre os mitos mais destrutivos e instaurados que há, e é, em grande parte, falsa. A maioria das pessoas com transtornos e doenças cerebrais não é violenta, mas uma porcentagem é. Devemos encontrar um caminho para discutir a interseção entre saúde cerebral e violência de uma forma aberta e sem julgamentos, e não podemos fazer isso sem antes falar sobre estigma.

É provável que você consiga citar vários medalhistas de ouro olímpico e jogadores famosos que já estouraram os joelhos, ou arremessadores da liga de beisebol que passaram pela cirurgia Tommy John. Mas a maioria de nós não consegue se lembrar de uma única celebridade que tenha lutado — com sucesso, pelo menos — contra a depressão ou um distúrbio de humor. Até mesmo as celebridades têm medo de perder o emprego ou de ser vistas como um perigo para seus filhos. Riqueza, poder e o amor do público não servem como defesa contra esse estigma.

Minha própria experiência com a ansiedade me mostrou o risco e a vergonha envolvidos em demonstrar a dor aos outros. Acredito ser uma pessoa profundamente honesta — às vezes até demais. Ainda assim, quando estava tendo picos de pânico, eu me sentia tão envergonhada pelo que estava passando, tão humilhada por minha incapacidade de "controlar" o problema, que fiz de tudo para esconder essa experiência. Com medo de ser vista como fraca ou instável, fiz o máximo que pude para esconder (ou, no mínimo, disfarçar) minhas batalhas internas dos amigos e colegas.

E fui capaz de fazê-lo com pouca dificuldade, mesmo acreditando que minha mente estava tentando me matar. Tenho certeza de que meus colegas e conhecidos notaram que nem tudo estava bem. *Você não acha que a Sue está um pouco magra/trêmula/pálida/distraída?* No caso, havia uma razão absolutamente boa para que eu parecesse estar passando por problemas. *Não é à toa que ela parece tão arrasada…Você sabe o que ela tem passado.* Como eu disse uma vez para Tom: "A carga de trabalho de Dylan deve estar pesada demais; ele parece cansado" e "Claro que ele prefere jogar videogame a ficar com os pais; ele é um adolescente!"

Assim que emergi do outro lado de minha própria crise de saúde, consegui perceber quanto acobertar tudo aquilo me isolara. No entanto, a experiência também me ajudou a me relacionar com outros que escondiam a enorme dor na qual se encontravam. A maioria desses problemas é tratável, se as pessoas receberem ajuda. Mesmo assim, muitas não buscam o tratamento do qual precisam, e a razão disso é o estigma.

Se você machuca o joelho, não espera até conseguir caminhar antes de procurar ajuda. Você coloca gelo na articulação, põe a perna para cima, perde seus treinos — e então, se não vir nenhum tipo de melhora depois de alguns dias, marca uma consulta com um ortopedista. Infelizmente, porém, a maioria das pessoas não procura a ajuda de um profissional de saúde mental até estar em crise. Ninguém espera consertar o próprio joelho usando coragem e autodisciplina. Mas, por causa do estigma, esperamos ser capazes de pensar em uma maneira de escapar da dor em nossa mente.

Assim que meu transtorno de ansiedade estava sob controle e eu comecei a emergir da areia movediça, ficou claro como a luz do dia: uma crise de saúde cerebral é um *problema de saúde*, assim como uma doença do coração, ou um ligamento rompido. Assim como todos esses problemas de saúde, ela pode ser tratada. No entanto, primeiro precisa ser notada e diagnosticada. Todos os dias, mamografias e exames de toque ajudam os médicos a detectar e tratar cânceres que não teriam notado há cinquenta anos. Eu mesma sobrevivi ao câncer de mama por causa deles, e tudo o que desejo é que algum dia haja mapeamentos e intervenções no mínimo tão efetivos para a saúde cerebral.

Realmente, é preciso que eles existam. Assim como outras doenças, as cerebrais podem ser perigosas se não forem reconhecidas e tratadas. O indivíduo mais sujeito a sofrer com as consequências de um impulso destrutivo é geralmente aquele que o tem. Em alguns casos excepcionais, as pessoas também podem se comportar violentamente com relação aos outros. Isso não é garantido, nem mesmo uma probabilidade, mas acontece. Doenças não tratadas podem colocar em risco aqueles que as têm e aqueles ao redor deles.

Quando as pessoas que estão sofrendo não conseguem ter acesso ao tratamento de que precisam, isso as coloca em um risco maior de causar danos a si mesmas ou a outros. A automedicação com drogas e álcool é comum quando as pessoas não estão recebendo tratamento e apoio adequados, e abusar dessas substâncias é um fator que aumenta drasticamente a probabilidade de violência entre os portadores de doenças mentais.

Todas as vezes que entrevistei um especialista para este livro, eu lhe fiz a pergunta: Como podemos falar sobre a interseção entre os distúrbios cerebrais ou as doenças mentais e a violência sem contribuir para o estigma? O dr. Kent Kiehl resumiu com precisão: "A melhor maneira de eliminar a crença de que pessoas com problemas de doença mental são violentas é ajudá-las para que não sejam violentas".

. . .

É muito difícil saber quem cometerá um ato de violência. Estudar o perfil não funciona. Mas a violência *pode* ser evitada. De fato, os profissionais na área de abordagem a ameaças têm um ditado: "Prevenção não exige predição". Ela exige, no entanto, que o acesso global às intervenções de saúde cerebral seja ampliado.

O dr. Reid Meloy, um pioneiro na área, usa esta analogia: um cardiologista pode não saber qual de seus pacientes terá um ataque cardíaco, mas, se esse médico trata os fatores de riscos conhecidos, tais como o colesterol alto em todos eles, as ocorrências de ataque cardíaco diminuirão. Os índices melhorarão ainda mais se ele cuidar de perto dos pacientes com maior risco — os fumantes e os obesos —, e diminuirão ainda mais se garantir que os pacientes que já tiveram um ataque sigam os programas de saúde do coração e tomem sua medicação.

Um sistema de níveis de atenção já está funcionando em algumas escolas. No primeiro nível, todos devem ter acesso a exames de saúde cerebral e a primeiros socorros, a programas de resolução de conflitos e à educação da prevenção ao suicídio. Os programas de ajuda aos colegas ensinam as crianças a buscarem ajuda de adultos treinados para os amigos com os quais se preocupam, sem medo da repercussão.

Um segundo nível de atenção é dedicado a crianças que passam por turbulências — um aluno em luto pela perda do pai ou da mãe, alguém que sofre bullying ou é alvo de piadas ou crianças que vivem em conhecidas populações de alto risco. Por exemplo, crianças gays, lésbicas, bissexuais ou transgênero apresentam um risco desproporcional de sofrer bullying, e esforços especiais devem ser feitos para conectá-las aos recursos.

O terceiro nível de intervenção entra em funcionamento quando o jovem provoca uma preocupação especial. Talvez esse jovem tenha um transtorno emocional contínuo, fale sobre suicídio ou — assim com Dylan — entregue uma redação com um tema violento e alarmante. Esse aluno é levado para uma equipe de professores especialmente treinados e outros profissionais que o entrevistarão, analisarão suas redes sociais e outras evidências, e conversarão com amigos, pais, agentes da lei, orientadores e professores.

A verdadeira beleza dessas medidas não está no fato de poderem revelar potenciais atiradores de escolas, mas no de poderem, efetivamente, ajudar as escolas a identificarem adolescentes que sofrem de todos os tipos de problemas: bullying, distúrbios alimentares, cortes autoinfligidos, transtornos de aprendizado não diagnosticados, vícios, abuso doméstico e violência do parceiro — só para listar alguns. Em casos raros, uma equipe pode descobrir que um aluno fez planos concretos para ferir a si mesmo e a outros, e, nesse ponto, agentes da lei podem ser envolvidos. Na grande maioria dessas situações, porém, simplesmente oferecer ajuda a um jovem já é suficiente.

"As pessoas envolvidas em violência direcionada geralmente estão envolvidas devido a um problema subliminar", a dra. Randazzo me disse. "Muitas vezes esse é um problema de saúde mental. Geralmente esses problemas podem ser resolvidos se forem descobertos e tratados efetivamente. Melhores recursos de saúde mental podem, *sem dúvida*, ajudar a evitar a violência."

Se levarmos a sério a prevenção à violência, devemos também reconhecer o custo para a sociedade quando permitimos o acesso tão fácil às armas de fogo. Dylan não fez o que fez porque conseguiu comprar armas, mas há um perigo enorme em ter essas ferramentas altamente fatais disponíveis quando alguém está em seu estado mais vulnerável. Esses riscos estão demonstrados, e devemos inseri-los na equação quando falarmos sobre tornar nossas comunidades mais seguras e saudáveis.

. . .

Quando tragédias como a de Columbine, a de Virginia Tech ou a de Sandy Hook acontecem, a primeira pergunta que todos fazem é sempre: "Por quê?" Talvez essa seja a questão errada. Passei a acreditar que a melhor pergunta é: "Como?"

Tentar explicar por que algo acontece pode acabar nos fechando em respostas simples sem soluções acionáveis. Só alguém que já está em agonia e com vulnerabilidade ao suicídio vê a morte como uma solução lógica para os obstáculos inevitáveis da vida. É perigoso nos condicionarmos a ver o suicídio como uma resposta natural à decepção, quando ele é realmente o resultado de uma doença.

A mesma coisa, acredito, é verdadeira com relação ao que aconteceu em Columbine. Dylan estava vulnerável de várias maneiras — sem dúvida era emocionalmente imaturo, depressivo e possivelmente sofria de um transtorno de humor ou de personalidade mais sério. Tom e eu falhamos em reconhecer essas condições e em bloquear as influências — entretenimento violento, a amizade dele com Eric — que as exacerbavam.

Perguntar "como" em vez de "por que" nos permitiu avaliar o mergulho para dentro do comportamento autodestrutivo como o processo que ele realmente é. Como alguém caminha na direção de machucar a si mesmo e a outros? Como o cérebro impede o acesso a suas próprias ferramentas de autodomínio, autopreservação e consciência? Como o pensamento distorcido pode ser identificado e corrigido mais cedo? Como podemos saber dos tratamentos mais efetivos e garantir que estejam disponíveis em qualquer clínica médica?

Quanto tempo mais levaremos para reconhecer que saúde cerebral é *saúde*, e identificar o que pode ser feito para mantê-la?

Esses problemas precisam urgentemente de nossa atenção. Perguntar "por que" apenas nos faz sentir impotentes. Perguntar "como" aponta o caminho adiante e nos mostra o que devemos fazer.

Aprendi da pior maneira possível que a saúde cerebral não é uma situação de "nós *versus* eles". Todos nós podemos sofrer desse mal, e a maioria de nós — em algum ponto da vida — vai sofrer. Ensinamos aos nossos filhos a importância da boa higiene bucal, da nutrição adequada e da responsabilidade financeira. Quantos pais ensinam os filhos a monitorar a própria saúde cerebral, ou quantos sabem fazê-lo por si mesmos?

Eu não sabia, e o maior remorso da minha vida é não ter ensinado isso a Dylan.

CONCLUSÃO

DOBRAS FAMILIARES

Sue Klebold. Capítulo Colorado. Conselho da Perda e do Luto. Perdi meu filho Dylan em um assassinato seguido de suicídio na Escola de Ensino Médio de Columbine, em 1999. Ainda me pergunto por quê. Apoio a pesquisa.

— Descrição quase do tamanho de um tuíte que escrevi ao me apresentar na Fundação Americana de Prevenção ao Suicídio, Conferência do Capítulo sobre Liderança, 2015

Não se passa um dia sem que eu sinta uma enorme culpa — tanto pelas várias maneiras como falhei com Dylan quanto pela destruição que ele deixou em seu caminho.

Dezesseis anos depois, penso todos os dias nas pessoas que Dylan e Eric mataram. Penso nos últimos momentos da vida delas — no terror, na dor. Penso nas pessoas que as amavam: os pais de todos os adolescentes, claro, mas também a esposa, os filhos e os netos de Dave Sanders. Penso em seus irmãos, primos e colegas de classe. Penso naqueles que foram feridos, muitos deixados com deficiências permanentes. Penso em todas as pessoas cuja vida foi tocada pelas vítimas de Columbine — os professores da escola de ensino fundamental, as babás e os vizinhos para quem o mundo se tornou um lugar mais assustador e incompreensível pelo que Dylan fez.

A perda das pessoas que Dylan matou, no fim, é inquantificável. Penso nas famílias que elas teriam tido, nos times da liga infantil que teriam liderado, na música que teriam feito.

Gostaria de ter sabido o que Dylan estava planejando. Gostaria de tê-lo impedido. Gostaria de ter tido a oportunidade de trocar minha vida pela daqueles que se foram. Porém, à parte todos esses desejos, eu sei que não posso voltar atrás. Tento me conduzir de forma que possa honrar aquelas vidas que foram destruídas ou tiradas por meu filho. O trabalho que faço é em memória delas. Também trabalho para me segurar no amor que ainda tenho por Dylan, que sempre será meu filho, apesar dos horrores que cometeu.

Sempre penso em quando observava Dylan fazer origami. Enquanto a maioria das pessoas que fazem dobraduras é meticulosa ao alinhar as pontas, Dylan, aluno da quarta série, tendia a ser mais descuidado, e suas figuras às vezes eram meio desengonçadas. Mas, para ele, bastava ver uma vez um padrão complicado para conseguir replicá-lo.

Eu adorava preparar uma xícara de chá e me sentar em silêncio ao lado dele, observando suas mãos se moverem tão rápido quanto um beija-flor, encantada ao ver Dylan transformar um quadrado de papel em um sapo, um urso ou uma lagosta. Eu sempre me maravilhava ao ver algo tão simples como um pedaço de papel se transformar completamente com apenas algumas dobras, de repente adquirindo um novo significado. E então me encantava com o trabalho terminado, as dobras complexas escondidas e incompreensíveis para mim.

De várias formas aquilo foi um espelho da experiência que eu teria depois de Columbine. Eu teria de virar do avesso o que achei que soubesse sobre mim, sobre o meu filho e a minha família, observando conforme o garoto se transformava em monstro e de volta em garoto.

Origami não é mágica. Até o padrão mais complexo pode ser compreendido, algo que pode ser mapeado e apreendido. O mesmo acontece com a doença cerebral e a violência, e esse mapeamento é o trabalho que devemos fazer agora. A depressão e outros tipos de transtornos cerebrais não tiram o compasso moral de ninguém, e mesmo assim são doenças potencialmente ameaçadoras, que podem prejudicar o julgamento e distorcer o senso de realidade de uma pessoa. Devemos voltar nossa atenção para a pesquisa e o aumento da consciência sobre essas doenças — e também para desfazer os mitos que nos impedem de ajudar aqueles que mais precisam. Devemos fazê-lo não só pelo bem dos que padecem dessas enfermidades, mas também pelos inocentes que continuarão a ser contados como vítimas dessas pessoas, caso não façamos nada.

Uma coisa é certa: quando conseguirmos fazer um trabalho melhor e ajudar as pessoas *antes* que suas vidas entrem em crise, o mundo será um lugar mais seguro para todos nós.

AGRADECIMENTOS

Eu não teria conseguido terminar este livro sem Laura Tucker. Centenas de páginas escritas e milhares de horas de tristeza poderiam ter morrido comigo se Laura não as tivesse transformado em um manuscrito publicável. Durante os anos em que trabalhamos juntas, Laura foi muito mais que uma escritora para mim. Foi parteira, terapeuta, cirurgiã, pesquisadora, arquiteta, navegadora, trabalhadora, guia espiritual e amiga. Ela foi cimento e pedreiro, cem por cento responsável por transformar uma pilha de tijolos quebrados em uma estrutura sólida. Até nós duas nos reunirmos, eu estava mergulhada em problemas que pareciam insolúveis. Como poderia contar efetivamente uma história quando os leitores já conheciam o final? Como poderia narrar uma experiência real se informações importantes sobre os fatos foram descobertas depois? Como poderia criar uma voz própria se comecei como uma pessoa e terminei como outra? Laura resolveu esses e inúmeros outros problemas. Ela tem uma habilidade incomum para entrelaçar incidentes contrastantes com o fio da lógica. Ela sabia como buscar os detalhes e quando abandoná-los. Eu ficava constantemente impressionada com sua sensibilidade às nuances e com sua habilidade de ouvir o que permeava o silêncio entre as palavras. Ter a oportunidade de trabalhar com Laura enriqueceu minha vida. Serei eternamente grata por ela ter tido a coragem de abraçar um livro com um assunto tão doloroso e percorrer o caminho comigo — mesmo quando era difícil para nós duas. Eu admiro e sempre vou admirar suas habilidades e sou profundamente agradecida a ela.

Minha agente, Laurie Bernstein, da Side by Side Literary Productions, Inc., me encontrou e perguntou se eu gostaria de publicar um livro na época em que eu estava tentando encontrar o agente literário certo para o livro que estava escrevendo. O aparecimento dela em cena foi assustadoramente presciente. Depois de nossa primeira conversa, eu soube que Laurie era a pessoa certa para defender meus interesses e ajudar a realizar minha visão. Quanto a isso, aliás, ela assumiu mais papéis do que consigo nomear. Mas sou especialmente grata por sua visão e direcionamento ao me ajudar a desenvolver a proposta para o livro, o que fez toda a diferença para o que viria a seguir, e por me conduzir a Laura e à Crown Publishers.

Ela é minha defensora, e agradeço por seu trabalho árduo e pela mão habilidosa durante o processo de escrita e publicação.

Agradeço a Andrew Solomon por muitas coisas. Antes de nos conhecermos, eu o ouvi falar em um evento sobre saúde mental em Denver e fui tão inspirada por sua mensagem que imediatamente comprei e li seu livro, *O demônio do meio-dia: uma anatomia da depressão*. Quando Andrew, mais tarde, perguntou se poderia entrevistar a mim e a Tom para um livro que um dia viria a ser *Longe da árvore*, não hesitei em aceitar a oferta (e em encorajar Tom a participar). Nos anos seguintes, apreciei cada momento passado com Andrew, não apenas por ele ser inteligente, articulado, sensível e brilhante, mas porque estimulou e apoiou meu desejo de publicar um livro desde o momento em que nos conhecemos. Ele leu não só os excertos, mas os rascunhos completos de meu manuscrito em vários estágios de desenvolvimento. Seus comentários foram inestimáveis. Por último, sou grata por seu desejo de se juntar a mim na reta de chegada, escrevendo a introdução deste livro. Sinto-me muito honrada em conhecê-lo e sou eternamente grata por sua generosidade.

Minha gratidão aos parceiros da Crown Publishers poderia preencher páginas e páginas. Agradeço a essa equipe extraordinária por, gentilmente, ter caminhado a meu lado rumo à publicação. Não há espaço para listar todos pelo nome, mas sou sinceramente grata àqueles que contribuíram com sua capacidade e apoio. Agradecimentos especiais a meu editor, Roger Scholl, pelo extraordinário tino editorial, pela grande sensibilidade e pela disposição de lutar por este livro desde o primeiro dia. Obrigada também a sua maravilhosa assistente, Dannalie Diaz. O brilhantismo e o entusiasmo sincero da publisher Molly Stern pelo projeto e sua missão foram de tirar o fôlego. Trabalhar com o publisher adjunto David Drake, a diretora de publicidade Carisa Hays e a publisher associada Annsley Rosner foi uma dádiva e uma alegria. Espero que vocês saibam como sou grata por sua orientação e amizade. Obrigada também à diretora assistente de marketing, Sara Pekdemir. E muito obrigada ao editor sênior de produção da Crown, Terry Deal, ao editor de texto Lawrence Krauser, à diretora de arte Elizabeth Rendfleisch, ao diretor criativo Chris Brand, por conceber a extraordinária capa do livro, e ao diretor de direitos subsidiários, Lance Fitzgerald, por expandir o alcance do livro pelo mundo. Por último, mas não menos importante, meu sincero agradecimento a Maya Mavjee, presidente do Crown Publishing Group, por acreditar em mim e me ajudar a espalhar a mensagem do livro para o público.

Muito obrigada a Dave Cullen, por conversar comigo sobre sua pesquisa sobre a tragédia de Columbine, e por me ajudar a recontar os detalhes do incidente. Ele pesquisou generosamente em pilhas de impressos para checar a referência dos fatos quando precisei de sua ajuda para ter informações exatas.

Por me apontar a direção correta quando comecei a pesquisa, e por ler o manuscrito final para oferecer opiniões e recomendações, agradeço à dra. Christine Moutier, diretora médica, e a Robert Gebbia, CEO da Fundação Americana de Prevenção ao Suicídio. A disposição para compartilhar seus conhecimentos sobre suicídio e saúde mental foi uma contribuição inestimável.

Agradeço a muitos outros especialistas pela disposição em serem entrevistados, por compartilharem fontes e me colocarem em contato com outros que poderiam responder a questões específicas. Independentemente de suas pesquisas se relacionarem ou não à tragédia de Columbine, todos esses indivíduos me ajudaram a entender as complexidades da saúde cerebral e os desafios de tentar evitar a violência contra si mesmo e contra outros. Ao se disponibilizarem, forneceram respostas a alguns dos mistérios com os quais eu vinha me debatendo havia anos. Muito obrigada aos drs. Victoria Arango, Brad Brushman, Dewey Cornell, Dwayne Fuselier, Sidra Goldman-Mellor, James Hawdon, Thomas Joiner, Kent Kiehl, Peter Langman, Adam Lankford, J. Reid Meloy, Terrie Moffit, Katherine Newman, Debra Niehoff, Matthew Nock, Frank Ochberg, Mary Ellen O'Toole, Adrian Raine, Marisa Randazzo e Jeremy Richman. Agradeço ainda às dras. Marguerite Moritz e Zeynep Tufekci, pelas informações sobre a importância da reação apropriada da imprensa a episódios de violência de alta repercussão.

Muito obrigada a meus advogados, Gary Lozow e Frank Patterson, não só pelo cuidado constante durante os anos desgastantes após a tragédia, mas também por me permitirem entrevistá-los para meu livro. Nossas conversas me ajudaram a recontar alguns dos aspectos legais pelos quais passamos juntos.

Sou profundamente grata a Nate, por ser um amigo querido para Dylan e por continuar sendo amigo dele e nosso nos anos após a tragédia. Ele me possibilitou apreciar indiretamente os muitos momentos felizes que compartilharam. Pela disposição de Nate em reviver o passado comigo, e por seu desejo de fazer o que pudesse para me ajudar com o livro, sou verdadeiramente grata.

Humildemente, agradeço a muitos amigos queridos, vizinhos, colegas e sobreviventes de suicídio, pela bondade e o apoio constantes. Há indivíduos e episódios demais para que eu os cite um a um, mas de várias maneiras eles deram o apoio de que precisei para me fazer seguir em frente quando achei que não conseguiria.

Agradeço ao meu irmão e à minha irmã por me ancorarem e cuidarem de mim como anjos durante uma jornada longa e difícil. A constância da devoção de ambos é o vento em minhas asas.

Finalmente, e mais importante que tudo, agradeço a Byron e a Tom por não se oporem nem dificultarem meus esforços para publicar este livro, apesar de seu desconforto com a ideia. Embora eles tenham deixado claro que não queriam reavivar lembranças difíceis, sacrificar a própria privacidade ou revisitar uma época da vida deles que prefeririam esquecer, ambos honraram minha determinação de fazer o que eu achava necessário. Por isso, serei eternamente grata. Agradeço aos dois pelo seu amor, coragem e compreensão.

Byron, seu amor e seu apoio são as maiores bênçãos da minha vida. Sem eles, eu não teria tido a força para escrever este livro. Tom, eu sempre estimarei nossa amizade, que já passou por muitas tormentas e durará para sempre.

NOTAS

CAPÍTULO 7

1 Minha fonte para descobrir isso, assim como outros fatos deste livro, foi o relatório do departamento de polícia do condado de Jefferson. Esses documentos estão disponíveis em vários sites, inclusive <http://www.columbine-online.com/etc/columbine-faq.htm>, acesso em maio de 2015.

CAPÍTULO 10

1 Eu me lembro muito pouco do que Kate e Randy nos disseram naquele dia e não pude fazer anotações, então reconstruí os eventos usando o relatório Jeffco e outros. Sou profundamente grata a Dave Cullen por sua atenção meticulosa aos detalhes e pela ajuda que me deu para garantir que esta seção contivesse informações precisas. Assim, quaisquer eventuais erros são responsabilidade minha.

2 Conversa com a dra. Zeynep Tufekci, 12 de fevereiro de 2015.

3 P. Thomas, M. Levine, J. Cloherty e J. Date, "Columbine Shootings' Grim Legacy: More Than 50 School Attacks, Plots", 7 out. 2014, <www.abcnews.go.com/US/columbine-shootings-grim-legacy-50-school-attacks-plots/story?id=26007119>, acesso em maio de 2015. Uma investigação que durou meses, feita pela ABC News, identificou pelo menos dezessete ataques e outros trinta e seis supostos planos ou ameaças sérias contra escolas desde o ataque à Escola de Ensino Médio de Columbine que podem estar ligados ao massacre de 1999.

4 Uma conclusão dessa pesquisa pode ser encontrada em reportingonsuicide.org. Recomendo fortemente a todos os jornalistas que chequem essas orientações quando fizerem a cobertura de casos de suicídio (reportingonsuicide.org/wp-content/themes/ros2015/assets/images/Recommendations-eng.pdf). As orientações foram desenvolvidas de maneira colaborativa por: Associação Americana de Suicidologia, Fundação Americana de Prevenção ao Suicídio, Centro de Políticas Públicas Annenberg, Associação dos Editores de Mídia, Projeto Suicídio de Canterbury — Universidade de Otago, em Christchurch, na Nova Zelândia, Departamento de Psiquiatria da Universidade de Columbia, ConnectSafely.org, Emotion Technology, Associação Internacional de Prevenção ao Suicídio — Força-Tarefa de Mídia e Suicídio, Universidade de Medicina de Viena, Aliança Nacional para a Doença Mental, Instituto Nacional de Saúde Mental, Associação Nacional de Fotógrafos de Imprensa, Instituto Psiquiátrico do Estado de Nova York, Agência de Atendimento em Abuso de Substâncias e Saúde Mental, Vozes da Educação para a Consciência sobre o Suicídio, Centro de Pesquisa de Prevenção ao Suicídio, Centros de Controle e Prevenção de Doenças e Escola de Saúde Pública da UCLA, área de ciência da saúde comunitária.

5 Zeynep Tufekci, "The Media Needs to Stop Inspiring Copycat Murders. Here's How", *The Atlantic*, 19 dez. 2012, <www.theatlantic.com/national/archive/2012/12/the-media-

282 O ACERTO DE CONTAS DE UMA MÃE

needs-to-stop-inspiring-copycat-murders-heres-how/266439>, acesso em maio de 2015. Christopher H. Cantor et al., "Media and Mass Homicides", *Archives of Suicide Research*, v. 5, n. 4, 1999, doi: 10.1080/13811119908258339.

6 Meg Moritz dirigiu o documentário *Covering Columbine*, que explora os efeitos da cobertura jornalística da tragédia tanto sobre a comunidade quanto sobre os jornalistas que trabalharam na cobertura.

7 Conversa com o dr. Ochberg, 2 de fevereiro de 2015.

8 Conforme reportagem da Rádio Pública Internacional: <www.pri.org/stories/2014-06-10/canadian-news-network-refuses-broadcast-mass-shooters-name>, acesso em maio de 2015.

CAPÍTULO 11

1 Jeffrey Swanson et al., "Violence and Psychiatric Disorder in the Community: Evidence from the Epidemiologic Catchment Area Surveys", *Psychiatric Services*, v. 41, n. 7, 1990, pp. 761-70, dx.doi.org/10.1176/ps.41.7.761.

2 Bryan Vossekuil et al., "The Final Report and Findings of the Safe School Initiative: Implications for the Prevention of School Attacks in the United States", <www2.ed.gov/admins/lead/safety/preventingattacksreport.pdf>, p. 21, acesso em maio de 2015.

3 Conversei com o dr. Richman em 13 de março de 2015. Para mais informação ou para apoiar a Fundação Avielle, dedicada a "prevenir a violência através da pesquisa e da educação comunitária", visite <www.aviellefoundation.org>.

4 Alguns desses livros eu agora recomendo a todos os sobreviventes de suicídio. Eles incluem: *Quando a noite cai: entendendo a depressão e o suicídio*, de Kay Redfield Jamison (2. ed. Rio de Janeiro: Gryphus, 2011); *No Time to Say Goodbye: Surviving the Suicide of a Loved One*, de Carla Fine (Nova York: Harmony, 1999); *My Son... My Son...: A Guide to Healing After Death, Loss or Suicide*, de Iris Bolton e Curtis Mitchell (Atlanta: Bolton Press, 1983).

5 <www.afsp.org/understanding-suicide/facts-and-figures>, acesso em maio de 2015. Na verdade, o problema do suicídio — e de quantas pessoas realmente perdemos para ele a cada ano — pode ser ainda mais grave do que pensamos. Muitos pesquisadores acreditam que um grande número de mortes classificadas como acidentes seja, de fato, suicídio. Uma pequena porcentagem (18% a 37%) das pessoas que cometem suicídio deixa um bilhete. Valerie J. Callanan e Mark S. Davis, "A Comparison of Suicide Note Writers with Suicides Who Did Not Leave Notes", *Suicide and Life-Threatening Behavior*, v. 39, n. 5, out. 2009, pp. 558-68, doi: 10.1521/suli.2009.39.5.558. Na maioria dos departamentos de polícia, não há pessoal nem recursos suficientes para que seja feita uma investigação minuciosa de muitas mortes suspeitas — mesmo quando não há marcas de frenagem no local do acidente, ou quando uma pessoa experiente em trilhas comete um erro de principiante.

6 "Suicide Prevention", <http://ww.cdc.gov/violenceprevention/pub/youth_suicide.html>, acesso em maio de 2015.

7 M. K. Nock, J. Green, I. Hwang et al., "Prevalence, Correlates, and Treatment of Lifetime Suicidal Behavior Among Adolescents: Results from the National Comorbidity Survey Replication Adolescent Supplement", *JAMA Psychiatry*, v. 70, n. 3, 2013, pp. 300-10, doi: 10.1001/2013.jamapsychiatry.55.

8 "Understanding Suicide: Key Research Findings", <www.afsp.org/understanding-suicide/-key-research-findings>, acesso em maio de 2015.

NOTAS

283

9   Conversa com a dra. Victoria Arango, 12 de março de 2015.

10 Thomas Joiner, *Why People Die by Suicide*. Cambridge: Harvard University Press, 2005.

11 Correspondência com o dr. Peter Langman usada com a sua permissão.

12 O site do dr. Peter Langman, <www.schoolshooters.info>, contém muitas fontes sobre o tema, incluindo suas transcrições anotadas de alguns dos textos de Dylan: <schoolshooters.info/sites/default/files/klebold_journal_1.1_2.pdf>.

13 Conversa com o dr. Langman, 21 de janeiro de 2015.

14 Peter Langman, *Why Kids Kill: Inside the Minds of School Shooters*. Nova York: St. Martin's Press, 2009, localizações no Kindle 259-60.

15 Langman, localizações no Kindle 259-60.

16 Kay Redfield Jamison, *Quando a noite cai: entendendo a depressão e o suicídio*. 2. ed. Rio de Janeiro: Gryphus, 2011.

17 Os Centros de Controle e Prevenção de Doenças listam os seguintes fatores de risco para jovens: histórico de tentativas de suicídio; histórico familiar de suicídio; histórico de depressão ou outras doenças mentais; abuso de álcool ou drogas; acontecimento estressante ou perda; fácil acesso a métodos fatais; exposição a comportamento suicida de outras pessoas; encarceramento. Uma lista completa de sinais de alerta de que alguém pode estar pensando em suicídio está disponível no site da Fundação Americana de Prevenção ao Suicídio: <www.afsp.org/preventing-suicide/suicide-warning-signs>, acesso em maio de 2015. Quanto maior o número de sinais de alerta observados, maior o risco.

18 C. Edward Coffey, "Building a System of Perfect Depression Care in Behavioral Health", *The Joint Commission Journal on Quality and Patient Safety*, v. 33, n. 4, abr. 2007, pp. 19-99.

CAPÍTULO 12

1   Para quem se interessa em psicopatia, indico a leitura de Robert D. Hare, *Sem consciência: o mundo perturbador dos psicopatas que vivem entre nós*. Porto Alegre: Artmed, 2013.

2   J. R. Meloy, A. G. Hempel, K. Mohandie, A. A. Shiva e B. T. Gray, "Offender and Offense Characteristics of a Nonrandom Sample of Adolescent Mass Murderers", *Journal of the American Academy of Child and Adolescent Psychiatry*, v. 40, n. 6, 2001, pp. 719-28, <forensis.org/PDF/published/2001_OffenderandOffe.pdf>. O dr. Meloy, psicólogo forense certificado e professor clínico de psiquiatria na Universidade da Califórnia, em San Diego, já escreveu e coescreveu mais de duzentos artigos e onze livros sobre psicopatia, criminalidade, distúrbio mental e violência direcionada. Ele é consultor da Unidade de Análise Comportamental do FBI em Quantico, na Virgínia. O site do dr. Meloy, forensis.org, fornece uma variedade de publicações para os interessados em prevenção à violência, abordagem a ameaças, motivações para terrorismo e assassinatos em massa e assuntos relacionados.

3   Conversa com o dr. Reid Meloy, 26 de janeiro de 2015.

4   Conversa com o dr. Lankford, 5 de fevereiro de 2015.

5   Adam Lankford, *The Myth of Martyrdom: What Really Drives Suicide Bombers, Rampage Shooters, and Other Self-Destructive Killers*. Nova York: St. Martin's Press, 2013.

6   Quarenta e oito por cento: trinta e oito por cento pelas próprias mãos, dez por cento "suicídio por um policial", de acordo com Adam Lankford, "A Comparative Analysis of Suicide Terrorists and Rampage, Workplace, and School Shooters in the United States from 1990-2010", *Homicide Studies*, v. 17, n. 3, 2013, pp. 255-74, doi: 10.1177/1088767912462033.

284 O ACERTO DE CONTAS DE UMA MÃE

7   Bryan Vossekuil et al., "The Final Report and Findings of the Safe School Initiative: Implications for the Prevention of School Attacks in the United States", <www2.ed.gov/admins/lead/safety/preventingattacksreport.pdf>, p. 21, acesso em maio de 2015.

8   Thomas Joiner, *The Perversion of Virtue: Understanding Murder-Suicide*. Nova York: Oxford University Press, 2014, p. 11.

9   Conversa com Thomas Joiner, 3 de dezembro de 2014.

10 Langman, localizações no Kindle 947-49.

11 Conversa com a dra. Marisa Randazzo, 19 de fevereiro de 2015.

12 Conversa com o dr. Dwayne Fuselier, 29 de janeiro de 2015.

CAPÍTULO 13

1   K. R. Merikangas, J. He, M. Burstein et al., "Lifetime Prevalence of Mental Disorders in US Adolescents: Results from the National Comorbidity Study — Adolescent Supplement (NCS-A)", *Journal of the American Academy of Child and Adolescent Psychiatry*, v. 49, n. 10, 2010, pp. 980-89, doi: 10.1016/j.jaac.2010.05.017.

2   US Public Health Service, "Report of the Surgeon General's Conference on Children's Mental Health: A National Action Agenda", US Department of Health and Human Services, Washington, DC (2000). US Department of Health and Human Services, "Mental Health: A Report of the Surgeon General", Substance Abuse and Mental Health Services Administration, Center for Mental Health Services, National Institutes of Health, National Institute of Mental Health, Rockville, MD (1999).

3   B. Maughan, S. Collishaw e A. Stringaris, "Depression in Childhood and Adolescence", *Journal of the Canadian Academy of Child and Adolescent Psychiatry*, v. 22, n. 1, 2013, pp. 35-40.

4   US Preventive Services Task Force, "Screening and Treatment for Major Depressive Disorder in Children and Adolescents", *Pediatrics*, v. 123, n. 4, abr. 2009, pp. 1.223-28.

5   Center for Disease Controle and Prevention, "Youth Risk Behavior Surveillance — United States, 2011", *Morbidity and Mortality Weekly Report, Surveillance Summaries*, v. 61, n. SS-4, 2012, <www.cdc.gov/mmwr/pdf/ss/ss6104.pdf>.

6   National Institute of Mental Health Depression in Children and Adolescents (fact sheet), <www.nimh.nih.gov/health/topics/depression/depression-in-children-and-adolescents.shtml>, acesso em maio de 2015.

7   <www.suicidology.org/ncpys/warning-signs-risk-factors>, acesso em maio de 2015.

8   O dr. John Campo e colegas publicaram um estudo sobre crianças com dores abdominais recorrentes e inexplicáveis na revista *Pediatrics* em 2001: 44,4% das crianças analisadas também se encaixavam nos critérios de transtorno depressivo. Eles sugeriram que crianças que apresentam dores abdominais recorrentes podem reagir ao estresse da vida com sintomas físicos. John V. Campo et al., "Recurrent Abdominal Pain, Anxiety, and Depression in Primary Care", *Pediatrics*, v. 113, n. 4, 2004, pp. 817-24.

9   Dave Cullen, *Columbine*. Nova York: Grand Central Publishing, 2010, p. 200.

10 O relatório não foi aberto ao público, embora Dave Cullen tenha compartilhado uma cópia comigo. O testemunho de Huerter perante a Comissão de Revisão de Columbine foi amplamente divulgado: <extras.denverpost.com/news/col1202.htm>, acesso em maio de 2015.

11 Ralph W. Larkin, *Comprehending Columbine*. Filadélfia: Temple University Press, 2007.

12 Peter Langman, *School Shooters: Understanding High School, College, and Adult Perpetrators*. Lanham: Rowman & Littlefield, 2015.

NOTAS   285

13 Larkin, p. 90.

14 Larkin, p. 91.

15 Centers for Disease Control and Prevention, "Youth Risk Behavior Surveillance —
United States, 2011", *Morbidity and Mortality Weekly Report, Surveillance Summaries*,
v. 61, n. SS-4, 2012, <www.cdc.gov/mmwr/pdf/ss/ss6104.pdf>.

16 National Center for Education Statistics and Bureau of Justice Statistics, "Indicators
of School Crime and Safety" (2011), <nces.ed.gov/pubsearch/pubsinfo.asp?pubid=
2012002rev>.

17 W. E. Copeland, D. Wolke, A. Angold e E. Costello, "Adult Psychiatric Outcomes of
Bullying and Being Bullied by Peers in Childhood and Adolescence", *JAMA Psychiatry*,
v. 70, n. 4, 2013, pp. 419-26, doi: 10.1001/jamapsychiatry.2013.504.

18 B. Klomek, F. Marrocco, M. Kleinman, I. S. Schonfeld e M. S. Gould, "Bullying,
Depression, and Suicidality in Adolescents", *Journal of the American Academy of Child
and Adolescent Psychiatry*, v. 46, n. 1, 2007, pp. 40-49. Y. S. Kim e B. Leventhal, "Bullying
and Suicide", *International Journal of Adolescent Medicine and Health*, v. 20, n. 2, abr.-
-jun. 2008, pp. 133-54.

19 T. R. Nansel, M. D. Overpeck, D. L. Haynie, W. J. Ruan e P. C. Scheidt, "Relationships
Between Bullying and Violence Among US Youth", *Archives of Pediatric and Adolescent Medicine*, v. 157, n. 4, 2003, pp. 348-53, doi: 10.1001/archpedi.157.4.348.

20 T. E. Moffitt, A. Caspi, H. Harrington e B. J. Milne, "Males on the Life-Course-
-Persistent and Adolescence-Limited Antisocial Pathways: Follow-Up at Age 26 Years",
Development and Psychopathology, v. 14, 2002, pp. 179-207. D. Pepler, D. Jiang, W.
Craig e J. Connolly, "Developing Trajectories of Bullying and Associated Factors",
Child Development, v. 79, n. 2, 2008, pp. 325-38. M. K. Holt et al., "Bullying and
Suicidal Ideation and Behaviors: A Meta-Analysis", *Journal of the American Academy
of Pediatrics*, jan. 2015, doi: 10.1542 peds.2014-1864. W. E. Copeland, D. Wolke, A.
Angold e E. Costello, "Adult Psychiatric Outcomes of Bullying and Being Bullied
by Peers in Childhood and Adolescence", *JAMA Psychiatry*, v. 70, n. 4, 2013, pp.
419-26, doi: 10.1001/jamapsychiatry.2013.504. P. R. Smokowski e K. H. Kopasz,
"Bullying in School: An Overview of Types, Effects, Family Characteristics, and
Intervention Strategies", *Children and Schools*, v. 27, 2005, pp. 101-9.

21 J. Pirkis e P. Burgess, "Suicide and Recency of Health Care Contacts: A Systematic
Review", *The British Journal of Psychiatry: The Journal of Mental Science*, v. 173, n. 6,
dez. 1998, pp. 462-74.

22 Ibidem.

23 Pessoas presas há pouco tempo correm maior risco de suicídio. Thomas B. Cook,
"Recent Criminal Offending and Suicide Attempts: A National Sample", *Social Psychiatry and Psychiatric Epidemiology*, v. 48, n. 5, maio 2013, pp. 767-74.

24 Mary Ellen O'Toole, "The School Shooter: A Threat Assessment Perspective" (Quantico: FBI Academy, 2000), <www.fbi.gov/stats-services/publications/school-shooter>,
acesso em maio de 2015.

25 Conversa com Mary Ellen O'Toole, 23 de fevereiro de 2015.

CAPÍTULO 14

1   Adrian Raine, *A anatomia da violência: as raízes biológicas da criminalidade*. Porto Alegre:
Artmed, 2015, p. 171.

CAPÍTULO 16

1 Patrick O'Malley, "Getting Grief Right", *New York Times*, 10 jan. 2015, <opinionator. blogs.nytimes.com/2015/01/10/getting-grief-right/?_r=0>, acesso em maio de 2015.
2 Aparentemente, há alto risco de suicídio nas semanas imediatamente posteriores à alta de um hospital psiquiátrico. A. Owen-Smith et al., "'When you're in the hospital, you're in a sort of bubble': Understanding the High Risk of Self-Harm and Suicide Following Psychiatric Discharge: A Qualitative Study", *Crisis: The Journal of Crisis Intervention and Suicide Prevention*, v. 35, n. 3, 2014, pp. 154-60, dx.doi.org/10.1027/0227-5910/a000246. H. Bickley et al., "Suicide Within Two Weeks of Discharge from Psychiatric Inpatient Care: A Case-Control Study", *Psychiatric Services*, v. 64, n. 7, jul. 2013, pp. 653-59, doi: 10.1176/appi.ps.201200026.

CAPÍTULO 17

1 K. Kiehl et al., "Abnormal Brain Structure in Youth Who Commit Homicide", *NeuroImage: Clinical*, v. 4, maio 2014, pp. 800-7.
2 Em *A anatomia da violência: as raízes biológicas da criminalidade* (Porto Alegre: Artmed, 2015), o dr. Adrian Raine identifica essas como as principais causas da predisposição biológica para a violência. Em nossa conversa de 24 de março de 2015, ele chegou a ponto de me perguntar sobre o consumo de peixe em minha família, já que há uma correlação impressionante entre baixos níveis de ômega 3 e violência. De qualquer forma, nós comíamos peixe pelo menos uma vez por semana.
3 O filho de Liza Long é bipolar. Seu post provocador em um blog, com o título "I Am Adam Lanza's Mother", viralizou em 2012, e seu livro subsequente, *The Price of Silence: A Mom's Perspective on Mental Illness* (Nova York: Hudson Street Press, 2014), são indícios aterradores de como nossos sistemas de educação, justiça juvenil e saúde mental lidam com doenças cerebrais em crianças.
4 Conversa com o dr. Dewey Cornell, 5 de março de 2015.
5 Mark Juergensmeyer, *Terror in the Mind of God: The Global Rise of Religious Violence*. 3. ed. Berkeley: University of California Press, 2003.
6 Conversa com a dra. Katherine Newman, 16 de março de 2015.
7 Frances Jensen escreveu um livro fascinante sobre a imaturidade do cérebro adolescente e suas conexões: *The Teenage Brain: A Neuroscientist's Survival Guide to Raising Adolescents and Young Adults*. Nova York: HarperCollins, 2015.

CAPÍTULO 18

1 World Health Organization, "Mental Health: A State of Well- Being" (2014), <www. who.int/features/factfiles/mental_health/en/>.

RECURSOS*

Há tantos recursos excelentes disponíveis que esta lista poderia facilmente ter mil páginas. Separei aqueles que mais recomendo:

PREVENÇÃO AO SUICÍDIO

Se alguém que você ama está em crise (com ou sem pensamentos iminentes de suicídio), ligue para o Centro de Valorização da Vida para pedir ajuda.

Centro de Valorização da Vida*
141
www.cvv.org.br

Sua ligação será automaticamente direcionada para um voluntário treinado que vai ouvir você e poderá informá-lo sobre os serviços de saúde mental em sua região. O serviço é gratuito e confidencial, e a linha fica aberta todos os dias da semana, vinte e quatro horas. Todos deveriam ter esse número à mão.

Associação Brasileira de Estudos e Prevenção do Suicídio*
www.abeps.org.br

Essa organização fornece recursos maravilhosos em vários tópicos, inclusive em como reconhecer os sinais de alerta de suicídio e quem está em risco, o que fazer para ajudar sobreviventes de suicídio em luto, como conversar com as crianças sobre suicídios na família e muito mais. De valor inestimável para sobreviventes, educadores, ativistas e pessoas em risco, assim como para qualquer um que se preocupe com essa questão.

MENTAL HEALTH FIRST AID (PRIMEIROS SOCORROS DE SAÚDE MENTAL — PARA JOVENS E ADULTOS)

A Mental Health First Aid, uma organização estado-unidense, oferece treinamento prático para ajudar as pessoas a reconhecer os sinais de vício e estresse mental. Já fiz o curso três vezes e acho que todos deveriam fazê-lo. É muito importante saber que, pelo preço de um sábado, pode-se salvar uma vida.

www.mentalhealthfirstaid.org/cs [em inglês]

---

* Os recursos marcados com asterisco são sugestões do editor brasileiro. (N. do E.)

BULLYING

O bullying pode ser um problema em qualquer faixa etária; os pais e a escola podem ajudar.

www.chegadebullying.com.br*

RECURSOS PARA OS AMIGOS

Crianças são mais afeitas a conversar com os amigos do que os adultos. Assim, elas precisam saber o que fazer se um amigo está tendo pensamentos suicidas. O panfleto "Salve um amigo", da Associação Nacional de Psicólogos Escolares, é uma breve introdução ao que quase todos deveriam saber. (Preste atenção à importância de ter por perto um adulto responsável ou um membro da equipe de gestão de crise, treinado para reagir adequadamente.)

Salve um Amigo: Dicas de Prevenção do Suicídio para Adolescentes
www.nasponline.org/resources-and-publications/resources/school-safety-and-crisis/
preventing-youth-suicide/save-a-friend-tips-for-teens-to-prevent-suicide [em inglês]

REAÇÃO DA ESCOLA AO SUICÍDIO

Após um suicídio, a segurança de outros alunos pode depender da maneira como a escola lida com a tragédia. Este livreto (criado pela Fundação Americana de Prevenção ao Suicídio e pelo Centro de Recursos de Prevenção ao Suicídio) oferece um guia prático para um momento difícil.

Depois do Suicídio: Ferramentas para a Escola
www.sprc.org/library_resources/items/after-suicide-toolkit-schools [em inglês]

PREVENÇÃO À VIOLÊNCIA

A divisão de Prevenção à Violência dos Centros de Controle e Prevenção de Doenças faz um trabalho importante. Em particular, eu gostaria de chamar atenção para o Sistema de Relatórios de Mortes Violentas (National Violent Death Reporting System), uma ferramenta inestimável na prevenção à violência.

www.cdc.gov/violenceprevention/nvdrs [em inglês]

Essa base de dados oferece um relatório compreensivo e anônimo sobre mortes violentas. Ligar as informações sobre "o quê, por quê, quando, onde e como" da base de dados sobre mortes violentas nos ajuda a entender os motivos para que tenham acontecido. Com o tempo, a base de dados pode mostrar se os vários esforços para prevenir a violência estão funcionando. Atualmente, apenas trinta e dois estados norte-americanos têm fundos para participar.

SEGURANÇA EM RELAÇÃO A ARMAS DE FOGO

Seja lá qual for sua opinião sobre posse e controle de armas, há um relacionamento indiscutível entre o acesso a armas de fogo e o aumento do risco de suicídio. O programa

RECURSOS

Means Matter, da Escola de Saúde Pública de Harvard, apresenta abordagens informativas e peculiares para promover a segurança em relação a armas de fogo para todos. Uma de suas iniciativas, o New Hampshire Gun Shop Project, é um modelo para a prevenção colaborativa sem conflito.

www.hsph.harvard.edu/means-matter/means-matter [em inglês]

ORIENTAÇÕES PARA A IMPRENSA

A maneira como a imprensa relata incidentes envolvendo suicídios pode afetar a saúde pública e a segurança nos momentos posteriores à tragédia. Aqui estão algumas orientações:

www.afsp.org/news-events/for-the-media/reporting-on-suicide [em inglês]
reportingonsuicide.org [documento disponível em inglês, espanhol, francês e alemão]

Eu gostaria de ver um protocolo similar desenvolvido para reportagens sobre assassinatos seguidos de suicídio. Tudo o que fizermos para aumentar o conhecimento, inibir a criação de mitos e minimizar o trauma faz da nossa comunidade um lugar mais seguro.

ABORDAGEM A AMEAÇAS

O manual de abordagem a ameaça estudantil, da Virgínia, oferece às escolas maneiras seguras, estruturadas e eficientes para lidar com ameaças de violência entre os estudantes. Esse é um modelo de abordagem a ameaças que enfatiza a atenção prematura em problemas como bullying, piadas e outras formas de conflitos estudantis, antes de eles se transformarem em comportamento violento. Atualmente utilizado em mais de três mil escolas, em dezoito estados norte-americanos, o programa treina equipes multidisciplinares em um único dia.

curry.virginia.edu/research/projects/threat-assessment [em inglês]

Os programas de abordagem a ameaças não reduzem apenas a violência estudantil. Eles podem ajudar os professores e os funcionários a identificar crianças em risco de muitos tipos de danos, incluindo suicídio, violência de parceiros e abuso infantil.

ÍNDICE REMISSIVO

À meia-luz (filme), 130
ABC News, investigação da, 145-46
Abordagem a ameaças, 174-75, 206, 224-25
Ações judiciais
  arquivos lacrados de, 262-63
  custos legais, 121
  depoimentos, 252, 256-58, 262-63
  e ataques de pânico, 256
  e julgamento, 100, 131
  e pedido de desculpas, 256
  e provas, *ver* Evidência policial
  e restrições, 100, 103-4, 151, 152, 241, 264
  futilidade das, 121-22
  histórias na imprensa sobre, 262-63
  número de, 122, 255
Adolescentes
  assédio dos colegas, 193
  "crianças são crianças", 29-30, 191, 192, 196, 207
  e amigos, 166
  e armas, 272
  e assassinatos em massa, 172-73
  e bullying, 189-94, 199, 206, 271
  e carteira de motorista, 186-87
  e depressão, 178, 179, 183-84, 194-95, 206-8
  e suicídio, 160, 161-62, 184
  e violência, 224, 227, 271
  influências do ambiente, 260-61
  isolamento/questões íntimas, 187
  mudanças no comportamento padrão, 20-21, 206, 224-25
  problemas de saúde cerebral dos, 158-59, 178, 195, 206

programa Diversion para, 190, 199
terapeutas para, 207-8
ver também Pais
Alison (inquilina), 33, 40, 41, 43, 234
Anatomia da violência, A (Raine), 219
Anatomia de uma dor, A (Lewis), 119
Anderson, Brian, 137
Arango, Victoria, 163, 257
Assassinato seguido de suicídio, 146, 174-76
Associação Americana de Suicidologia, 181
Atiradores em massa, *ver* Tiroteios em massa

Battan, Kate, 135, 136, 139, 140, 141, 142, 163
Bergman, Ingrid, 130
Bernall, Cassie, 138, 139
Bolton, Iris, 119
Bombeck, Erma, 182, 249
Bondade
  de amigos e vizinhos, 65-66, 97-100, 102, 126-27, 244-45
  de estranhos, 241
  nas cartas, 103, 107-11, 255
  ver também Ruth e Don
Boyer, Charles, 130
Brown, Brooks, 33, 89, 136, 189, 203, 214-15
Brown, Judy, 84, 189, 215, 231
  e a violência de Eric, 203-4
  e o site de Eric, 36-37, 98, 203-4, 243
  no dia do tiroteio, 33, 36-37, 40, 43, 44, 45
Brown, Randy, 243

Caçadores da arca perdida, Os (filme), 104

Cartas de ódio, 62, 109

Castaldo, Richard, 137

Celia (amiga), 241-42, 245, 248

Centros de Controle e Prevenção de Doenças, 146, 161, 178, 193, 248

Cérebro, estudos do, 159

Chesterton, G. K., 15

Churchill, Winston, 188

Clinton, Bill, 242-43

Coalizão do Colorado para a Prevenção ao Suicídio, 244, 245, 248

Coffey, Ed, 168

Comprehending Columbine (Larkin), 190

Comunidade, 242-51
    dos sobreviventes de suicídio, 242-51, 264
    e riso, 249
    sofrimento da, 54, 101, 123, 242-43

Cornell, Dewey, 260-61

Crimes imitados, 56, 145-46

Cuidado Perfeito contra a Depressão, 168

Culpa
    agir sem, 108
    atribuir, 63, 107
    autoculpabilização, 114
    e críticas, 111, 120
    e reconhecimento do mal, 76-77

Curnow, Steven, 138, 139

Departamento de Educação dos Estados Unidos, 158, 173

DePooter, Corey, 138, 139

Depressão
    clínica, 178
    Dylan e, 14, 142, 157-58, 159, 161, 163, 164, 167, 169, 172, 179, 185, 187, 191, 199, 206, 208, 211, 251, 262, 272
    e bullying, 193
    e o "olhar de mil metros", 228
    e o vazio, 178
    e saúde cerebral, 157-58, 163-65, 167, 178-79, 206, 268, 276
    e suicídio, 193, 228, 247
    em adolescentes, 178-79, 183, 194-95, 206-8
    fatores de risco para, 178, 183, 193, 194, 206
    intervenções para, 247
    sintomas de, 178-79, 185, 195

DeVita, John, 13

Devon (amiga), 90, 102, 170, 211

Diane (irmã de Sue), 31

Direita religiosa, 243

Diversion (programa), 30, 190, 199, 202-3, 204, 211, 214, 219, 221
    arquivos liberados, 201
    como alternativa à prisão, 196
    processo de admissão, 201
    término antecipado, 30, 176, 218, 220

Doença mental, *ver* Saúde cerebral, problemas de

Doom (videogame), 148, 260

Doyle, Jennifer, 138

Efeito Werther, 146

Escola de Ensino Fundamental Sandy Hook, 20, 145, 146, 159

Escola de Ensino Médio de Columbine
    anuário da, 172, 211, 212
    assassinato seguido de suicídio na, 175, 176
    biblioteca, 103, 117-18, 135, 137, 138-39, 149
    bullying na, 97, 108-9, 157, 172, 189-94, 206
    cerimônia de formatura, 102
    como cena do crime, 117-18
    como símbolo, 96-97
    Comprehending Columbine (Larkin), 190
    comunicação com as vítimas da, 95-97, 103-4, 254
    confrontos sociais na, 188-89
    crimes imitados, 56, 145-46
    danos físicos à, 117

e ações judiciais, *ver* Ações
  judiciais
e teoria da conspiração, 160
estudantes evangélicos na, 190
evidência, *ver* Evidência policial
histórias na imprensa sobre, *ver*
  Imprensa
investigações, 123-24, 160, 176,
  244
logo depois do tiroteio, 21-22,
  42-51, 52-53, 60, 76, 95,
  97-101, 242, 272
memoriais a, 99, 108
mortos e feridos na, 20, 40, 58, 97,
  103-4, 137-40
sistema de computadores
  hackeado, 185-86
sobretudos de couro preto na,
  215-16
tiroteio na, 25-38, 136-40, 158,
  191, 244, 272
visita dos Klebold à, 117-18, 135
Eubanks, Austin, 138
Evidência policial
  apresentada aos Klebold, 134-41
  fitas lacradas, 145, 149-51, 262
  Vídeos do Porão, 141-42, 145,
    147-50, 152, 172, 174, 218, 232,
    251, 253, 260, 262

FBI, 174, 176, 207, 218
  "The School Shooter: A Threat
    Assessment Perspective", 207
Fleming, Kelly, 138, 139
"Four Strong Winds" (canção), 225
Fundação Americana de Prevenção ao
  Suicídio, 206, 239, 275, 279
Fundação Avielle, 159
Fúria (King), 148
Fuselier, Dwayne, 176, 218

Gardner, Neil, 137
Gente como a gente (filme), 246
Goethe, *Os sofrimentos do jovem Werther*,
  146
Graves, Sean, 137

Hall, Makai, 138
Hancey, Aaron, 137-38
Harris, Eric
  amizade de Dylan com, 57, 90-91,
    165, 166, 170, 173-74, 176, 184,
    187, 192, 199, 236-37, 261, 272
  construindo bombas, 210
  diários de, 171-72, 176
  e armas, 142, 217, 223, 253, 262
  e briga na escola, 188-89
  e bullying, 189, 192, 193-94
  e o hackeamento dos
    computadores de Columbine,
    185
  e o programa Diversion, 176, 196,
    201, 203, 218, 221
  e o tiroteio de Columbine, 19, 28,
    44, 55, 97, 124, 136-44, 176,
    191, 243-44, 275
  e os Vídeos do Porão, 141-46, 174,
    253
  e raiva, 142, 180-81, 200
  e roubo de equipamentos
    eletrônicos, 196-99, 203
  e saúde cerebral, 171-72
  e tratamento psiquiátrico, 207
  e violência, 136-40, 150, 168-69,
    176, 188-89, 203
  empregos de, 91
  escritos de, 224
  influência de, 27, 30, 103, 175-76
  medicamentos de, 122
  motivos desconhecidos e
    incognoscíveis, 157, 176, 267-68
  no segundo ano do ensino médio,
    173, 180, 196
  planejamento por, 140-43, 157,
    170, 210, 219
  planos para depois da formatura,
    220
  site de, 36-37, 98, 203, 243, 262
  suicídio de, 118, 139, 176
Harris, família, 90, 131, 135, 180, 196,
  200, 202, 219, 220, 252
Hensel, Jennifer, 159

Hochhalter, Anne Marie, 137
Homens-bomba, 174
Huerter, Regina, 190, 191

Imprensa
    assédio da, 99, 120
    e crimes imitados, 145-48
    orientações sobre as melhores
       práticas, 146-48
    pedidos de desculpas da família
       Klebold publicados na, 95, 254
    perguntas da, 124, 126
    rumores e informações errôneas,
       48, 55-59, 76-77, 104, 134, 135,
       160, 254, 262-63
    sensacionalismo na, 55, 62, 98,
       123-24, 146, 147, 149, 262
Iniciativa Escola Segura, 158
Internet, histórias na, 147
Ireland, Patrick, 138, 139

Jamison, Key Redfield, 167-68
Johnson, Michael, 137
Joiner, Thomas, 163, 164, 171, 175, 228
Juergensmeyer, Mark, 261

Kay, Gregg, 121
Kechter, Matthew, 138, 139
Kiehl, Kent, 167, 257, 270
King, Stephen, *Fúria*, 148
Kintgen, Mark, 138
Kirklin, Lance, 137
Klebold, Byron, 224
    adolescência de, 7, 85-86, 88,
       93-94
    apartamento/independência de,
       93-94, 106, 179, 182, 201,
       212-13
    e esportes, 86-87
    e maconha, 85, 201, 202
    e o dia do tiroteio, 25, 32, 33, 40,
       43, 48
    e o funeral de Dylan, 64, 67-68
    empregos de, 93, 182, 184, 200,
       212-13

    ferimento de, 188
    infância de, 78, 81
    logo após o tiroteio, 55, 59, 143
    voltando para casa, 69-71, 106-7
Klebold, Dylan
    adolescência de, 87-94, 155, 177,
       183-84, 201-2, 205-6
    amigos de, 81, 88-91, 102-3, 165,
       170, 173, 184, 186, 188-89, 192,
       211-12, 214-15, 261
    apólice de seguro de, 121
    características pessoais de, 57, 77,
       78-80, 165-66, 183-84, 192,
       200, 206, 208, 216, 259-60
    carteira de motorista de, 186-87,
       200, 228-29
    como pária, 164-65, 171
    construindo bombas, 210
    depressão de, 113, 142, 153,
       157-58, 159, 163-67, 206-8,
       227-28, 262, 272
    diários de, 163-67, 168, 170,
       171-72, 176, 207, 210, 212, 217,
       221, 260
    e a discussão no Dia das Mães,
       205-6
    e armas, 27, 34-35, 49, 98, 103,
       135, 137, 143, 217, 223, 253, 272
    e as suspensões de Columbine,
       185-86, 189
    e bebidas, 158, 201-2, 206, 235-36
    e beisebol fantasia, 57, 88, 200
    e briga na escola, 188-89
    e bullying, 189-94, 206
    e computadores, 89, 92-93,
       185-86, 211, 212, 214
    e doença cerebral, 171, 268
    e esportes, 86-88, 180-81
    e faculdade, 29, 36, 50, 179, 183,
       213, 214, 219, 222, 223
    e o baile de formatura, 36, 49-50,
       91, 161, *209*, 230-31, 232-33,
       233-36
    e o programa Diversion, 30, 176,
       196, 199, 201, 202-3, 204, 211,
       214, 218, 220-21

e o tiroteio de Columbine, 19-20,
27-28, 30, 34-35, 37-38, 44, 52,
55, 124, 127, 133, 135-44, 157,
191, 244, 275
e os Vídeos do Porão, 141-45,
149-51, 152, 174, 218, 232, 240,
251, 253, 260
e perfeição, 177
e produção de vídeos, 214-15,
222-23
e raiva, 142, 164, 165, 171, 194,
197, 205, 217, 230, 240
e roubo de equipamentos
eletrônicos/prisão, 196-99, 201,
202, 203, 206, 211
e suicídio, 39, 63, 110, 118, 139,
144, 150, 157-63, 168, 170,
175-76, 206, 210, 217, 245, 251,
268
e vida após a morte, 256
e videogames, 89, 92, 260-61, 262
e violência, 128-29, 135, 136-44,
150, 152-53, 154, 158, 251, 253,
257, 261, 268
empregos de, 91, 187, 200, 212,
214, 222
funeral de, 60, 63-64, 67-68, 69
histórias na imprensa sobre, 55-58,
62, 76, 98-99, 160, 212, 244
infância de, 7, 20, 23, 72, 73,
73-87, 129, 131, 152-53, 276
influência de, 145
lembranças de, 90, 100-1, 108,
151, 153, 240, 275-76
morte de, 39, 49, 52, 54, 63, 110,
111-12, 160, 175, 210
motivos desconhecidos e
incognoscíveis, 19-20, 39-40, 51,
53, 58-59, 69, 96, 106, 109,
112-13, 116, 118, 119, 121,
134-35, 140-41, 144, 153-54,
157, 166, 174-76, 218-19, 227,
231, 236, 239, 261-62, 265, 267
na Escola de Ensino Médio de
Columbine, 25, 26, 88, 192,
194, 195, 204, 223-25, 271

nascimento de, 72, 151
no segundo ano do ensino médio,
30, 52, 57, 94, 143, 171, 173,
177-208
planos de, 46, 50, 140-44, 153,
157, 160, 170-71, 179, 210, 218,
250, 251, 275
problemas de saúde de, 185
responsabilidade de, 176, 185-86,
194, 197-99
resultados da autópsia, 244
sonhos da mãe sobre, 68, 71, 120,
193, 253
último ano do ensino médio de,
179, 195, 209, 209-37
vulnerabilidade de, 174, 176,
191-92, 206, 260-61, 272
Klebold, família, 7
celebração de Ação de Graças, 188
destruição da, 121, 143, 151
e aniversários, 184, 228, 232
evidência policial apresentada
para, 134-44, ver também Vídeos
do Porão
lembranças da, 129-30, 217-18,
232, 234-35
preocupações financeiras da, 121,
179, 183, 184, 187, 206, 213,
222, 252
Klebold, Sue
ataques de pânico de, 255-56, 263,
265-69
autoimagem de, 107-8, 119, 123,
128-30, 133, 157, 161, 168, 219,
276
câncer de, 238-39
comemoração do aniversário de,
228
diários de, 21-22, 73-75, 100, 208,
210, 213, 215
e a comunidade, 242-51
e a comunidade de prevenção ao
suicídio, 248-51, 264
e a discussão no Dia das Mães,
205-6

e abraços, 231

e ações judiciais, *ver* Ações judiciais

e arte, 102, 129, 213, 232, 240

e cartas às famílias das vítimas, 95-97, 103-4, 254

e controle, 187, 199-200, 204, 211

e culpa, 13, 15, 46, 63, 107, 120, 243, 246, 253, 262-63

e luto, *ver* Luto

e medo da morte, 238

e o frasco de bebida de Dylan, 235-36

e o incidente do hackeamento dos computadores, 185-86

e perfeição, 177

e sobrevivência, 239

e terapia, 104-5, 151-52, 263, 265-67

relacionamento abalado de Tom e, 105-6, 131, 244, 264-65, 267

remorsos de, 273, 275

sobre criação de filhos, 77-78, 257-59, 262-63

sonhos de, 68, 71, 120, 193, 253

trabalho de, 122-28, 129, 132, 182, 241, 249

Klebold, Tom

e a noite do tiroteio, 42-49

e a perda de um filho, 62-63, 103, 105, 130-31, 239, 264

e a prisão de Dylan, 196-97, 202

e ações judiciais, *ver* Ações judiciais

e continuar a vida, 264

e controle, 199-200

e o funeral de Dylan, 67

e o tiroteio de Columbine, 25-38, 243

e os Vídeos do Porão, 253

habilidades de pai, 258-59

logo após o tiroteio, 54, 96, 99, 104-6

problemas de saúde de, 87, 182-83, 187, 206, 213, 214, 223

procura por trabalho de, 121

relacionamento abalado de Sue e, 105-6, 131, 244, 264-65, 267

volta para casa, 69-71, 121

Kreutz, Lisa, 138, 139

Kurosawa, Akira, 222

Langman, Peter, 165, 166-67, 171,176, 191, 207, 217

Lankford, Adam, 174, 261-62, 279

Lanza, Adam, 145, 159

Larkin, Ralph, 190, 191, 192, 193, 261

Lewis, C. S., *A anatomia de uma dor*, 119

Littleton, consequências do tiroteio em, 123-24, 243-44

LivingWorks, 195

Long, Rich, 137

Lozow, Gary, 31, 45, 60, 121, 131, 134, 151, 279

Luto

ciclo do, 268

e a comunidade, 243-54

e aceitação, 128-30, 154, 173

e câncer, 238, 245

e culpa, 102, 129-30, 173, 194, 238, 240, 246, 264, 275

e deixar de lado, 152, 254, 264

e isolamento, 61

e lidar com a vida que continua, 105-6, 112-13, 249

e negação, 48, 52, 58, 97, 105, 127, 131, 135, 153

e o vazio à frente, 240

e perda, 69, 152, 245, 246

e perdão, 246

e recuperação, 126, 127, 240, 241, 249, 254-55, 264

e trauma, 254, 265-66

foco no, 120, 122-23, 124, 126-27

lidando com o, 53, 100, 116, 119, 126-27, 151, 154, 254, 264

profundezas do, 49, 55, 59, 68, 102, 239

segundo ano de, 240

terapia para, 104-5, 151-52

ÍNDICE REMISSIVO

Manes, Mark, 122, 174, 217, 223
Mauser, Daniel, 138, 139
Mauser, Tom, 210
Meloy, Reid, 172, 173, 210
Menninger, Karl, 14
Moritz, Meg, 147
Moutier, Christine, 205, 207, 279
Munson, Stephanie, 137
Myth of Martyrdom, The (Lankford), 174

Nate (amigo), 91, 220
    amizade de Dylan com, 88-89, 90,
        103, 165, 174, 212, 214, 230,
        233, 261
    e as armas de Dylan, 103
    e o funeral de Dylan, 64
    no dia do tiroteio, 25-26, 28, 29-30
    socializando, 170, 184, 187
National Enquirer, 244
NBK (*Natural Born Killers*, ou
    Assassinos por natureza), 171, 175
Newman, Katherine, 261
Nielson, Patti, 137, 139
Nock, Matthew, 268
Nowlen, Nicole, 138

O'Malley, Patrick, 245
O'Toole, Mary Ellen, 207
Ochberg, Frank, 147, 148, 170, 174
Organização Mundial da Saúde, 267

Pais
    abuso dos, 253-54
    ações e sentimentos escondidos
        dos, 13-14, 113, 115-16, 128,
        130, 150, 153, 154, 165, 178,
        193, 194-95, 201, 202, 203,
        206-8, 209-10, 216-19, 226-27,
        241-42, 245, 246, 250, 253, 259,
        262
    compartilhando histórias com os,
        109-10, 132, 240-42, 255, 264
    culpa atribuída aos, 13, 16, 46, 63,
        107, 120, 243, 246, 250, 252,
        253, 262-63, 259, 262

e prevenção ao suicídio, 250-51
e problemas de saúde cerebral, 178
e terapia, 207
ensinando amor, 257-59
estilos de criação, 21
perda dos, 120
sobreviventes de suicídio, 76,
    244-51
Park, Jeanna, 138
Patterson, Frank, 121
Phillips, David, 146
Psicopatia, 172, 175-76

Quando a noite cai: entendendo a
    depressão e o suicídio (Jamison),
    167-68

Raine, Adrian, 219
Rampage (Newman), 261
Randazzo, Marisa [Reddy], 173, 174,
    176
Redes sociais, bullying nas, 193
Responsabilidade, 176, 185-86, 194,
    197-98, 259
Richman, Avielle Rose, 159
Richman, Jeremy, 159
Rilke, Rainer Maria, 153
Robyn (amiga), 161
    e armas, 98, 122, 217
    e o baile de formatura, 91, 209,
        230, 232, 234, 235
Rohrbough, Daniel, 137, 139
Ruegsegger, Kacey, 138
Ruth e Don (parentes), 228
    e o funeral de Dylan, 64
    gentilezas de, 53, 59, 64, 69
    oferta de refúgio de, 44, 47-48, 52,
        54, 55, 69, 116

Sanders, Dave, 122, 123, 137, 139,
    255, 275
Saúde cerebral, problemas de, 20,
    157-69
    ataques de pânico, 193, 194, 256,
        263, 265-67, 269

bullying, 193-94
como questão de saúde pública,
272-73
comportamento, 257
comportamento patológico, 251
depressão, 132, 157-59, 162, 164,
167-69, 172, 178-79, 181, 183,
185, 187, 191, 193, 194-95, 199,
206, 208, 211, 218, 247, 251,
262, 268, 269, 276
diagnóstico de, 270
e os diários de Dylan, 163-67
e tiroteios em massa, 158 ,172-73
e violência, 148, 158, 193-94, 257,
268, 270
e vítimas de bullying, 193-94
efeito Werther, 146
ensinar, 273
identificar as causas, 148
indiferença à vida, 174, 176
intervenção em, 247-48, 270-71
nas famílias, 251
percepção *versus* realidade, 165-66,
170-71, 217
psicopatia, 172, 176
sinais de, 178, 195
sinais de alerta de, 168
suicídio, *ver* Suicídio
transtorno bipolar, 15, 162, 247
transtorno de ansiedade, 153, 267,
270
transtorno de personalidade
antissocial, 193
transtorno de personalidade
esquiva, 166
transtorno de personalidade
esquizotípica, 166
tratamentos para, 168, 247-48,
269-70
Savage, John, 138
Schnurr, Valeen, 138
*School Shooters: Understanding High
School, College, and Adult Perpetrators*
(Langman), 167, 191
Scorsese, Martin, 223

Scott, Craig, 138
Scott, Rachel, 137, 138, 139
Serviço Secreto dos Estados Unidos,
158, 173
Sete samurais, Os (filme), 222
Seung-Hui Cho, 145
Sharon (amiga), 130, 161, 244, 245
Shoels, Isaiah, 138, 139
Sofrimentos do jovem Werther, Os
(Goethe), 149
Starkey, Kevin, 138
Steepleton, Daniel, 138
Stone, Oliver, 171
Suicídio
amor não é suficiente, 247
assassinato seguido de, 147,
174-76, 246, 247, 264, 267-68
biologia do, 162
causas do, 148
como fim ao sofrimento, 162, 168,
171
como questão de saúde pública,
146
e a comunidade, 50, 242-51, 246,
264
e a decisão de morrer, 167-69
e adolescentes, 160, 161, 183
e assassinatos em massa, 174-75
e crimes imitados, 144-47
e depressão, 194, 227-28, 247
e disfunção do processo de
decisão, 268
e doença cerebral, 162-63
e o efeito Werther, 146
e o "olhar de mil metros", 228
e o sentimento de ser um fardo,
163, 164, 165
e raiva, 165
e solidão, 163, 164
e Técnicas de Intervenção
Aplicadas ao Suicídio, 195
e tendências homicidas, 174-75
e vergonha, 246
fatores de risco para, 184, 246,
247

fatos sobre, 161-62, 248-49
fundos insuficientes para pesquisas
sobre, 248-49
grupos de apoio, 161, 244-51
índices de, 161-62
influências externas, 160
intervenções para, 247
lógica doentia do, 50
mitos sobre, 161, 162, 189, 242,
246, 248-49, 264
nas famílias, 251
pais lidando com, 75-76, 130-31
planejando o, 218
prevenção ao, 167-69, 174-75,
194, 206, 246-51, 270-71,
recursos
sobreviventes de, 50, 76, 119, 130,
145, 231, 239, 241, 244-51, 264
sobreviventes de tentativas de, 50,
251, 268
Suicídio zero, meta de, 168
Susan G. Komen (programa
assistencial), 239
Susie (supervisora), 122, 123, 126
Swanson, Jeffrey, 158

Tanner Gun Show (feira de armas),
217
Taylor, Mark, 137
Técnicas de Intervenção Aplicadas ao
Suicídio, 195
Time, 98, 212
Tiroteios em escolas, *ver* Tiroteios em
massa
Tiroteios em massa
adolescentes agressores, 172
e estudos de abordagem a
ameaças, 174, 207, 225, 270
e saúde cerebral, 157-58, 172-73
e suicídio, 175
estudos sobre, 158, 167-68, 172,
176, 191
fugindo das consequências de, 174

Iniciativa Escola Segura, 158
interceptação de, 176
motivações para, 148, 261-62
padrões de, 174
rota para a violência, 210
Todd, Evan, 138
Tomlin, John, 138, 139
Townsend, Lauren, 138, 139
Tufekci, Zeynep, 147

Universidade do Arizona, 29, 36, 179,
224, 229, 232, 265

Velasquez, Kyle, 138, 139
Vida
como uma dádiva, 239, 249
e risos, 249
indiferença à, 174-75, 176
Vídeo de Rampart Range, 223
Videogames violentos, 107, 148, 160,
260-61
Vídeos do Porão, 141, 145, 147, 149,
150-51, 152, 172, 174, 218, 232,
251, 253, 260, 262
lacrados, 144-45, 149-50, 262
Virginia Tech, 145

West, Randy, 135
*Why Kids Kill: Inside the Minds of School
Shooters* (Langman), 166
Williams, Robin, 146, 148
Worth, Cindy (pseud.), 114

Zack (amigo), 91, 196, 197
amizade de Dylan com, 89-90,
165, 174, 212, 261
e a faculdade, 220
e o funeral de Dylan, 64
e o hackeamento dos
computadores de Columbine,
185
socializando com, 90, 170, 184,
187

Este livro foi composto na tipografia
Plantin Std, em corpo 10,5/13,6, e impresso em
papel off-white no Sistema Digital Instant Duplex
da Divisão Gráfica da Distribuidora Record.